LE HUITIÈME JOUR

Données de catalogage avant publication (Canada)

Maillet, Antonine, 1929-
Le huitième jour
(Collection Roman québécois; 100)
2-7609-3107-2

PS8526.A44H84 1986 C843'.54 C86-096303-9
PS3919.2.M34H84 1986

Illustration de la couverture: Paul-Émile Borduas, *Les Yeux de cerise d'une nuit d'hiver*, encre sur papier, 1950, Collection Musée des Beaux-Arts de Montréal.

Maquette de la couverture: Germain Bergevin

Photocomposition et montage: Édipro ltée

ISBN 2-7609-3107-2

Dépôt légal — Bibliothèque nationale du Québec
3e trimestre 1986

Imprimé au Canada

Antonine Maillet

LE HUITIÈME JOUR

LEMÉAC

À Luc Lacourcière, qui m'enseigna les contes

PROLOGUE

Je suis venue au monde avec une tache de naissance sur la cuisse gauche, au printemps, à midi, à l'heure où l'angélus annonçait que le Verbe s'était fait chair. C'était là tout mon héritage. Plus tard, quand mes frères et soeurs aînés, le soir autour du pupitre familial, se chercheront un pays, une langue et une identité, je les regarderai, imperturbable et fière: Je me nomme Tonine, j'ai hérité de la parole et j'exhibe ma tache originelle au-dessus du genou. Personne d'autre au monde, c'est-à-dire à dix lieues à la ronde autour de Bouctouche, ne portait ce nom ni ces attributs. J'étais distincte, unique et j'étais moi, un point c'est tout. Je n'ai jamais eu mal à la dent des autres; jamais hurlé d'autre cri que celui qui me sortait du ventre; et c'est mes fesses à moi qu'on tapait plus souvent qu'à leur tour parce que ce moi-là prenait plus de place que son dû.

C'est à peu près à cette époque que j'ai appris, roulée en boule sous le pupitre de famille, que je descendais en ligne directe d'Adam et Ève, un étrange couple du début du monde qui s'était brouillé avec toute la parenté pour une histoire de pomme. Une pomme, pensez donc! Je comprenais qu'on se chicane sur une poire ou une noix de coco. Mais des pommes, la cour en était pleine en été, et la cave en hiver. On n'aurait pas pu lui ouvrir le verger, à cet Adam-et-Ève, et l'empêcher de nous faire ce coup-là?

Ce coup-là, c'était rien de moins que le plus mauvais coup qu'eût jamais tenté et réussi un étourdi. À côté d'Adam-et-Ève, le beau Normand qui me brisait mes affaires et me poussait en bas de la galerie, le nez dans les marguerites, était un ange. Et même Alberte qui mentait, oh! mentait jusqu'à faire accroire que Shirley Temple était sa cousine, une sainte, Alberte, à côté d'Adam-et-Ève. On m'avait bien volé ma fronde en vrai caoutchouc, et mes billes, les unes après les autres, et mes crayons de couleur, mes bâtons de réglisse, mes noisettes. Mais Adam-et-Ève, le chenapan, il m'avait volé le paradis.

Et j'ai grandi avec ce bouchon dans la gorge : un compte à régler avec mes premiers parents. Faut pas vous demander après ça pourquoi j'écris des livres. Mais on ne commence jamais par les livres. On commence par interroger les cailloux ou les coquillages ; par calculer l'âge d'un arbre en comptant les cernes de sa souche ; par faire le singe et grimper, grimper jusqu'à la dernière branche, l'oeil accroché à l'horizon qui fuit en noyant vos cris dans le vent. La dernière branche qui est toujours la plus fragile et la plus sèche, et crac !... vous voilà bien avancés. Mais les blessures aux genoux finissent par se cicatriser. Tandis que la tache originelle sur la cuisse, et le trou béant au coeur laissé par Adam-et-Ève qui a mordu dans la pomme... cette blessure-là, vous la traînerez partout, toute votre vie, d'âge en âge, de pays en pays, de livre en livre.

Pourtant, comme tous les poètes, inventeurs, explorateurs et conteurs d'histoires, je crois toujours qu'un jour je trouverai... je n'ai pas renoncé au paradis. Pas tout à fait et définitivement renoncé. Il me reste un filet d'espoir. Reprenons l'histoire depuis le début. Tout a commencé avec la création du monde. Création en six jours, nous dit-on, six petits jours, avec un Créateur qui s'en va en plus se reposer le septième! Vraiment ce n'était pas sérieux. On peut bien avoir hérité d'un monde boiteux et rabougri! Un monde inachevé.

Inachevé...

Ce seul mot donne envie de sortir ses crayons de couleur, ses compas, ciseaux, équerres, rabots, pinceaux... de sortir sa plume. Mais qu'est-ce que ça peut donner, sinon un livre de plus? Non, le seul espoir se cache derrière l'horizon, dans les plis du temps, au creux de l'imperceptible. Le seul espoir est dans le huitième jour.

* * *

Je suis rentrée chez moi cet été, un été de plus, en parlant haut, riant fort, faisant semblant de croire comme d'habitude que cette année serait la bonne. L'année de la comète de Halley. Une comète c'est chanceux, comme le chiffre sept ou treize. Et ça traîne sûrement des prodiges dans sa queue. La terre ne pourra qu'en bénéficier. De toute façon, celle-là n'a rien à perdre avec ses sables qui envahissent sa jungle, ses volcans qui éructent et pètent, et ses pôles qui se déplacent chaque année de plusieurs coudées. Tout prodige ne peut que nous rajeunir en redonnant à notre planète ses airs des temps primordiaux quand elle sortait tout juste de son limon et commençait à peine à se durcir et s'encroûter.

C'est la tête vide, mais le coeur et les reins remplis de ces rêves chatouillants, que j'ai quitté la mer, les dunes, les marais, que j'ai traversé le village, en passant juste au-dessous du clocher qui un demi-siècle plus tôt a craché ses douze coups de midi dans mon berceau en prévenant mes parents, qui n'avaient pas l'air de se rendre compte, que c'était là un verbe irrégulier et défectif qui s'était fait chair.

Je ne me suis pas arrêtée sous le clocher à compter les coups, l'angélus ne sonne plus à midi, ne sonne plus du tout. Le magasin-général des Robichaud Frères n'ouvre plus ses portes à l'aube, car on l'a rasé pour asphalter le parvis de la paroisse. Et la maison de ma naissance a perdu sa galerie, ses peupliers et son arrière-cour où le poulain du vieux Ferdinand a failli un jour envoyer une intruse manger avant son heure les pissenlits par la racine. L'intruse qui a eu raison du poulain a cru du coup avoir eu le dessus sur le destin et lui a fait l'une de ces niques qui la hante depuis... S'il fallait que le destin soit susceptible! Et puis tant pis! Pas de temps à perdre à faire sa cour au destin quand on a devant soi sa destinée. Car de l'autre côté du jardin, dépassé le verger, puis le haut du champ, puis les cages à renards, coule le ruisseau du Docteur Landry, enchâssé dans le plus joli sous-bois que la terre a fait naître à l'aube des temps primordiaux.

...Sauf que les renards ont perdu leurs cages qui ont perdu leurs renards qui ont dû se noyer dans le ruisseau qui aujourd'hui, se faufilant honteusement sous les racines et la mousse, ne parviendrait pas à noyer les libellules. J'ai envie de crier : Et la mer, comment comptes-tu l'atteindre avec ce flux-là? Et ta source? Tu as bien une source? Non, il ne doit plus rester de source à un aussi mince filet qui ne se donne même plus la peine de se renflouer. Il doit couler de mémoire, par habitude, oublieux des jours gras où la forêt tout entière venait y boire et s'y mirer. Durant ces temps fastueux, je m'y baignais aussi, en cachette, pataugeant dans les eaux interdites, me laissant flotter et emporter jusqu'à la porte du paradis perdu... Tire la chevillette, la bobinette cherra!

Et j'entrais, du pied gauche, en parlant d'homme à homme avec nul autre que Dieu le Père en personne, qui aurait bien pu se donner la peine, par ce bel après-midi de juillet, de refaire le monde à mon goût et à mon intention. Un peu plus grand, s'il vous plaît, plus haut, plus large, avec sa droite à gauche et sa gauche à droite, et sans nuit, sauf pour les étoiles et les mouches à feu. Un monde où les filles sont aussi des garçons ; où les enfants sont en même temps des grandes personnes ; où chaque être est soi tout en étant un autre, tous les autres, capable de recommencer éternellement sa vie. Un monde sans limites, sans ennui, sans fin. Tire la chevillette...

Ce ruisseau-là doit avoir une source. Sans quoi il serait mort d'inanition. Et les trembles et les bouleaux qui s'y abreuvent seraient desséchés et retourneraient en poussière d'écorce. Ce ruisseau du Docteur Landry prend sa source quelque part plus haut, au-delà de la lisière du sous-bois, peut-être au coeur de la forêt sauvage?

Forêt interdite à mon enfance et pourtant si proche de mon ruisseau que je me demande aujourd'hui comment j'ai pu résister si longtemps à sa tentation. On peut s'y perdre, c'est un risque, et puis après? On peut se perdre n'importe où, en ville, dans la foule, où les individus sont autant d'arbres aux branches noueuses et entrecroisées. Forêt pour forêt...

Et je rentre.

Va, avance, pousse sur la frontière de ton village, fais reculer l'horizon qui te barrait la route du nord. La forêt aussi est née dans les six jours. Elle est réelle, palpable, odorante, vivante, elle se nourrit de fougère et de mousse, elle alimente en sources tous les ruisseaux et rivières qui se jettent dans l'océan. Tu es à deux pas de chez toi, n'aie pas peur.

Je n'ai pas peur, mais je suis en transes. D'où vient ce tiraillement sur ma cuisse gauche? Et ces geais bleus qui ne cessent de lancer leurs avertissements en douze cris articulés? La forêt est de connivence, mais avec qui?... Une source s'amuse à me distraire, les racines à me faire trébucher, les aigrettes, les feuilles, la mousse à rendre ma chute plus douce. Je n'ai pas peur, je n'ai pas peur. Je remonte le cours de mon ruisseau jusqu'à sa naissance au creux des roches, en dessous de la croûte du sol, au fond, au fond... Au fond, la terre tourne sur son noyau, comme un fruit sur sa noix, comme moi sur ma tache originelle. Qui a dit que c'était une tache plutôt qu'un grain de beauté?

...Une cabane se découpe là, sur un fond de hêtrière. Une délabre. Des planches détachées de leurs madriers qui grincent au vent. Pourtant cette charpente repose sur une cave bien équarrie. Un logis pas si petit qu'il ne paraît. Je compte les pièces, je prends l'escalier du grenier, un étage avec ses chambres, alcôves, armoires, son couloir sur un plancher qui craque et sa lucarne tout au bout. Tiens! ce ne sont pas des pièges à ours que j'aperçois d'ici; ces vastes trous qui avoisinent la cabane sont d'autres caves plus grandes, plus petites, mais toutes aussi profondes. On bâtissait solide à l'époque.

À l'époque? quelle époque?

— Il y a quelqu'un?

Silence.

Puis tout à coup, les écureuils se remettent à frétiller de la queue au museau; les lièvres à sauter et disparaître dans une trouée; la mousse à exhaler une buée blanche; la fougère en forme de crosses à jouer du violon; les corbeaux à se plaindre qu'il ne se passe rien; l'écorce des bouleaux blancs à éclater sous la sève; les aigrettes à grafigner les feuilles qui crissent et saignent; les geais bleus à chanter douze fois: *T'en fais pas, Tonine! t'en fais pas, Tonine!* Et moi je ris presque, tant je suis sens dessus dessous et bout-ci, bout-là... Qu'est-ce que vous allez chercher là! que je réponds aux oiseaux de présages. Jamais je n'ai été plus émerveillée... éblouie... effarée...

Petite effarée! On me l'a tant répété tout le long de ma première enfance. Mais dans la langue du pays, le mot était plus riche et plus profond. À ses origines, ce mot-là tenait de l'effarement et du faraud. Les deux se rejoignaient à la porte du paradis perdu où je suis venue cogner chaque jour depuis que j'ai vu fleurir pour la première fois sur ma cuisse ma tache originelle. Il faut être drôlement effaré de frayeur et d'effronterie pour défier Dieu et le Diable avec le huitième jour!

— Tu entres ou tu n'entres pas? me fait une voix écorchée qui me rappelle celle d'une vieille servante qui me racontait des contes qui commençaient tous par: *Il était une fois...*

I

COMMENT DEUX HÉROS SONT SORTIS DU BOIS ET DU PÉTRIN

Depuis la faute, Maître Bonhomme comme les autres traînait sa tache originelle partout, maudissant Ève, plaignant Adam, cherchant à contourner la loi, le pommier maudit et le glaive de feu qui barre la porte de l'Éden. On était mardi, ou jeudi, l'un de ces jours heureux où les garces se tordent la croupe et les gars les moustaches, et où les vieux ménages comme celui de Bonhomme et de sa femme se tordent pour voir s'ils sont encore bons à quelque chose.

— Bon à rien!

Ainsi en avait conclu Bonne-Femme après maintes contorsions infructueuses de ce fils d'Adam qui parvenait à peine à faire bouger sa pomme au fond du gosier. Bon à rien. Le mot lui était resté bloqué là, en pleine gorge, engotté, garrotté, laissant tout juste passer une plainte qui s'achevait sur un: *qu'est-ce que j'ai fait au bon Dieu!* Et la chicane reprenait. Chaque mardi. Chaque jeudi. Parce que depuis belle heure que les époux avaient renoncé aux jours fériés. Le ciel s'était refusé à bénir leur union.

Ce n'était pourtant pas faute de moyens. Bonne-Femme avait ingurgité toutes les herbes sauvages dites médicinales cueillies dans les bois puis transformées dans les alambics des alchimistes, charlatans, nécromants et omnipraticiens, sans négliger d'invoquer chaque soir les divinités des moissons et de la fertilité. Bonhomme pour sa part en avait fait bon usage, mais...

— Bon à rien!

Et le mot continuait de lui garotter le gosier.

Combien de temps ç'allait durer? Car le temps passait. Et avec le temps, les années. Voire les années bissextiles à une allure étourdissante. Bonhomme en avait déjà compté treize. Et sa femme... mais sa femme avait juré, juré, vous entendez? de se cramponner des deux mains à ses quarante ans et de n'en plus bouger. Elle tenait bon, la têtue. Elle s'obstinait, proclamant à la face de l'univers et de ses voisines qu'à quarante ans une mère met au monde un produit final qui vaut l'attente et la quarantaine. Et vous verrez ce que vous verrez ce que vous verrez.

En attendant, personne n'avait encore rien vu. Et secrètement, plus personne ne s'attendait à rien voir avant la prochaine comète de Halley qui n'avait point prévu de revenir de sitôt. Alors?

— Alors quoi? Vous croyez que je ne finirai pas par le faire, cet enfant de mes vieux jours? Je le ferai même toute seule, et vous resterez tous les chausses en berne. En plus ce sera un garçon.

Et repoussant d'un geste net et brusque son homme qui avait approché son nez de sa pâte à pain, elle l'envoya revoler dans la huche. Elle gloussa... Qu'il se déprenne de là comme il pourra. Je m'en sors bien, moi, de ma pâte. Deux fois la semaine je boulange et pétris et fais craquer la croûte au-dessus du réchaud. L'un de ces jours, vous verrez... Mais son homme ne vit rien, car il s'était tiré du pétrin, épousseté les fesses, et s'en allait en maugréant à son atelier de menuiserie jouxtant les bâtiments.

Il ne vit et n'entendit rien. Pas même les soupirs de sa femme qui boulangeait, et pétrissait, et façonnait dans la pâte un petit bonhomme gros comme son poing en lui donnant des noms: Tom Pouce, qu'elle disait en salivant dans la farine, Pouçot, Gros comme le Poing... si seulement j'avais un enfant, tiens! pas plus gros que ça, mais drôle, espiègle, rusé, vingt fois plus malin que son père, et qui m'aiderait à chasser les poules qui tournaillent autour de moi et m'empêchent de faire mon pain. Qu'elle soupirait. Mais Bonhomme ne l'entendit pas.

Il était rentré dans son atelier, son atelier d'ébéniste, car ce charpentier persistait à s'appeler un artisan, un artiste, voilà ce qu'il était, artiste de la planche, de la brique et du crépi. Rabot ou spatule en mains, ce drôle en trois coups pouvait vous transformer le monde. Il sortit de sa poche de fesse une petite flasque qu'il gardait toujours au chaud pour les mauvais jours, et but. Ahhh!... Et rebut. Mmmmmm... Et se dit que la vie n'était pas si mauvaise ni la terre aussi plate qu'on ne l'avait laissé entendre; que le monde n'était vide que pour les aveugles et les sourds; que... trêve et jérémiades!... il allait s'attaquer tout de suite au gros oeuvre, ce pilier de toiture que lui avait commandé Pierre, Jean ou Jacques, peu importe; qu'il se sentait de force à porter seul, à bras-le-corps, le tronc de son plus gros chêne... Tiens, là, bouge pas. Laisse-moi t'arrondir la taille et les flancs, vieille branche... branche de Bonhomme. Et il en bavait. Si seulement j'avais un fils, qu'il bredouillait, grand comme ça, et fort, débonnaire, loyal et courageux, qui ne rechignera pas devant l'ouvrage, et ne mentira jamais... hic!

Bonne-Femme recula d'horreur. Son homme s'était saoulé et divaguait. Il avait taillé un horrible petit géant dans un tronc de chêne et voilà qu'il lui causait dans sa langue. Il donnait des noms à ce monstre: Jean de l'Ours, qu'il l'appelait, Jean le Fort, Fort comme Quatorze. Bonne-Femme songea à ses pains sur le réchaud qui risquaient de trop enfler et se hâta de débarbouiller le menton de son homme.

— Viens te coucher, vieil ivrogne. Assez de folies pour aujourd'hui.

— Attends, j'ai pas fini, je lui ai pas fait de nombril...

Bonne-Femme sortit de sa poche de tablier son aiguille

à tricoter et la vrilla dans le ventre de la ronde-bosse qui frémit sous les chatouilles.

— Il est complet ton Tronc de chêne, fils de trou du cul. Tu peux dormir tranquille, mon homme.

Et l'homme et la femme s'en furent ronfler côte à côte, dans la même couette.

Vers minuit, la girouette chanta.

— Pas la girouette, nigaud, le coq.

— Le coq? pourquoi le coq chanterait à minuit, bougresse?

— Le coq chante quand la poule a pondu, crétin. T'as pas oublié le fanal dans le poulailler?

— Vieille folle!

Et Bonhomme se retourne face au mur et se rendort.

— Peuh! que fait Bonne-Femme, cet écervelé aurait négligé de fermer son atelier que je m'en étonnerais pas. Un géant dans un tronc d'arbre!... faut-il bien!

Et elle s'enfonce la tête dans l'oreiller et s'endort en rêvant à son petit pain gros comme le poing.

Bonhomme et Bonne-Femme avaient comme premier voisin une voisine, du nom de Clara-Galante, qu'on disait un peu sorcière parce qu'elle filait la nuit au lieu de dormir, et le jour fouillait les bois à la recherche de plantes et baies aux vertus que désapprouvait le curé.

— Cette méchante femme pervertit les bons pères de famille, qu'il geignait sous sa barrette, Dieu la punira.

Mais Dieu n'avait pas l'air d'entendre les supplications de son serviteur; car la sorcière restait impunie, et les pères de famille de plus en plus pères de familles de plus en plus nombreuses. Et tout le monde s'en portait de mieux en mieux.

Cette nuit-là, Clara-Galante dévida sur son dévidoir de longs fils de soie et de laine de ses moutons, en prononçant des paroles étranges et confuses. Elle débitait des sésames, des abracadabras, des petit-couteau-d'or-et-d'argent-ta-mère-t'envoie-en-haut-du-champ tout mélangés à des *ave* dans le plus pur latin d'église. Puis louchant du côté du logis de Bonhomme et de sa femme Bonne-Femme, elle lança un ricanement qui dévala toute l'octave et réveilla l'écho enfoui dans les collines. L'écho à son tour fit s'envoler les corneilles et jacasser les oies qui donnèrent du bec contre la brouette à fumier. Qu'est-ce qui se passe? hennit le cheval. La jument le rassura aussitôt et le ramena à l'écurie. S'il fallait quitter la couche à chaque piaulement de la basse-cour! Puis le monde se calma. Seul le coucou traîna un instant, flaira les étoiles... tiens, la comète!... puis chanta douze fois.

Dans la cuisine, le poêle transpire, car le beau charpentier, artiste de la planche et du crépi, dans sa hâte de noyer dans la nuit ses rêves impossibles du jour, a omis d'étouffer la braise. Et quand le poêle a trop chaud, c'est connu, le four s'énerve et secoue ses grilles qui dansent et finissent par ébranler le réchaud. Une cuisine de paysan a beau s'étendre sur la moitié du corps du logis, elle est toujours trop petite pour tout ce qu'y fabrique une femme dépareillée. De là l'équilibre si précaire des ustensiles accrochés aux marmites pendues au-dessus du réchaud. Un chant de coucou et oupse!... voilà notre petit pain gros comme le poing qui dégringole, rebondit sur le crâne, roule, se cogne aux pattes de table et s'éveille.

...Bizarre façon de venir au monde que de tomber sur la tête, marmonne une vieille mouche née sur un tas de fumier. Mais l'araignée la dévisage et hausse ses huit épaules, manière de lui signifier que peu importe comment on naît, c'est toujours mieux que de rester là-bas, inerte au fond de sa pâte, dans le pétrin. De toute façon, les deux se mettent d'accord sur un point : qu'on ne choisit pas ses origines, né ou non d'un petit pain. Puis les insectes rentrent dans le silence, laissant le nouveau venu se débrouiller comme il pourra avec sa destinée.

Ce que notre héros s'empresse de faire en se crachant dans les mains. Mauvais départ, petit : la farine se délaye dans la salive en une pâte gluante, et le voilà empâté et collant. C'est bien mal commencer une vie. Et gesticulant, se roulant par terre puis jurant par tous les diables, il donne de grands coups de pieds dans les casseroles qui le lui rendent. Ayoy! Il vient de comprendre que ses pattes accrochées à ses cuisses, pendues à son petit derrière, font partie de lui, et qu'il est de la même pâte partout. Que c'est drôle! Il rit. Et se tape dans les mains. Et tourne sur lui-même pour mieux se rendre compte de tous ses droits. Et vient se cogner contre une marmite qui pousse un horrible grognement. D'instinct, notre petit pain s'attrape les oreilles et le bruit cesse du coup. Que c'est bizarre! Il recommence, se cogne sur la marmite qui grogne, de nouveau se bouche les oreilles, et comprend : il a un étrange pouvoir, celui d'imposer silence à la batterie de cuisine rien qu'en se bouchant les oreilles.

— Ah! qu'il se dit, avec un don pareil, je défie le monde de se mettre en travers de mon chemin.

Et gonflé de sa nouvelle importance, il se lève sur deux pattes, se tient en équilibre, jette un dernier regard en coin aux misérables petits pains ses frères restés en croûte sur le réchaud, prend son élan dans la direction de la vie, et vient donner tête première dans la porte qui pour l'instant lui barre le chemin du monde.

...Bon, qu'il se dit en fermant les poings et pinçant le bec, la porte me résiste. Mais y a pas que des portes dans la vie, je peux toujours m'en aller cogner ailleurs. Et en se détournant de l'obstacle, il lui décoche par derrière un solide coup de pied qui fait jouer sur ses gonds une toute petite trappe taillée au ras du sol. Il devait apprendre dès le lendemain que cette trappe était la porte privée et exclusive du chat, un vieux matou célibataire et bilieux. Mais cette nuit, le monde appartient au nouveau-né qui ne craint ni chat ni diable, et qui sort au grand large, la tête bien plantée sur son ventre en forme de chou, conquérir la terre et ses planètes.

La première découverte de notre héros fut l'atelier de son père, ou de ce charpentier du nom de Maître Bonhomme qui rêvait d'un héritier depuis le premier jour de ses noces et qui... eh bien! qui était resté déçu, quoi! Cette fois le petit pain ne se donne pas la peine de foncer dans la porte — on apprend vite à cet âge — et se met tout de suite en quête de la trappe du chat. Mais on n'entrait pas comme au moulin dans l'atelier du seul et du plus grand ébéniste du canton; les chats surtout n'y avaient pas leur entrée. Point de trappe dans la porte du maître-charpentier.

— Ça alors!

Et le petit bonhomme cherche et fouille grimpe sur une souche et grimpe dans le noisetier et saute sur le toit et glisse et manque de rouler en bas et atterrit dans une gouttière et dit *merde!* et regrimpe en s'agrippant aux tuiles et atteint la cheminée et y plonge la tête et perd pied et bascule et ouiiii!... boum! il atterrit, heureusement pour lui, dans la sciure de bois au pied d'un tronc de chêne haut comme un clocher d'église.

L'image ne peut pas être juste puisque le nouveau venu dans la vie n'a encore jamais vu d'église ni de clocher. Il n'a même encore rien vu du tout. Mais il a bonne tête et apprend vite.

Il se tord le cou, lève les yeux aussi haut qu'il peut, et les plante dans les deux immenses billes qui roulent dans le front de son vis-à-vis qui se tient debout devant lui, sans bouger, comme s'il avait honte de n'être pas encore sorti du bois.

Le petit pain ne perd pas une seconde et crie :

— Hé! gros patapouf, tu pourrais pas te pencher un brin, qu'on fasse connaissance?

Il a dit ça sans réfléchir, le petit, dans sa hâte de connaître, et comprendre, et de se faire un ami. C'est après coup qu'il a eu peur. Et il recule de tous ses pas, jusqu'au mur du fond. De là, à son ravissement, il réussit à voir l'ensemble. Un garçon qui pourrait avoir son âge... mais l'âge n'a pas d'âge à cet âge-là... un gros et grand bonhomme taillé dans un arbre et qui se tient là tout bête, sans bouger et sans dire un mot.

...Peut-être qu'il n'est pas encore né, que se dit le petit, soudain rongé d'inquiétude et de sympathie pour le gros lourdaud.

Et oubliant sa peur, il vient tout près.

— Comment tu t'appelles? Moi, c'est...

C'est en voulant se présenter que notre petit diable de héros mesure l'étendue de son dénuement. Il prend soudain conscience qu'il n'a pas encore été nommé, qu'il est venu au monde tout nu dans sa croûte, sans nom, sans rien, sans passé ni prouesse à raconter aux autres qui n'avaient pas l'air de l'attendre, tous préoccupés qu'ils sont eux-mêmes de conquérir leur propre place.

Déçu, l'enfant-pain donne de grands coups de pieds dans les côtes de l'enfant-chêne... qui commence à se tordre et à émettre des hi, hi, hi! et des ho, ho, ho! et des «Arrête, tu me chatouilles!»

Et c'est ainsi que le deuxième fils du couple Bonhomme et Bonne-Femme vit le jour, réveillé par son frère.

Les deux jumeaux commencèrent par se présenter l'un à l'autre : c'est-à-dire que le nain s'inventa un passé débordant d'aventures où des ancêtres de la lignée des brioches s'étaient alliés aux baguettes pour conquérir le royaume des beignets sous l'oeil attendri de cousins germains restés sur le réchaud à se faire gonfler et dorer le ventre ; tandis que le géant, ébloui devant les origines aussi glorieuses de son frère, en oublia les siennes rattachées au chêne. Et regardant avec nostalgie les poutres de bois franc inertes et inachevées, il s'avoue tout heureux de se sentier en vie, en dépit de sa gêne de voir son humble personne prendre tant de place dans le monde. Il s'efforça donc de se diminuer le plus possible pour pouvoir se mesurer à son frère qui de son côté se montait en épingle et se gonflait d'importance. À la fin, les deux se sentirent à peu près de la même taille et décidèrent ensemble qu'il était grand temps de partir à la recherche de leurs parents.

On était au huitième jour de la semaine. Tout était paisible et habituel dans le logis du sieur Bonhomme et de sa dame Bonne-Femme. Et les époux prirent le temps de se débarbouiller, s'habiller, remplir leurs poches, qui de sa pipe et de son tabac, qui de son dé à coudre et de ses aiguilles à tricoter, et ils descendirent en faisant craquer les marches de l'escalier comme chaque main. Rendus à la cuisine, ils allaient se diriger tous deux vers le poêle pour le remplir d'écopeaux et y poser la cafetière, quand...

— ...Mais qu'est-ce que je vois? de s'exclamer Bonne-Femme. Ça m'a tout l'air qu'il est arrivé du nouveau cette nuit. Qui es-tu, petit drôle?

Et le petit drôle se répand partout dans la cuisine, sautant d'une chaise à l'autre en chantant :

Hé, mère!
Je suis le gros comme le poing
Que toi-même t'as fait à matin
Avec le restant de la pâte à pain!

Et le petit donne de grands coups de plumeau pour chasser les poules qui ont envahi la place.

Bonne-Femme ne perd pas de temps à s'écarquiller les

yeux, se cogner le front et chercher à comprendre — comme font la plupart des incrédules dans ces cas-là — et elle éclate de rire.

— Bien fait, mon grand. Approche que je te mouche.

Et elle s'en vient caresser du coin de son mouchoir la croûte encore tendre de son petit pain gros comme le poing.

Bonhomme, durant ce temps-là, écrasé sur une chaise, les jambes écartées, la bouche béante, la main sur le front, en a le souffle coupé. Il n'arrive pas à exprimer sa joie ni articuler une phrase pour dire à sa femme de regarder là, dans le chambranle de la porte, ce fils tout d'une pièce, en bon bois franc, qui dépasse déjà son père de six têtes.

— Jean de l'Ours! qu'il réussit enfin à siffler entre les dents, mon petit! mon garçon!

— Jean de l'Ours? Mais non, c'est Gros comme le Poing, que reprend Bonne-Femme qui ne comprend rien aux fantaisies de son homme.

Et ce n'est qu'au bout d'un bon quart d'heure et d'une bonne dispute, que chacun des époux finit par apercevoir le fils de l'autre et comprendre que l'enfant tant désiré était enfin arrivé en double.

Cette scène se passait en ce temps-là, qu'on pourrait appeler le huitième jour, mais que Bonhomme et Bonne-Femme pour leur part préférèrent nommer le plus beau jour de leur vie.

Les heureux parents s'en allaient chaque dimanche sur le perron de l'église vanter leur progéniture à la face du laboureur, du barbier, du cordonnier, de l'épicière et de la vendeuse de poisson frais, leurs voisins. Jean de l'Ours, le grand, sortait tout droit d'un chêne plus que centenaire et son père Bonhomme l'avait fait sans l'aide de personne, de quelques coups de gouge. Et Bonne-Femme, mère, avait pétri son Gros comme le Poing de ses mains, en lui chantant des berceuses et l'appelant par son nom. Des enfants merveilles qui feraient de grandes choses.

— Et finiront en reniant père et mère comme tous les prématurés, rigolaient Pierre, Jean, Jacques, Marie et Catherine.

Puis chaque père se gonflait des prouesses de son fils, chaque mère des beautés de sa fille, Pierrot et patati, Mariette et patata... tous les enfants du monde, au dire de chacun, étaient des prédestinés. Bonhomme et Bonne-Femme en rageaient. Comment peut-on comparer un Pierre, Pierrot, Pierrette avec leurs deux prodiges sortis de la huche et de l'établi!

— Sortis du bois et du pétrin! s'esclaffaient les voisins.

Et encore patati, et encore patata!

...Depuis que le monde est monde que les enfants naissent de façon exceptionnelle, voyons, Bonhomme! Tu t'es forcée pour pas grand chose, Bonne-Femme! T'as mis au monde des enfants et puis après! Il en naît toutes les secondes sur le globe, des jaunes, des peaux-rouges, des noirs crépus et des blancs, à l'occasion. On a vu naître à Siam des Siamois, et des Mongols en Mongolie. Pourquoi pas un géant dans ton atelier, charpentier? Pourquoi pas, boulangère, un nain dans ta pâte à pain? Envoyez-les à l'école, comme les autres, puis à l'âge d'homme, larguez-les sur la grand'route: qu'ils s'en aillent faire leur vie comme le commun des mortels. Le monde se chargera bien de prendre leur mesure et leur vrai poids.

Sornettes! que grognait Bonhomme, atteint dans son amour paternel et son amour-propre. Ils ont tous des yeux pour ne pas voir, et des oreilles pour ne pas entendre. Mais ça saute à la vue que nos enfants ne sont pas comme les autres. Comment leur faire comprendre que nos fils sont venus au monde le huitième jour!

Pendant ce temps-là, nos deux merveilles multipliaient les prodiges pour ne pas être en reste sur leur destinée. Chaque nouveau jour réveillait un nouveau talent chez l'un ou l'autre de nos héros et amenait le village à se demander s'il ne finirait pas par partir à la dérive, drainé par ce couple de trouble-fête et de casseur d'oeufs. Jusqu'à l'arrivée au pays de cette troublante progéniture du sieur Bonhomme et de dame Bonne-Femme, le village, moitié collines, moitié plaine, moitié forêt, moitié bord de l'eau, avait réussi plutôt bien que mal à souder ses quatre moitiés et à donner l'impression d'une pièce de géographie assez unie. Un ensemble qui savait tenir ferme contre les ouragans, la grêle, les feux de forêt, les sauterelles et les calomnies proférées par les bourgs voisins. Le village contre vents et marées avait gardé la face et sauvé les pots cassés. Depuis sa fondation, du temps des pionniers.

Et un jour, deux enfants, l'un trop petit pour son âge, l'autre trop grand, deux mal embouchés, arrivés à la mauvaise heure le mauvais jour par le mauvais bout, s'en viennent rappeler au monde que le ciel est incertain et reste toujours à la merci du passage d'une comète. Tout peut arriver à n'importe quel moment n'importe où dans la vie, depuis que le couple Adam et Ève a mordu dans la pomme.

Si quelqu'un déplorait chaque jour le dérangement du monde, c'était bien notre Bonhomme qui ne cessait de geindre et se plaindre à sa femme que son petit écervelé de fils Gros comme le Poing ne valait pas l'effort de le nourrir et de l'élever. Ce à quoi ripostait du tac au tac Bonne-Femme que si un enfant dans cette maison prenait trop de place et mangeait plus que sa part, c'était bien le gros lourdaud de Jean de l'Ours, fils de son père.

— Ton géant n'a pas encore réussi à s'asseoir tranquillement sur une chaise sans la réduire en miettes; ni à s'en aller boire à la source sans la tarir; ni à traverser la cour sans écraser ma dernière couvée de canetons ou de poussins. Les dix plaies d'Égypte à lui tout seul, voilà ce qu'il est, ton fils.

Et Bonne-Femme bougonne de dépit.

Bonhomme arrache sa pipe d'entre ses lèvres et jette un oeil ébahi à sa compagne.

— Une plaie, Jean de l'Ours, mon petit? Comment oses-tu parler de la sorte de notre propre enfant? Songe qu'un jour, quand il sera grand, il partira conquérir le monde de ses mains. En trois enjambées il aura déjà franchi le jardin, la cour, la lisière du bois... laisse-le seulement grandir.

— Grandir, lui? Mais tu veux qu'il défonce le plafond? Je tremble déjà pour ma porcelaine.

— Tremble plutôt pour ton petit avorton qui ne réussira même pas à se placer les pieds chez les fabriquants de dés à coudre. Gros comme le Poing, un nain espiègle et touche-à-tout qui ne gagnera jamais son pain.

— Gagner son pain, lui? pourquoi faire? quand on est sorti de la huche!... T'inquiète pas pour lui, il saura faire sa vie. C'est pas tout d'avoir des muscles et du gras sous la peau; il faut de la jarnigoine, de l'astuce, du génie sous le chapeau.

— Peuh!

— Peuh! toi-même.

— Le nain ne fera jamais rien de bon.

— Le géant tout seul ne réussirait même pas son premier pas dans la vie.

— Tu veux parier?

— Ce que tu voudras.

— Parie, toi.

— Je gage, risque Bonne-Femme, que Gros comme le Poing dit Pouçot dit Tom Pouce sera le premier rendu à l'orée du bois et le premier grimpé au faîte du chêne que tu vois là-bas entouré de corneilles.

— Tope-là, répond Bonhomme, sûr de son fait: le premier à toucher le ciel sera l'héritier légitime et incontesté de la maison et de ses domaines.

— Marché conclu, signe de la tête Bonne-Femme.

Les deux frères ont assisté à cette première querelle de

leurs parents avec l'anxiété des immigrants dans un bureau de douane. Ils se tiennent par la main, sans dire un mot, toisant qui son père, qui sa mère, cherchant déjà à fléchir le destin et forcer le monde à les accueillir tous les deux sans passe-droit ni parti pris. Jean de l'Ours dit Jean le Fort dit Fort comme Quatorze se met à soupirer comme pour laisser entendre à Gros comme le Poing qu'il lui cède la place, qu'il s'efface devant sa supériorité qu'il ne sait expliquer mais qui est inscrite dans ses yeux à pic et sa bouche en coin. Mais Gros comme le Poing fait le sourd, presse plus fort la main de son frère et lui cligne de l'oeil avec l'air de dire : Fais-moi confiance, je nous sortirai tous deux de là.

— Parée ? demande Bonhomme à sa femme.

— Parée, répond l'autre en criant : un, deux, trois, partez !

Les deux enfants se crient mutuellement merde ! et s'élancent en même temps, du pied gauche, pour la chance. Gros comme le Poing, bien entendu, a pris la trappe du chat, tandis que son frère se donnait la peine de déclencher le loquet et bien refermer la porte derrière lui. Mais Bonhomme n'est pas inquiet. Il voit déjà son favori dévaler sans les compter les six marches de la galerie, enjamber la charrette, la vache qui en beugle d'étonnement, et la broussaille de cenelliers qui se dressent sur sa route. Quant à Tom Pouce, Bonne-Femme le cherche des yeux au ras du sol, scrutant les marguerites et les pissenlits, et se demandant où diable il a pu passer. Pourvu que d'un sabot distrait la jument ne l'ait pas écrasé.

— Jean de l'Ours est quasiment rendu, bave le père, fier comme un paon et préparant déjà l'avenir de son héritier légitime.

— Attends la fin, bêta. Songe au lièvre et à la tortue.

— Les fables sont menteuses ; seules comptent les réalités. Et la réalité aujourd'hui c'est que ton nain s'est égaré dans l'herbe et que mon géant est appuyé contre le chêne à l'orée du bois ; la tête sous la calotte du ciel.

Bonne-Femme est transie d'angoisse, mais pas de désespoir. Elle a fait confiance à son enfant; il ne saurait la décevoir, ne saurait la tromper, il a bien dû trouver un raccourci... Par où donc est-il passé? Soudain elle entend un cri venu de loin, porté par l'écho qui le dépose à ses pieds.

Hé, mère!
C'est moi, Gros comme le Poing,
Que t'as fait un bon matin,
Avec le restant de la pâte à pain!

Bonne-Femme arrache sa coiffe pour mieux entendre, fouille les quatre horizons, puis s'élance vers le chêne à l'orée du bois, suivie de son homme qui n'en croit ni ses yeux ni ses oreilles. Ils sont là, tous les deux, le petit trônant sur le bonnet du gros accoté contre le chêne qui lui-même prend appui sur la calotte du ciel. En sautant sur la botte de son frère, Gros comme le Poing a réussi à grimper le long de ses cuisses, son échine, sa colonne, son cou, et finalement venir s'asseoir confortablement dans la laine de son bonnet à l'instant même où Jean de l'Ours touchait le but.

— On a gagné tous les deux! s'écrie le nain, tandis que le géant, fier de leur premier exploit, rit de tout son ventre.

Et c'est la fête chez les Bonhomme.

...Fête qui dure jusqu'au soir.

Mais le lendemain, la chicane reprenait au logis. Prétexte banal, même oublié. Bonne-Femme a prétendu que c'était la faute de Jean de l'Ours, l'empoté, qui, cherchant à enfouir sa grosse tête dans le giron de sa mère, n'a réussi qu'à écrabouiller une douzaine d'oeufs dans la poche de son devanteau. Bonhomme, de son côté, accusait Gros comme le Poing, l'écervelé qui, pour faire l'homme, s'était emparé en cachette de la pipe de son père et n'avait réussi qu'à enfumer la maison. Mais on eut tôt fait de part et d'autre d'oublier l'origine du débat pour n'en plus garder qu'une rancune mutuelle et viscérale. Pour l'un et pour l'autre des parents, l'un ou l'autre des enfants était de trop.

Tel fut l'état des choses qui fit prendre un bon matin sa résolution à Jean de l'Ours. Si quelqu'un dans la maison était de trop, ce ne pouvait être que celui qui occupait trop de place. Il se sacrifierait et quitterait le domicile familial, abandonnant à son frère l'héritage et la légitimité.

— Je m'en irai tenter ma chance ailleurs, Gros comme le Poing, et la paix reviendra au logis. Tu sera heureux, tu verras. Et moi, je suis assez grand pour me débrouiller.

Gros comme le Poing tourna le dos à son frère et largua à ses pieds un large pet.

— Voilà tout ce que tu mérites, gros patapouf. Toi, te débrouiller tout seul dans la vie? T'aurais même pas réussi à trouver le chêne à l'orée du bois si je t'avais pas indiqué le chemin. Tu restes tranquillement à la maison à aider ton père à traîner ses gros billots de la forêt à l'atelier. J'irai de par le monde, moi, et reviendrai un jour tout chargé d'or, partager mon trésor avec mon frère.

Jean de l'Ours versait des larmes grosses comme des oeufs d'autruche et répétait :

— Je ne te laisserai pas partir tout seul, les chevaux de la route t'écraseraient.

...tandis que Gros comme le Poing reniflait en faisant semblant d'éternuer :

— T'en fais pas pour moi, petit géant, j'ai bien des tours dans mon chapeau.

— T'as même pas de chapeau, mais une casquette.

— Prends soin de père et mère, je reviendrai.

— Non!

— Si fait!

— Partons ensemble.

C'est Jean de l'Ours qui eut l'idée, lui qui en avait si peu. Cependant cette idée-là, il ne la trouva pas dans son cerveau, mais égarée quelque part entre son coeur et ses reins.

Il ne leur restait plus qu'à se montrer à la hauteur de

leurs destinées et à chercher entre les quatre points cardinaux la route du destin. Mais c'était là une tâche dont les intéressés ne soupçonnaient pas encore l'importance ni la difficulté. Et ils y entrèrent tous deux sans regarder en arrière, l'un à cloche-pied, l'autre à pieds joints.

Et les voilà partis pour la vie.

II

COMMENT NOS DEUX HÉROS SE DÉCOUVRENT UNE POMME D'ADAM, UNE VOIX RAUQUE ET TROIS POILS AU MENTON

Il faut vous dire que la vie, en les voyant arriver, eut un léger sursaut. On ne reçoit pas tous les jours un nain et un géant frères jumeaux, nés par surcroît l'un du chêne, l'autre de la pâte à pain. Mais la vie s'est vite ressaisie, car si quelqu'un en a vu d'autres...

Cependant, le départ ne se fit pas aussi facilement qu'on l'eût espéré. Avant de partir pour de bon, nos héros durent essuyer une couple de ratés, question de se faire le pied. Ainsi la première fois qu'on prit le bois, Gros comme le Poing, le plus savant des deux qui connaissait par coeur l'histoire du Chaperon Rouge, de la Belle au Bois Dormant et du Petit Poucet, son héros préféré, avait rempli ses poches de grains de blé qu'il comptait semer sur sa route afin de trouver son chemin vers l'aventure. Hélas! les oiseaux avaient mangé tous les grains, effaçant ainsi la route vers sa destinée et ramenant tout penauds au logis paternel nos deux futurs aventuriers. Gros comme le Poing qui ne connaissait pas encore beaucoup de choses mais qui avait bonne tête, comprit qu'il lui fallait la prochaine fois semer des cailloux. Ce qu'il fit. Mais les cailloux ne réussirent qu'à ramener encore une fois les héros chez eux.

— Bête! que se dit le nain en se cognant le front. Si tu veux partir, ne sème rien, brûle les ponts derrière toi et ne te retourne plus.

Jean de l'Ours, par solidarité avec son frère, se préparait déjà à mettre le feu au premier pont qui liait le sentier des vaches au chemin du roi, quand Gros comme le Poing lui retint le bras et proposa un peu ému :

— Et si on allait auparavant demander l'avis d'un sage, comme ça se faisait sur l'empremier?

— Ce pourrait être notre père Bonhomme ou notre mère Bonne-Femme, que s'empressa d'ajouter Jean de l'Ours.

— Oh! les parents, tu sais... et Gros comme le Poing fit la moue.

— On leur dira qu'on part combattre les méchants et défendre les opprimés.

— Et qu'on reviendra un jour chargés de richesses et de gloire pour égayer leur vieillesse.

— Et qu'on vivra heureux tous ensemble... avec de nombreux enfants.

Puis Jean de l'Ours rougit des paroles qui étaient sorties malgré lui de sa bouche.

Bonhomme et Bonne-Femme, en apprenant la nouvelle, commencèrent par s'arracher les cheveux ; puis par mesurer les avantages du départ de l'un au malheur de la disparition de l'autre ; enfin par répéter en soupirant la phrase qu'avaient inventée Adam et Ève : qu'on ne met des enfants au monde que pour les voir partir.

Et dès le lendemain, Bonne-Femme se mit en frais de confectionner à ses fils des vêtements de voyage et du linge de rechange : pour le nain, une culotte brune pas trop salissante ; une veste rouge et ample pleine de poches, de doublures et de cachettes ; des chaussures souples et antidérapantes pour mieux grimper ; un bonnet multicolore garni de clochettes pour que les passants n'aillent pas par distraction lui marcher dessus. Quant au géant, elle lui tailla des vêtements verts pour qu'il disparaisse dans la nature et ne fasse pas peur au monde; puis elle lui couvrit le chef d'un chapeau à grands bords surplombé d'une plume d'autruche où pourrait s'agripper à loisir son Gros comme le Poing; enfin elle le chaussa de bottes de sept lieues taillées à même la peau de la vache que le géant, la veille, avait lancée par-dessus le clocher en voulant la rentrer à l'étable.

Ainsi attifés, les deux voyageurs se présentèrent devant Bonhomme pour y recevoir la bénédiction paternelle. C'est là que, prenant Jean de l'Ours à part, son père lui apprit qu'il avait une marraine du nom de Clara-Galante qui logeait dans la cabane en bois ronds dans le coude du ruisseau:

— Rends-toi chez elle, qu'il lui dit. Va la prévenir que tu pars en voyage. Elle aura sûrement des cadeaux pour toi.

Durant ce temps-là, Bonne-Femme attirait dans ses jupes son petit dernier et lui chuchotait à l'oreille:

— Rends-toi chez ta marraine Clara-Galante, près du ruisseau. Dis-lui que tu t'en vas et demande-lui ton héritage.

Et voilà nos deux enfants bien embarrassés. Une marraine à l'un des deux? Et l'autre alors? Puis chacun résolut son cas de conscience avec le degré de conscience qu'il avait reçu au berceau: Jean de l'Ours en se promettant de partager son héritage avec son frère; Gros comme le Poing en jurant de si bien user du sien, qu'en peu de temps il n'en resterait rien et que l'héritier redeviendrait du coup l'égal de son jumeau. Mais avant de partager les bienfaits de la marraine, ils partagèrent la surprise de se trouver nez à nez —nez à nombril— sur le perron de la cabane de Clara-Galante.

— Tire la chevillette, la bobinette cherra.

Gros comme le Poing, qui a de la mémoire, croit se souvenir; mais comme il est aussi étourdi qu'intelligent, il ne prend pas garde et rentre. Son frère le suit.

Clara-Galante, penchée au-dessus d'une large marmite, brasse une soupe fumante et jaune. Gros comme le Poing reste figé et se colle à Jean de l'Ours, muet comme un âne.

— Euh-heu... fait la sorcière. Attelage dépareillé, mais du bois franc et de la bonne pâte... qu'est-ce que je peux faire pour vous?

Eh bien... c'est que... puisqu'on le leur demande... Et Gros comme le Poing prend un grand souffle et fonce :

— On voudrait nos présents, marraine.

Clara-Galante lève la tête de sa marmite et les toise... Drôles de petits bonshommes! Trop petit, trop lourd, et pourtant. Chaque jour, il naît des nains et des géants, des mal en point, des mal fichus, mais le monde s'en accommode, assez malencontreux lui-même.

— Faites vos voeux, qu'elle dit. Trois. Pas un de plus. C'est pour la vie. Songez-y bien.

Les deux frères se regardent comme pour se consulter. Ils n'avaient pas prévu qu'ils auraient à choisir.

— Santé?

...Mais non, voyons, ils en pètent.

— Sagesse?

...C'est quoi ça?

— Longue vie?

...La vie n'est pas un don, allons! on la reçoit à la naissance, sans même y penser, ça vient avec.

Et le Tom Pouce, enhardi, plante ses poings sur ses hanches :

— En premier, je veux entendre et comprendre le langage des animaux, qu'il fait en saluant bien bas, bonnet en main.

Clara-Galante dresse un sourcil de surprise, amorce un sourire, et fait un signe de tête du côté d'une grosse araignée qui échappe une maille de sa toile.

— Je veux une flûte qui fera danser le pays à trois lieues à la ronde.

La sorcière ouvre la bouche pour protester, mais la

referme. Elle jette un oeil sévère à l'étourdi et s'en va décrocher une paille se son balai.

Gros comme le Poing, ébloui, en perd toute mesure et s'écrie en éclatant de rire :

— Je souhaite le don... chaque fois que j'éternuerai... de faire péter le premier quidam qui se tiendra devant moi.

Et sans perdre de temps, confiant dans son génie, le jeune chevalier éternue à plein museau à la face de Jean de l'Ours qui largue au nez de Clara-Galante un pet proportionnel à sa taille. La marraine s'attrape la tête et débite une kyrielle de *petit démon!* de *girouette!* de *diable à quatre!* Mais Gros comme le Poing ne l'entend pas, plié en deux et se tenant les côtes, la flûte au bec, éternuant et interpellant les mouches et la grosse araignée.

Jean de l'Ours est si honteux qu'il en a les pieds en dedans. Sa marraine le voit chercher sa pomme au fond de son gosier et en a compassion. Et sa colère tombe. Alors elle s'empare de sa quenouille, la plonge dans le brasier de la cheminée, et de la pointe elle gribouille sur trois feuilles d'érable séchées des phrases qui roulent de droite à gauche et de bas en haut.

— Va, bonhomme, qu'elle fait à Jean de l'Ours, tes voeux sont gravés là. Fais-en ton profit.

Et secouant sa crinière ébouriffée pour en chasser les parasites qui y font leur nid, elle retourne à sa marmite et renvoie nos héros ses filleuls tenter au-delà des buttes de l'horizon leur singulier destin.

Les deux frères n'ont pas sitôt le nez dehors, qu'ils le plongent tout frémissant dans les feuilles enchantées... Du chinois! Du chinois sans points ni virgules, sans accents graves ni accents circonflexes, rien que des petits bonhommes et cabanes boiteuses, du chinois! Et ils se mordent la langue. Pas de dons pour le géant.

— C'est pas juste! c'est pas juste! s'enflamme Tom Pouce qui en a de la bile jusqu'au bord du nez.

Aucune marraine n'a le droit de traiter son frère de la sorte. Et furieux, il donne un coup de pied dans les feuilles qui revolent puis retombent à l'envers, la tête en bas et sens dessus dessous, révélant aux yeux éblouis de Jean de l'Ours des lettres avec des accents et des points sur les « i ».

Ne t'attaque jamais à plus petit que toi.

Viens d'abord au secours du plus faible.

Achève toujours une oeuvre commencée.

Gros comme le Poing ne parvient pas à cacher son dépit. C'est trop fort! Des maximes pour tout héritage! Des leçons d'école! Honore ton père et ta mère... la vérité, rien que la vérité, toute la vérité... ne t'attaque jamais à plus petit que toi... eurk! Il se prépare à maudire sa marraine par solidarité avec son frère, quand il aperçoit celui-ci qui sourit au vent et au soleil, la tête renversée, les yeux pétillants.

— À présent, qu'il fait, je n'ai plus peur: je suis sûr que ça sera jamais moi le géant qui mange les petits enfants.

Gros comme le Poing le dévisage, tout ému et tout drôle, durant un instant, le temps pour un petit diable comme lui de comprendre, enregistrer puis oublier le sens des mots qu'il vient d'entendre.

Nos héros, en préparant avec tant de soin leur départ, avaient tout prévu, sauf qu'ils partaient pour de vrai. Jusqu'au dernier moment, ils projetaient, complotaient, planifiaient le voyage comme un jeu. Ce n'est que les pieds sur le perron de Clara-Galante qui venait de les expédier si joyeusement dans l'avenir, que les enfants aperçurent le ruisseau devenu soudain deux fois plus étroit que la veille.

— Qu'est-ce qui se passe? s'inquiète Gros comme le Poing, toujours premier à poser les questions et toujours premier à y répondre. Ça serait-il que la source serait tarie?

— Allons voir, propose Jean de l'Ours, quand même le plus courageux.

Et chacun, serrant dans son coeur ou au creux de ses mains ses maximes ou ses dons, partit d'un pas ferme par le sentier qui longe le ruisseau, quitte le village, traverse le sous-bois et rentre imperceptiblement dans la forêt.

...Hou-ou!...

...Non, Gros comme le Poing, ce n'est pas le loup, mais une vieille chouette asthmatique qui se dérouille la gorge.

Ils avancent lentement, butent sur quelques souches, contournent une vieille charrette abandonnée dans un ravin, changent de direction, se faufilent entre des arbres de plus en plus grands et de plus en plus rapprochés. Souvent ils perdent le ruisseau mais le retrouvent, le sautent, le gardent à vue, puis le voient rentrer sous terre et se dérober une fois pour toutes à leurs yeux. Ils veulent alors lever le regard au ciel pour consulter les étoiles, mais la forêt est trop dense et la cime des arbres trop haute.

— Je crois, mon frère, que nous voilà bel et bien perdus.

C'est Jean de l'Ours qui a fait cette constatation, dans toute sa clarté, sa cruauté et sa franchise. Car le géant n'avait jamais appris à mentir, même pas pour faire semblant, même pas pour se donner du courage. D'ailleurs le courage était l'une des faces de sa nature, il n'avait pas eu à l'apprendre. Tout le contraire de Tom Pouce qui ne trouvait du courage qu'au fond de son imagination, en se rêvant un personnage intrépide et sans peur, parti à la conquête du monde au prix de sa vie. Dans les pays étrangers, assiégeant des châteaux et des villes fortifiées, Gros comme le Poing n'hésitera pas, je vous jure, à verser jusqu'à la dernière goutte de son sang. Ce n'est que la première goutte qui coûte, et chez soi, dans un ou l'autre des jours de la semaine.

Mais le nain, s'il manque encore un peu de vaillance, ne manque pas de crânerie. Et dans certaines circonstances, on verra que l'une peut compenser l'autre. Sans compter qu'il possède un atout qui peut à première vue paraître immoral mais qui s'avèrera des plus utiles pour sortir sa personne et celle de son frère de bien mauvais draps : l'art de dire le contraire de la vérité sans laisser trace de mensonge.

— Perdus? que fait le nain d'un air nonchalant, en réponse à l'inquiétude du géant. Bah! Deux de perdus, trois de retrouvés!

Il ne croyait pas dire si vrai. Car c'était là un autre trait de caractère de Gros comme le Poing : jamais il ne s'approchait autant de la vérité que lorsqu'il s'imaginait s'en éloigner. C'est dans ses rêves qu'il était le plus près de se retrouver lui-même. Et pour renforcer son aplomb :

— On n'est pas perdus, gros bêta, puisque toutes les rivières mènent à la mer. On n'a plus qu'à trouver la source qui alimente les ruisseaux qui se changent en fleuves qui coulent tranquillement vers l'océan. Une fois là...

...Une fois là?

Gros comme le Poing en avait assez dit pour aujourd'hui. Il avait bonne tête, d'accord ; mais fallait pas lui demander de résoudre tous les problèmes d'un coup. À chaque jour suffit sa peine. Puis la nuit porte conseil.

Et sans savoir que cette nuit-là serait la dernière de la première étape de leur vie, ils s'endormirent dans un nid de feuilles et de brindilles, la tête pleine d'appréhension, mais le coeur débordant d'expectative.

Au petit jour, ils s'éveillèrent tout surpris d'avoir reçu chacun durant la nuit une pomme d'Adam, une voix rauque et trois poils au menton, sans compter un petit *nec plus ultra* que nos héros n'osèrent se révéler l'un à l'autre.

III

COMMENT DEUX COMPAGNONS SONT BIENTÔT DEVENUS TROIS

Clara-Galante sortit ce matin-là sur son perron pour scruter le nord-nord-est, puis finit par remettre sa tête en place, cou en équerre, face au sol, criant au monde et à ses faubourgs d'aller se moucher.

Le monde se mouchait. Et prenait ses trois repas par jour. Et vivait chaque année cinquante-deux semaines et quatre saisons. Il s'en allait son petit bonhomme de chemin comme s'il devait durer toujours, se souciant peu de voir de temps à autre s'éteindre une étoile ou érupter un volcan. Crache ta lave, mon vieux, il en restera toujours! La terre pouvait roter, péter, se fendre les côtes, ce n'était pas demain la veille. Et giddup! hue! dia! Chaque semaine avait ses huit jours, comme auparavant, huit jours qui n'en comptaient que sept dans la vie réelle, le huitième...

Le huitième venait de franchir la barre de l'horizon et voguait au large, franc nord.

Récapitulons.

Quand Jean de l'Ours et Gros comme le Poing eurent finalement compris que la route s'était refermée derrière eux durant la nuit et qu'ils ne pouvaient rebrousser chemin, ils se mirent en quête du ruisseau, seul lien avec leurs souvenirs lointains.

— On pourrait toujours le remonter.

— Comment c'est qu'on fait ça?

Gros comme le Poing toise son frère de bas en haut.

— En ramant à contre-courant, idiot.

Jean de l'Ours sourit. Il peut compter sur le nain pour trouver les solutions. Lui, le géant, se chargera d'exécuter. Et il se met déjà en quête des deux plus grosses branches de chêne pour s'en faire des rames. Ne crains rien, petit, ton grand frère ne rechigne pas devant l'ouvrage; il te fabriquera un radeau et des avirons comme aucun ruisseau n'en a encore reçu. Hélas! comme aucun ruisseau n'en pouvait recevoir jamais. Cette embarcation n'était pas un radeau, mais un galion. Et le fluet petit ruisseau frémit de peur à la vue du monstre.

— Je crains qu'on ferait mieux à la nage, que fait Gros comme le Poing.

Mais il n'a pas sitôt dit ces paroles qu'il les regrette. C'est bon pour un nain de patauger dans les eaux basses d'un ruisseau. Mais un géant? Et avant de se laisser happer par le courant, advienne que pourra! les deux frères se serrent la main, crachent trois fois par terre, se jurent une fidélité éternelle contre vents et marées...

...des vents et marées qui n'en firent qu'une bouchée.

Et c'est ainsi que de ruisseau en rivière en fleuve, nos deux compagnons atteignirent l'océan qui les accueillit toutes vagues déchaînées.

— Jean de l'Ours, mon frère, attends-moi!

— Gros comme le Poing, frèrot, où es-tu?

Et plouf! et clapotis! et merde! que c'est salé! Le nain ne peut s'empêcher de revoir le grand baquet d'eau savonneuse où sa mère Bonne-Femme le plongeait, enfant, pour lui décrotter les oreilles et le nombril. Et ce souvenir lui ferait venir l'eau à la bouche si sa bouche pouvait encore en prendre.

Soudain, il se sent soulevé, lancé dans les airs dans un jet de fontaine composé de milliers de gouttelettes si bien serrées les unes contre les autres qu'elles forment un coussin humide et moelleux au derrière intrigué d'un Pouçot plus intrigué encore. Il penche la tête et aperçoit tout en bas le dos rond d'une baleine qu'il prend d'abord pour celui de son frère.

— Jean de l'Ours! Jean de l'Ours!

Jean de l'Ours, en entendant son nom, accourt au secours de Gros comme le Poing, sans savoir où donner de la tête ni des bottes, quand il arrive gueule à gueule avec la baleine. Aussitôt ses maximes lui reviennent en mémoire...

Ne t'attaque jamais à plus petit que toi.

...et il mesure la bête.

— Jean!... de!... l'Ours!

Il dresse la tête et aperçoit, juste au-dessus, roulant et dansant dans le jet de la baleine, le pompon d'un bonnet multicolore. Il n'attend pas les autres maximes. Que le monstre se mette en position de combat.

La scène qui s'ensuivit ne saurait être rapportée en détails et en entier. D'abord parce que personne n'en fut témoin, en dehors de Gros comme le Poing, qui dans ses récits épiques s'enfarge toujours dans les détails; ou de Jean de l'Ours qui n'a jamais réussi à raconter en entier aucun de ses hauts faits; ou de la baleine elle-même qui ne savait pas, avant sa rencontre avec le nain, qu'elle avait le don de la parole. Le combat fut grandiose, sans contredit, et mériterait à lui seul une longue complainte comme on en chante encore dans les veillées. Mais tous les combats sont grandioses, pour le victorieux. De l'avis de Gros comme le Poing, l'élément le plus important d'une histoire est sa singularité. Car si toutes les guerres ont leurs héros, leurs défaites et leurs victoires, rares sont celles qui se déroulent dans l'eau, entre un géant et une baleine qui parle.

Entendons-nous bien. Les baleines ont toujours eu leur

langage, comme nous avons le nôtre. Sans quoi, comment seraient-elles parvenues à communiquer entre elles depuis qu'elles sont au monde? La singularité serait de nous comprendre dans nos langues respectives. C'est là un don que seul reçut Gros comme le Poing, de tous les héros que je connais, don qu'il pigea, comme nous l'avons vu, à même la corbeille de sa marraine. Et ce jour-là, au matin de sa vie nouvelle, il en fit bon usage.

— Assise! qu'il crie à la baleine qui en fige d'étonnement.

Elle ne s'est encore jamais faite interpellée dans sa langue par un étranger venu d'une autre espèce, et de si petite taille. Et surtout, elle ne sait vraiment trop comment obéir à un ordre aussi bizarre : assise est une position plutôt inconfortable pour une baleine. Mais le pauvre Gros comme le Poing, qui en est au stade primaire dans l'exercice de ses dons, multiplie les maladresses, bien plus par inexpérience que par malice. Car tout doué qu'il est, il n'a encore parlé qu'au chat et au chien. Et il somme la baleine de rentrer ses griffes.

La baleine obéit. Le mammifère le plus grand du monde, qui un instant auparavant faisait danser dans son jet de salive un nain qu'il aurait pu loger dans sa narine, plie l'échine et baisse la tête devant le don merveilleux d'un aussi petit personnage.

C'est ainsi qu'on ne saurait dire si le monstre fut vaincu par la force de Jean de l'Ours ou l'intelligence de Gros comme le Poing. Mais comme les frères restaient aussi inséparables que les deux doigts de la main, aucun ne voulut s'approprier la baleine.

— On peut y monter tous les deux, que suggéra le petit. Je vais lui dire de vous emmener au...

Mais le Pouçot n'a pas le temps d'achever sa phrase. Aux seuls mots de « nous emmener », la baleine plonge, resurgit, replonge, ressort la tête, emportant à la cime des flots deux nouveaux venus ébarrouis, éblouis, ébouriffés. Gros comme le Poing, chaque fois qu'il fait surface, tente de causer avec la bête pour asseoir son autorité, mais les vents causent plus fort encore, de pluie et de beau temps, le seul sujet de conversation vraiment sérieux en haute mer. La peste, le choléra, la guerre, les affaires, les républiques, l'être et le néant, les dieux : aucune de ces questions ne saurait susciter d'intérêt dans l'univers des baleines. Mais la pluie et le beau temps!...

Gros comme le Poing traduit pour Jean de l'Ours :

— On peut s'attendre à de la neige.

— Comment?

— De la neige! Ç'annonce une tempête dans le nord!

La tempête ne se fait pas prier. En entendant son nom, elle s'amène dans un sifflement et un tourbillon qui coiffe nos héros de pitons enneigés, blanchit leurs sourcils et leurs poils au menton, et fait descendre de 30° le baromètre pendu au nez de Jean de l'Ours. Ouf! et brrr! et claque des dents!

— Hé! baleine! mène-nous à terre qu'on se creuse un tunnel!

Mais la terre a dû fondre au printemps avec le reste. Rien à l'horizon. Pas la moindre petite île. Et la baleine lutte avec les vents et s'épuise. Jean de l'Ours la regarde avec compassion. Laissons-la reprendre haleine. Mais comment? Les baleines d'ordinaire vont se réchauffer au fond, là où l'eau ne gèle jamais. Hélas! pas de repos pour la monture aussi longtemps qu'elle emporte sur son dos deux cavaliers de l'espèce de nos héros qui, tout extraordinaires qu'ils soient, n'ont pas encore appris à respirer autrement que par la bouche ou le nez.

— Je pourrais peut-être l'aider, suggère le géant.

En disant cela, il se couche sur le ventre, plonge les bras dans les flots et rame. Gros comme le Poing applaudit son frère. Puis il se met à réfléchir. Il veut aussi faire sa part. Mais il est assez lucide pour comprendre que ses petits bras, à peine plus longs que des cure-dents, ne sauraient faire avancer le bâtiment d'un pouce. Il se cogne le front.

C'est là-dedans que se cache sa force. Soudain il sourit du coin de la bouche et commande à la baleine :

— Pisse!

La bête obéit à son maître.

— Mais non, par le nez!

La bête comprend et rajuste son tire. Et un superbe geyser sort de son naseau, monte haut dans les airs et fige. Gros comme le Poing en salive de plaisir — bien mal à propos, car il en gardera toute la journée une longue stalactite au menton — et crie à son frère de contempler au-dessus de sa tête le superbe mât de glace qui change leur barque en goélette.

— Il manque plus que la voile, qu'il dit.

Jean de l'Ours commence par faire le tour de l'horizon en quête d'une toile imaginaire, puis finit par comprendre et arracher sa veste. Les deux compagnons ont à peine le temps d'admirer leur oeuvre, qu'un fort vent de suroît gonfle la voile et se charge seul de les mener au bout de cette première expédition qui va se révéler d'une importance capitale dans le déroulement de leur histoire.

...À croire que Bonhomme et Bonne-Femme, restés au logis, penchés au-dessus d'un établi ou d'un pétrin, n'avaient pas épuisé le huitième jour.

La baleine vient de s'arrêter. Échouée. Les explorateurs, à la fois éblouis et inquiets, fouillent leurs poches à tout mettre, en sortent une sonde et tâtent les lieux. On a buté sur une épave. Pas possible! en plein océan! Jean de l'Ours met un pied à l'eau. Crois-le ou pas, Pouçot, c'est du bois. Si quelqu'un s'y connaît en la matière, c'est bien ce fils de tronc de chêne.

— Du bois, Gros comme le Poing, un pont de navire. Et je crois qu'il est gelé.

Tom Pouce en perd la tête d'émerveillement et saute par-dessus bord. Son frère l'attrape à temps, il avait déjà de l'eau jusqu'au cou. Le nain finit par grimper dans le mât et s'asseoir dans les haubans. De là-haut, il crie des ordres à des mousses imaginaires qui ne l'entendent pas ; car du glorieux équipage des beaux jours, il ne reste qu'une figure de proue, la face tournée vers le nord. Jean de l'Ours s'en est approché et la contemple, ébahi et figé. Le capitaine a beau crier ses bâbord! tribord! cap au nord-nordet! le géant reste là, muet, les yeux braqués sur un visage triste, lointain, immobile sous son vernis de glace. Et fouillant dans son coeur, Jean de l'Ours en déniche sa deuxième maxime :

Viens d'abord au secours du plus faible.

Doucement, avec la délicatesse d'une sage-femme qui arrache son premier vagissement à l'enfant naissant, il souffle sur la figure glacée, de tout l'air de ses poumons, aspire, pompe, respire...

Gros comme le Poing veut instruire son frère, lui éviter une trop grande déception.

— C'est une figure de proue, Jean de l'Ours, un homme de bois...

Mais le géant n'entend toujours pas, il a rencontré à travers la glace un regard égaré, suppliant, qui a l'air de s'ennuyer de la vie. Et il pompe, et souffle, et aspire, et Gros comme le Poing a beau faire, d'ailleurs Gros comme le Poing ne fait plus rien, ne dit plus rien, il vient aussi de reconnaître un visage d'homme à la proue, mais il est mort, mon frère, trépassé, gelé depuis des siècles, à en juger par la forme de son chapeau qui est un tricorne, et sa veste qui est un pourpoint, et sa fraise autour du cou... tu vois bien qu'il sort des temps anciens et hélas! qu'il est bien mort, raide mort, Jean de l'Ours.

— T'en es sûr?

— Sûr comme je suis fils de mon père.

Jean de l'Ours lève un sourcil incrédule et se remet à souffler. Et pompe, et respire, et s'acharne sur la glace qui fond, goutte à goutte.

— Il est mort, Jean de l'Ours, arrête.

Le géant voudrait-il s'arrêter qu'il n'en pourrait rien, car il vient d'entendre au fond de sa poitrine :

Achève toujours une oeuvre commencée.

Il n'a plus le choix. On ne renie pas plus ses maximes que ses dons. Et il pompe, et il souffle. Et une dernière goutte tombe de l'oeil grand ouvert de la figure de proue.

— Il pleure, dit Jean de l'Ours.

Et cette fois, il s'arrête.

Alors les deux frères se découvrent, le nain droit debout, le géant un genou en terre. Et sans plus de cérémonie, comme s'ils avaient attendu durant toute leur vie cet heureux événement, ils se présentent.

— Jean de l'Ours dit Jean le Fort dit Fort comme Quatorze, mon grand frère. Et moi, je me nomme Tom Pouce dit le Pouçot, mieux connu sous le nom de Gros comme le Poing. Tous deux fils du sieur Bonhomme et de sa dame Bonne-Femme.

Ils attendent.

Lentement, les lèvres de l'homme de glace se séparent, s'embuent, et un filet d'air sort en fumée blanche. Une paupière bouge et fait trembler ses cils. Un rictus... un sourire... un mot.

— Amis?

Les deux frères se regardent, puis éclatent de joie. Il parle leur langue! On va pouvoir se comprendre. D'autant plus que son premier mot en est un de cordialité.

— Amis! s'empressent-ils de répondre ensemble.

Puis le nouveau venu, à mesure que ses yeux s'écaillent de leurs dernières paillettes de glace, s'ébroue, secoue tous ses membres et cherche à s'approcher de ses sauveteurs. Mais ses pieds sont encore pris dans deux blocs de glace et il trébuche. Jean de l'Ours l'attrape et le remet en équilibre. Puis il lui frotte les pieds dans ses paumes gigantesques, tout en bredouillant des mots gentils et incompréhensibles.

Le dégelé le contemple avec curiosité, comme s'il cherchait au fond de sa mémoire ancestrale à reprendre le fil d'une vie interrompue. Petit à petit, des mots lui reviennent :

— Est-ce terre neufve ?

— ... ?

— Nouveau monde icist ?

Gros comme le Poing se décrotte les oreilles de ses minuscules auriculaires et cherche à comprendre. La figure de proue parle sa langue, mais selon la mode antique et désuète. Et il crie pour se mieux faire entendre :

— Sommes icitte en plein océan. Vostre bateau a fait naufrage. Ne sais à quelle époque, Monsieur Sire, ni contre quel iceberg.

C'est au tour de la figure de proue à se gratter les oreilles.

— Messire René, serviteur, qu'il dit dans un profond salut.

Jean de l'Ours proteste. Cet homme-là n'a pas plus l'air d'un serviteur que lui d'un acrobate. Il doit dire ça pour se rabaisser au niveau de ses hôtes. Tandis que Gros comme le Poing s'esclaffe en apprenant le nom du revenant des eaux.

— René le bien nommé! qu'il dit, oubliant qu'il porte lui-même un nom qui le définit de la tête aux pieds.

Petit à petit, Messire René dit Figure de Proue, en rappelant à sa mémoire les dernières images enregistrées avant son grand plongeon dans l'oubli, revoit le navire en lutte contre des flots furieux, dans les mers du nord, en quête d'un estuaire du Nouveau-Monde. Puis les souvenirs se bousculent dans sa tête. La nef avait quitté Saint-Malo en Bretagne, plusieurs semaines auparavant, sur les traces des explorateurs Christophe Colomb et Jean Cabot. Il s'était embarqué comme volontaire, par ambition, par curiosité, par goût de l'aventure. Un peu pour prouver *de facto* que la terre était ronde. Et il se tourne vers ses nouveaux compagnons :

— Est-elle vraiment ronde ?

— Comment ?

— La terre? est-elle ronde?

Les frères se dévisagent puis éclatent de rire:

— Tout à fait ronde.

— En avez faict le tour?

— C'est-à-dire, pas encore, mais...

Le nain explique au nouveau venu que ça ne devrait pas tarder et que ça rentre justement dans leurs projets.

— Dictes-moi comment le sçavez?

— ...Mais on apprend ça sur les bancs d'école en même temps que deux plus deux font quatre.

La figure de proue s'en écarquille les yeux. Devant lui, un étrange petit bonhomme pas plus gros que son poing lui fournit dans une langue ébréchée et sans l'ombre d'un doute la réponse à l'une des plus graves questions du temps... Du temps... Soudain ses yeux laissent tomber une dernière goutte de glace fondue.

— Aurais-je dormi une fort longue nuict? Quel jour icesti?

— Jeudi, s'empresse de répondre Jean de l'Ours tout heureux de démontrer son savoir. Il connaît de même tous les jours de la semaine, et les mois de l'année, et...

Gros comme le Poing commence à comprendre jusqu'où vont les questions du congelé dégelé.

— Je crains, qu'il dit, que vous ayez dormi fort longtemps. Mettons des années. Vous souvenez-vous du jour où vous avez péri en mer?... Je veux dire...

Et il se mord la langue.

La figure de proue le regarde comme s'il sortait des nues. Pire que ça: des enfers. Il comprend qu'il est revenu d'une étrange aventure, seul survivant d'une autre époque.

— Pleust à Dieu que vous seyez de païs ami et de temps favorable! qu'il s'exclame en se jetant aux genoux des deux frères émus comme un jeune couple devant le berceau d'un nouveau-né.

La première surprise bien avalée et digérée, les trois compagnons se précipitent les uns sur les autres pour soutirer de chacun le maximum de renseignements. En trois phases, Jean de l'Ours a épuisé sa connaissance du monde et de lui-même ; en trois heures, Gros comme le Poing a tout juste effleuré les prémices du sujet, lequel sujet s'intitule Gros comme le Poing ; et ce n'est qu'au bout de trois jours qu'on commence à estimer la largeur, l'ampleur et la profondeur du trésor déniché dans les glaces du grand nord. Car il faut d'abord ajuster son oreille à sa langue. De mêmes racines et radicaux que celle de nos bonshommes, mais fleurie de préfixes, suffixes et terminaisons aux multiples variantes. Plus de « c », des « s » et des « z » partout.

Après avoir dépouillé l'ancienne langue de son excédent de consonnes, Gros comme le Poing finit par y retrouver son latin. Puis les fils de Bonhomme et de Bonne-Femme apprennent que leur nouveau compagnon prénommé René sort à cru de son siècle, le XVIe, et qu'il a vu le jour en sa bonne ville de Paris, capitale de pays de France. Il a connu une première naissance quatre cents ans plus tôt, alors que son père posait la pierre angulaire d'une vaste église au coeur de la cité. Ce René, fils de Jacques, fils d'Antoine, pour des raisons qui lui parurent importantes à l'époque mais qui sont dérisoires quatre siècles après, avait rompu avec son père et la confrérie des tailleurs de pierres, et pris la mer. Comme d'autres aujourd'hui prennent la route.

— La route du Nouveau-Monde. Las! n'atteignismes poinct notre but. Onques ne mismes pied à terre.

Car en frôlant les côtes de Terre-Neuve, sa nef s'en fut se fendre la proue sur une banquise.

— La veille du jour de la male heure, aperçusmes en ciel la sorcière à caleforchies sus son balai parcourant le chemin Saint-Jacques, se faufilant entre Sagittaire et Capricorne et balayant au passement la poussinière d'estoiles sus les cornes de Taureau. Reconnusmes alors la comète.

— La comète de Halley! s'écrit Gros comme le Poing

encore tout plein de souvenirs cueillis au pays de ses père et mère.

Mais ce nom n'éveille aucun écho dans la mémoire pourtant infaillible de Messire René, l'explorateur parti à la conquête d'un monde qui vient à lui, au bout de quatre siècles, mais qu'il ne reconnaît pas. Gros comme le Poing, qui se souvient alors de ses leçons d'école, soupire en-dedans de lui-même: Dire que celui-là aurait pu, si le naufrage ne l'en avait empêché, être le grand-père du grand-père, de l'arrière-grand-père de Bonhomme ou de Bonne-Femme, les parents laissés par derrière le ruisseau de son enfance. Et à partir de cet instant, Gros comme le Poing sent son sort lié à celui de cet ancêtre possible, disparu avant d'avoir eu le temps de fonder sa lignée.

Pendant que le nain rêve du lointain passé du revenant, celui-ci s'émerveille de recevoir, fût-ce si tard et à si petite école, la réponse aux questions qui ont torturé les plus grands esprits de son temps.

Mais ses compagnons ne le laissent pas méditer longtemps: ils sont curieux d'entendre la suite de son extraordinaire histoire.

— La fin, Messire René, la fin!

Ils ne croyaient pas dire si juste. La fin!... C'était en 1531, en février, peut-être mars, quand la nef qui piquait droit au nord-nord-ouest, vit apparaître dans le ciel le long plumeau de la comète. L'équipage la vit balayer les cieux de sa queue fourchue, splendide, sauvage et espouvantablement mystérieuse. Il aurait fallu se méfier. Mais le navire changea de cap, au grand mépris des avertissements des almanachs qui prédisent des phénomènes étranges au passage des comètes.

Il se tait. Et ses compagnons comprennent qu'il leur faut en cet instant garder une minute de silence.

Lentement, péniblement, le narrateur retrouve le fil de son récit.

...Le navire, en voulant s'accrocher à la queue de la comète, en a oublié les lois les plus élémentaires de la navigation et s'en est venu donner de la coque contre une banquise grosse comme un continent.

Puis le naufragé ne se souvient plus de rien, sinon qu'il se trouvait à la proue au moment de la collision.

Voilà comment avait pris fin la première existence de notre explorateur issu de France et du XVIe siècle. Fin provisoire. Car notre héros n'était pas entré dans le royaume des morts, mais de l'oubli. Il avait tout simplement cessé de respirer, dans des conditions idéales de congélation. Jean de l'Ours, en le dégelant de son souffle, lentement, lui avait tout naturellement rendu le sien et l'avait ramené doucement à la vie. Quatre siècles plus tard.

Avec le souffle, ce fils des temps anciens recouvrait la mémoire et toutes les facultés qui l'accompagnent. Gros comme le Poing comprit très vite le parti énorme que son frère et lui pouvaient tirer d'un puits de science qui s'alimentait directement à la source première. Quant à Jean de l'Ours, il restait béat comme Pygmalion devant son oeuvre, en voyant bouger, parler, rire, raconter et se souvenir ce qui fut durant des temps immémoriaux la figure de proue d'un navire de glace.

— Figure de Proue, qu'il lui fit timidement, tu veux te joindre à nous? Nous avons quitté avant avant hier le domicile paternel et nous allions...

...Il ne sait pas très bien. Et Gros comme le Poing, qui n'en sait pas davantage, vient pourtant à son aide.

— À l'aventure, qu'il fait, les mains sur les hanches.

Et voilà comment nos deux héros sont rendus trois. Il ne se passera pas un an, que les trois seront devenus quatre.

IV

COMMENT TROIS COMPAGNONS EN DÉCOUVRENT UN QUATRIÈME AU CENTRE DU CERCLE VICIEUX

Les nouveaux héros, nés des mêmes parents ou les uns des autres, après de multiples promesses d'amitié, de loyauté, de fidélité à la vie à la mort... quoi qu'il advienne... décident de prendre passage sur une banquise qui frôle leur navire de glace et qui par bonheur descend ce jour-là vers le sud.

Le géant commence par dégager la baleine ; le nain, par la remercier dans sa langue de ses bons services ; et Figure de Proue, par lui indiquer la direction des meilleurs courants à l'est-est-sud-est, attention aux glaces flottantes, gare à la comète, et surtout... Mais la baleine a déjà disparu vers les grands fonds, en pissant un dernier jet d'écume à la face de l'explorateur en train d'enseigner aux poissons la navigation.

Nos héros s'en venaient tantôt en iceberg, tantôt en dauphins, quand finalement ils mirent pied à terre. Une bonne terre solide comme le plancher des vaches. Voilà qui faisait du bien. Et les trois s'étirèrent bras et jambes, respirant l'air doux et parfumé d'épinette.

— Je crois que l'hiver est passé, dit Jean de l'Ours qui a reconnu l'odeur de résine de bois.

— C'est le temps des oeufs pleins les nids, se souvient Gros comme le Poing, l'eau à la bouche.

Mais sous l'oeil réprobateur de ses compagnons, il se rentre la langue dans la joue et comprend que désormais... certains jeux ne sont plus de son âge. Pour se distraire, il propose donc d'explorer les lieux à la queue leu leu.

— Je prendrai les devants, qu'il fait.

Bien mal à propos. Car les explorateurs s'aperçoivent bien vite qu'ils ont perdu leurs pistes. Ou plutôt, qu'ils n'arrivent pas à en sortir. C'est Messire René qui constate qu'on tourne en rond. Quelque part, quelque temps ils ont posé le pied sur la circonférence du cercle vicieux et ne parviennent pas à s'en dégager. Plus ils avancent, plus le cercle se rétrécit. À la vitesse où leur univers se concentre, ils finiront bientôt par l'épuiser et en toucher le bout... Le bout? Le visage de Gros comme le Poing s'éclaire. Le bout du chemin ne peut être que le centre du cercle, par conséquent le centre du monde. On marche tout droit vers le centre du monde, compagnons!

Messire René sent sa peau se picoter de chair de poule. Il a déjà, quatre siècles plus tôt, penché la tête au-dessus de ce genre d'entonnoir et n'a pas le goût de recommencer l'expérience des cercles rétrécissants. Au fond du dernier cercle, compaings... mais ses compaings ne l'écoutent plus. Car le Pouçot, juché comme une plume sur le chapeau du géant, vient de repérer une muraille à l'horizon. Une muraille encerclant une ville. Une ville ronde et fermée comme un oeuf.

— Va, Jean de l'Ours, fais-en le tour. Cherche une ouverture.

Et le géant s'élance dans ses bottes de sept lieues, file le long du mur, puis rejoint ses frères, déçu. Rien. Pas une porte, pas un pont-lévis, pas une meurtrière. Une forteresse coupée du monde.

Quelle idée! Une ville morte!

Allons-nous-en. Passons outre.

Mais Gros comme le Poing traîne des pieds. La curiosité

le démange. Si on allait voir, quand même? D'un coup qu'il resterait quelque être vivant derrière ces murs? ou quelque vieillerie des temps passés, on ne sait jamais.

Le mot vieillerie fait grincer les dents de l'ancien qui se trouve encore jeune sous ses habits et ses manières Renaissance. Mais Gros comme le Poing est trop préoccupé par ses futures découvertes pour songer à mettre des gants dans ses rapports avec les aînés. Pour lui, tout avenir est en avant; et pour l'instant se cache derrière un mur opaque, solide et apparemment infranchissable.

— Comment! infranchissable? Et notre géant alors, il sert à quoi?

Le géant comprend. Et sans plus d'hésitation ni de calculs, il happe à bout de bras ses deux compagnons et les catapulte de l'autre côté de la muraille. Après quoi, il songe à enjamber cette clôture comme il a appris, enfant, à sauter celle qui encerclait le clos familial.

Rendu dans la ville, il tourne la tête de droite à gauche.

— Gros comme le Poing! Figure de Proue! compagnons! où êtes-vous?

Il est tellement anxieux de retrouver ses amis qu'il n'aperçoit pas à ses pieds cette foule de gens qui le toisent d'un regard méchant, et pourtant craintif. Car si Jean de l'Ours n'a encore jamais visité de ville fermée, les citadins de cette étrange cité n'ont pas davantage fréquenté de géant. Et notre corpulent personnage manque d'en écraser plus d'un avant de se rendre compte que la place et les rues sont peuplées.

— Excusez-moi, qu'il s'empresse de dire en rougissant, les bras désarticulés et les pieds en dedans.

Cette attitude d'humilité et de bienveillance encourage la population à se raidir dans son bon droit et pousse un petit despote de bailli à prendre de grands airs pour traiter le géant de haut.

— Que faites-vous là, intrus? Qui vous a convoqué céans?

Voilà un langage auquel notre héros n'est pas habitué,

lui qui s'est pourtant assez vite familiarisé avec l'ancien français de Messire René ; mais son compagnon lui parle gentiment et sans hargne, avec des mots qui, même étranges, glissent en douceur dans les canaux de ses oreilles.

— Je cherche mes amis et mes frères, qu'il fait bêtement pour toute réponse, révélant du coup au peuple sournois et à son chef que d'autres intrus ont pénétré à l'intérieur de leurs murs.

Le bailli cette fois va tenter de jouer les renards.

— Vos frères et compagnons ? qu'il dit en roulant exagérément les « r » et allongeant infiniment le « gnon ». Ils sont tous aussi grands que vous ? et aussi... complaisants ?

Et il cligne de l'oeil du côté du général de ses armées qui s'empresse de mettre ses hommes au garde-à-vous.

Durant cette scène où Jean de l'Ours s'inquiète sur le sort de ses frères, où ses hôtes interprètent cette inquiétude à l'envers, et où tout le monde se méprend sur les intentions de l'autre, Gros comme le Poing et Figure de Proue multiplient les efforts pour attirer l'oeil du géant du côté du beffroi où ils sont tous deux restés accrochés en atterrissant dans la ville. Heureusement pour eux. Car les effrayants personnages de la cité fermée n'auraient sans doute pas manifesté envers des êtres de taille petite ou moyenne la même bonne volonté qu'envers un géant.

— Psst ! Chan de l'Ourche !

A-t-il entendu ? seulement deviné ? Il lève la tête, la tourne de tous côtés, ouvre grandes les narines et les oreilles. Où sont-ils ? Gros comme le Poing, mon frère, Messire René, mon ami... Et il se prépare à renverser murs et bâtiments, quand il reçoit sur la tête le premier son de cloche tombé du beffroi. Le Pouçot, dans sa peur de voir son grand idiot de frère les mettre tous trois dans de mauvais draps, a perdu pied, glissé sur le gros bourdon, et s'est accroché au dernier moment au grelot qui a rebondi sur la cloche. Dong !

Et c'est l'affolement par toute la ville. Mais l'affolement général, complet, splendide ! La plus belle panique jamais vue depuis que Gros comme le Poing semait le désarroi dans la basse-cour de sa mère Bonne-Femme. Il est tenté de siffler et d'applaudir. Mais il sent la main de son aîné de quatre siècles qui l'agrippe au collet et lui fait signe du doigt de rester tranquille et silencieux. Car si quelqu'un s'y connaît dans ce genre de situation périlleuse, c'est le Sieur René de la Renaissance dit Figure de Proue, qui a la bizarre impression de déjà vu.

Soudain Gros comme le Poing voit la tête d'un vieillard se lever vers la tour et deux yeux perçant se fixer sur lui. L'un des citadins avait fini par se calmer et songer à interroger les cloches. Contrairement à l'opinion générale qui y voyait l'annonce de la fin du monde, l'un des rares sages de la ville se dit que des cloches après tout peuvent se tromper, ne fût-ce qu'une fois, et sonner par caprice ou par inadvertance.

Et c'est ainsi qu'on découvrit les deux autres intrus débarqués «céans» et qu'on les traîna avec Jean de l'Ours devant le tribunal suprême de la cité.

Le géant, qui n'avait pas déniché dans cette foule grouillante un seul combattant de sa taille, s'était laissé capturer sans résistance. Ses maximes lui interdisaient de s'en prendre à plus petit que lui. Gros comme le Poing eut beau raisonner son frère en lui démontrant comme deux plus deux qu'une multitude de petits égale un grand, Jean de l'Ours continuait de jongler dans sa grosse tête avec ses maximes.

Et le procès s'ouvrit.

Comme toujours dans ce genre d'exercice, les poursuites renchérissent sur la plainte, et les effets débordent amplement la cause. Au bout de trois témoins, nos héros s'entendent qualifiés de traîtres au cosmos et accusés d'avoir introduit le mauvais temps en la cité. Au point que l'explorateur du XVIe siècle, qui avait l'habitude des procès puérils, cocasses et interminables, commence à trouver celui-ci divertissant.

— Je crois que nous sommes tombés en la cour du roi Pétaud, qu'il dit.

Et Gros comme le Poing, qui n'en perd pas une, s'esclaffe.

Pas pour longtemps. Car ses frères et lui viennent de comprendre l'étrange chef d'accusation qui pèse sur eux. Ils sont coupables de vieillissement. Fort innocemment, en pénétrant dans la ville, ces intrus ont laissé se glisser un courant d'air qui a perturbé le temps. Or le temps est l'ennemi mortel de cette cité ronde et emmurée qui, depuis des siècles, s'est protégée contre le sablier. Les citadins de cette fabuleuse ville au coeur du cercle vicieux se sont volontairement coupés du monde pour garder intacts leur patrimoine et traditions et, surtout, pour échapper au temps : le temps perdu, le temps mort, le temps long, le temps qui change, court, vole et réduit tout en poussière derrière lui.

— Ah! ça alors! laisse échapper Gros comme le Poing qui croyait avoir tout entendu.

— En pénétrant à l'intérieur de nos murs, dit le juge, vous avez contaminé nos us et coutumes. Vous avez ouvert une brèche dans la forteresse par où s'est glissé un jour en trop.

En effet. Les chronologistes, métachronistes et astronomes venaient de se mettre d'accord : tous les instruments révélaient qu'un jour en sus s'était introduit dans le millénaire et se trouvait du coup à chambarder l'almanach et le calendrier.

— Tout est à refaire, se lamentait sur tout l'octave un vieux savant, anachroniste de son métier. Laissez entrer un jour, et bientôt vous serez envahis par les temps nouveaux surgis des quatre points cardinaux.

Et il se frappait le front et la poitrine en pleurant la belle époque du bon vieux temps.

Messire René, en homme frotté aux écoles de droit, de logique et d'astronomie, lève le doigt et demande courtoisement la parole. Et là, dans une péroraison toute fleurie de citations grecques et hébraïques, où Gros comme le poing et Jean de l'Ours en perdent jusqu'à leur latin, il expose sa théorie du jour en trop. La terre étant ronde, comme il vient d'apprendre, elle a forcément un axe sur lequel elle tourne. Donnez-vous la peine, messires, de mettre en mouvement une toupie. Puis laissez-la tourner. Vous verrez qu'elle se déplace et fait le tour de la table en plus de tourner sur son axe. De même la terre tourne autour du soleil.

Le plaideur lève la tête pour savourer son effet, puis reste tout surpris de l'impassibilité générale.

— Après? demande le plus cancre des témoins qui avait appris dans son abécédaire que la terre tournait autour du soleil.

Messire René, en retard avec sa science, mais prompt à rattraper les siècles perdus, met les bouchées doubles et finit par conclure que la terre, par la force de l'habitude et du métier, a gagné une fraction de fraction de seconde à chacun de ses tours du soleil.

— Voilà par quoi, Messires, après mil ans, votre noble et grande ville a-t-elle gagné au jour d'hui son jour en sus.

Cette fois, Figure de Proue peut être satisfait: sa théorie a l'effet d'une bombe. Sa découverte sème la panique. C'est l'anarchie. Un jour en trop tous les mil ans c'est la poussière dans l'engrenage. Imaginez-vous l'état du calendrier dans dix millénaires, dans un million d'années! Les astronomes et chronologistes s'en épongent le front. Comment mettre à jour des calendriers qui gagnent du temps? Au train où vont les choses, les jours finiront par s'emboîter dans les semaines, les semaines dans les mois, les saisons basculer les unes sur les autres, les planètes chavirer dans la voie lactée, et Dieu sait où tout cela va finir!

Le bailli ondule sur son piédestal et impose silence à son peuple et aux trois accusés, cause de la décadence des temps. Car sans les fâcheuses révélations des fauteurs de troubles, la ville à l'abri du temps continuerait d'ignorer la faille dans les astres et vivrait heureuse et insouciante. Mais voilà qu'en lui découvrant la vérité, les nouveaux venus avaient forcé tout un peuple paisible à prendre conscience du malheur qui lui pendait sur la tête.

— Les fauteurs de troubles méritent la mort! qu'il crie en donnant de grands coups de crosse sur son socle. À mort!

— À mort! hurle le peuple paisible au comble de sa fureur.

Pour la première fois depuis son arrivée en ville, Gros comme le Poing sent le plancher se dérober sous ses pieds. Pas de temps à perdre. Il faudra bien qu'il tente sa chance puisque son aîné n'a pas réussi à les sortir de ce pétrin-là. Et par habitude, il se fie à son instinct et largue la première idée qui lui passe par la tête.

— Nos vies contre le jour en trop! qu'il lance du haut de son perchoir, c'est-à-dire la plume du chapeau de son frère.

Silence. Le bailli, le juge, les juristes, les savants, tous les citoyens hors du temps se taisent. Puis se grattent le crâne. Puis cherchent dans l'amas des us et coutumes un précédent à cette nouvelle proposition.

Messire René sourit à Tom Pouce. Puis il cherche à battre le fer quand il est chaud. Il explique à la ville perplexe qu'un jour peut parfois passer sans laisser de traces, qu'il en a connu des quantités. On l'élimine, le relègue dans l'oubli, ni vu ni connu, et qu'on n'en parle plus.

La cité s'arrondit autour de son bailli ampoulé comme une fiole et rond comme un ballon, et se consulte. Pas mal comme idée. Et puis au point où on en est! Pourquoi pas, en effet, éliminer tout de suite, et avant qu'il ne soit trop tard, le temps qui gêne? Mais comment? et qui s'en chargera?

Un vieux tout ratatiné et vêtu à l'ancienne, plus hors du temps que les autres, suggère à ces concitoyens de le dormir; ainsi noyé dans le sommeil, le jour en trop aura disparu de lui-même. Mais un ermite sans âge, qui avait appris à tuer le temps jadis dans le désert, dit qu'il serait plus noble et seyant d'observer un jour de silence et lui faire ainsi un enterrement de première classe. Un troisième enfin, du genre blanc-bec fraîchement sorti des écoles, propose de l'ignorer tout simplement en passant à côté. D'autres, plus belliqueux, se présentent déjà armés de pied en cap, tout prêts à le provoquer et à le tailler en pièces.

— Nous lui ferons passer un mauvais quart d'heure, qu'ils huchent en branlant glaives et bâtons.

Le bailli tourne alors sa tête ronde et sournoise du côté de ses captifs et leur propose :

— Débarrassez-nous du jour en trop et vous recevrez votre sauf-conduit pour quitter la ville et retourner vivants dans le temps qui court.

Les trois compagnons se contemplent avec anxiété : Jean de l'Ours posant les yeux sur Gros comme le Poing ; Gros comme le Poing scrutant le visage de Messire René ; Messire René retournant son regard à Gros comme le Poing. Soudain le nain lève son oeil à pic sur le front du revenu des temps anciens et lui demande, dans une langue à cheval entre deux siècles, s'il se souvient bien de sa vie passée. Son compagnon n'hésite pas : la mémoire est le premier de ses dons. Alors le petit se plante de toute sa hauteur devant le bailli et lui propose :

— La fête !

— La quoi ?

La ville ronde reste interloquée. La fête ? Comment faire ? Jamais les hors du temps ne s'étaient adonnés à pareille occupation. Ils n'auraient même pas su par quel bout l'entreprendre. Le vieil ermite finit pourtant par concéder que d'une activité aussi futile, on pouvait être sûr au moins qu'il ne resterait rien.

— Le jour en trop s'éteindra tout entier, qu'il dit, avec sa dernière chandelle.

Voilà comment nos trois compagnons furent promus pour un jour ministres plénipotenciaires des fêtes et loisirs, avec pleins pouvoirs d'organiser le carnaval du millénaire. Qu'on se saoule, se grise, s'étourdisse, puis qu'on oublie!

Gros comme le Poing est au comble de sa ferveur et au sommet de son génie. Il va puiser à même la science antique de Messire René de la Renaissance tous les rites mythiques et traditionnels de la fête : la lutte symbolique du Bien et du Mal, l'affrontement du bonhomme Mardi Gras et de la vieille pigrièche de Carême-Prenant, la parade des Fous, la procession des flagellants, les masques, les farces, les chants, les danses, les feux, les

Mardi gras,
Va-t-en pas,
Je ferai des crêpes
Et t'en auras!

...Tandis que Jean de l'Ours hausse le firmament à bout de bras.

C'est le délire. Jamais la ville emmurée n'a si peu vu passer le temps. Et pour faire tenir la fête jusqu'au soir, Gros comme le Poing joue de sa flûte enchantée qui soulève cotes et cotillons à trois lieues à la ronde. Et danse, et saute, et pète, ma jolie, à mon éternuement! Rendue au soir, la ville est épuisée, demande grâce, et traîne un dernier râle de rires et de rots qui révèle l'étendue du massacre. Jamais ce jour en trop ne se relèvera d'un pareil carnage : il est pour toujours rayé du calendrier. Il n'en restera rien.

Mais.

À la toute fin de la journée, juste au moment où les trois compagnons faisaient leurs adieux à la ville ronde et se préparaient à reprendre la route du temps qui file, au premier coup de minuit, sort des entrailles de la fête burlesque la géante Gargamelle. Et là, sur le parvis de l'hôtel de ville, au pied du beffroi, les jambes de la géante enceinte s'écartent et larguent au monde un enfant nouveau. La fête est finie. Il ne restera rien de ces ébats et hurlements d'un jour, sinon un enfant mâle, bien vivant, né hors du temps, du jour en trop.

Au sortir du lit, le matin suivant, la ville ronde, qui croyait accrocher son lendemain à son avant-veille, fut tout étonnée d'apercevoir dans ses rues un enfant sans père ni mère, un enfant en sus, né dans les plis du temps.

— D'où vient cet étrange individu ?

Il était convenu que rien, au grand jamais rien ne resterait du jour en trop. Et l'enfant fut immédiatement condamné. À l'unanimité. Appelez les gendarmes, et l'armée, et le bourreau. Une ville saine ne saurait tolérer dans ses murs un seul germe de pourriture. À mort !

À mort !

Nos trois compagnons ont à peine le temps d'ouvrir leurs grands yeux et de fermer leurs bouches béantes, qu'ils voient surgir des caves de l'hôtel de ville la cagoule du bourreau précédé de sa hache à double tranchant. La foule s'ébranle aussitôt, puis se met au pas derrière l'exécuteur des hautes oeuvres qui se rend sur la place où l'on a dressé d'urgence un échafaud. On y installe l'enfant, souriant, qui joue avec les cordes pendues à la ceinture du bourreau. On fait cercle autour du billot. On entonne les prières. On s'étire le cou pour mieux voir. La hache est soulevée, à bout de bras...

C'est alors que Jean de l'Ours se souvient :

Viens d'abord au secours du plus faible.

Il penche la tête au-dessus de l'enfant qui a vu le jour en trop. Le pauvre ! Et le géant ferme le poing sur le manche de la hache qui reste là, collée contre le firmament, suspendue entre deux bras gigantesques, tel un blason héraldique.

Ce geste courageux et spontané de Jean de l'Ours accorde à ses compagnons le temps de réfléchir. C'est-à-dire que le sage de Messire René réfléchit de toutes ses forces, cherchant dans son infaillible mémoire des exemples de pareilles situations, tandis que l'effarouché Gros comme le Poing ne cherche même pas, il n'a pas le temps, il court de toutes ses jambes jusqu'au billot où le petit innocent, tranquillement assis sur son derrière naissant, n'a pas l'air de se rendre compte. Il est là, parfaitement beau, parfaitement constitué, qui a déjà toute sa taille, ni petite ni grande, promenant sur le peuple dont il est issu des yeux insouciants et qui ont l'air de dire : Je ne suis pas des vôtres.

...Il n'est pas de ce monde-là, premier axiome, songe Gros comme le Poing, mais dans les circonstances les axiomes sont du luxe et font perdre du temps. Le nain a retrouvé ses esprits et commence à mesurer l'imminence du danger. La hache pend juste au-dessus de sa tête. Il en avale un caillot de salive. Que diable est-il venu faire sur ce billot ?

— ...Descends, qu'il chuchote à l'oreille du bel enfant qui le regarde sans comprendre l'urgence... dépêche, sors d'ici, suis-moi !

Le nouveau-né du jour en trop semble même ravi d'entendre Gros comme le Poing s'adresser à lui personnellement, lui parler comme à un camarade de jeux, voire un compagnon de vie. Et il tend les bras vers le nain qui ne sait plus où donner de la tête et maudit le jour où il mit le pied sur la circonférence du cercle vicieux. La hache s'abaisse, va s'abattre d'un moment à l'autre sur leurs têtes, Gros comme le Poing n'a plus le temps de sauver la peau de son nouveau compagnon sans risquer la sienne, mieux vaut se tirer de là tout seul que de tout perdre, de rendre son frère manchot et ses fils à venir orphelins, sors de là, Gros comme le Poing, saute en bas du billot, sauve ta peau, gros bêta ! La lame lui passe devant les yeux et vient s'abattre... non, elle remonte, retourne se plaquer sur le ciel de fond, au bout des bras géants, incrustée dans son blason.

...entend le Pouçot. Son frère respire, et transpire, et craque de toutes ses jointures noueuses comme des noeuds de chêne. Jamais il ne s'est mesuré à pareil adversaire. D'où vient la force de ce bourreau?

— Des enfers.

C'est Messire René qui a parlé. Il a joué du coude dans le gras de la foule et a rejoint ses frères et loyaux amis. À l'instant suprême, les compagnons resteront collés les uns aux autres et se sauveront ou périront ensemble. D'ailleurs si quelqu'un connaît le véritable enjeu de cette lutte inégale, c'est lui, le Renaissant. Seul il sait parler à la Mort dans sa langue.

Le mot a frappé comme une balle l'oreille de Gros comme le Poing. La Mort? c'est elle? si tôt venue? Et il jette sur Messire René de grands yeux pleins de chagrin où coule pourtant un mince filet d'espoir. Son sage aîné tente alors de consoler son ami en lui expliquant que tout le monde doit passer par là tôt ou tard et que, par conséquent, un jour de plus ou de moins n'a pas grande importance au regard des étoiles... Peut-être pas au regard des étoiles, mais aux yeux de Gros comme le Poing, tôt ou tard fait une énorme différence, car entre les deux se déroule sa vie.

— Parle-lui puisque tu la connais, qu'il crie au revenu des mers polaires.

Car Gros comme le Poing a maintenant la certitude, sans en comprendre les raisons, qu'ils sont désormais quatre compagnons et qu'aucun ne se tirera seul des bras de la Faucheuse... Tous les quatre ou personne...

— Si elle n'entend pas raison, insulte-la, la vaurienne d'ignoble de crapule puante...

...Puante? Gros comme le Poing répète le mot qui sonne et pue comme un pet. Il n'a plus rien à perdre. Autant risquer le tout pour le tout. Il saute sur ses pattes, confie le nouveau-né à l'ancien, grimpe sur la tête de Jean de l'Ours à qui il cligne de l'oeil en passant, manière de lui dire : Tiens bon, mon gros, j'arrive! et se tournant dans une pirouette vers le personnage encagoulé, il lui éternue en pleine face.

Prrrt!!!

La Mort a pété. Un pet d'enfer qui en une seconde a empuanti la ville entière.

Sortez! Dégagez! Faites de l'air!

La foule s'égaille comme une fourmilière éventrée.

Ouvrez les portes!

Et par un portail camouflé, rouillé sur ses gonds, fermé depuis des temps immémoriaux, les citadins de la ville emmurée se répandent par les prés et les champs. Au bout d'une heure, il ne reste plus au centre du cercle vicieux qu'un bourreau déconfit et honteux, plus trois compagnons devenus quatre.

Gros comme le Poing est plié en deux et se tape les côtes. Même le sage René glousse derrière sa main, aussi surpris qu'heureux de la tournure des événements. Quant à Jean de l'Ours, invainqueur mais invaincu, il en est encore à se demander comment achever son oeuvre commencée, quand il entend sortir de la bouche de l'enfant debout sur son billot :

— Bonjour! Comment je m'appelle?

Tiens! que se dit Gros comme le Poing, en voilà un qui pose les questions à l'envers.

— Tu es Jour en Trop, qu'il fait.

À quoi ajoute Figure de Proue :

— Né Hors du Temps.

En passant le portail défoncé de la ville, le nouveau venu lève les bras et s'écrie :

— Oh! que le monde est beau! C'est à nous, tout ça?

Les trois autres se regardent, interloqués, puis éclatent d'un bon rire rafraîchissant. Hé! oui, petit, à nous le monde!

Pourquoi pas? jusqu'à la fin des temps. Messire René soudain se ressaisit et impose silence.

— Ne vous retournez point, qu'il fait. Il a enlevé sa cagoule et cherche votre regard. Ne laissez pas vos yeux rencontrer les siens. Il ne doit jamais nous reconnaître si le hasard nous remettait un jour au travers de son chemin.

Gros comme le Poing enfonce son bonnet sur ses yeux pour ne pas être tenté de glisser un oeil entre ses doigts. Jean de l'Ours obéit sans comprendre, donnant toute sa confiance à son aîné de quatre siècles qui connaît tant de choses. Jour en Trop, pour sa part, est encore trop neuf devant l'avenir pour se donner la peine de se retourner. La vie surgit de tous côtés: des bourgeons qui éclatent, des pétales qui s'ouvrent, des sources qui jaillissent de la mousse, du cri des outardes qui répondent aux bécasses qui rechignent et renâclent sur tout. Le nouvel arrivé n'en finit pas de voir et d'entendre et de laisser la vie l'envahir de partout. L'envahir si bien, qu'il en est vite gonflé comme une outre. Alors il se met à chanter comme s'il était saoul. Ses compagnons, attendris, se disent que ce petit frère né hors du temps empêchera toujours les étoiles de s'éteindre et les sources de tarir.

...Et bras dessus, bras dessous, bras dessous, bras dessus, nos quatre héros quittent la ville emmurée et sortent du cercle vicieux par le grand bout.

V

COMMENT NOS QUATRE HÉROS DÉCOUVRENT L'UNIVERS DANS UNE GOUTTE D'EAU

Les deux compagnons, devenus trois, puis quatre, comprennent à la sortie de la ville ronde que le compte est complet et qu'ils ont résolu la quadrature du cercle. Il leur reste à initier le nouveau venu à sa vie dans le monde en commençant par le vêtir.

— T'es tout nu, dit Figure de Proue.

— Mais oui, complètement nu, répète Gros comme le Poing; faut t'habiller.

Tandis que Jean de l'Ours, surpris de constater en retard l'évidence, se cogne le front pour se bien entrer dans la tête l'image d'un Jour en Trop vêtu de pied en cap. Dommage, qu'il se dit, de cacher un si bel enfant sous une défroque que le temps ne manquera pas de défraîchir et d'user.

— Le temps va m'user, moi?

Les trois autres échangent de drôles de regards. Puis l'ancêtre finit par hocher la tête:

— Le temps est le plus grand ennemi de l'homme. Il vient à bout de tout, à la fin.

Le petit ne répond pas et se laisse vêtir, comme tout le monde: chaussures, bas, culotte, bretelles, chemise, veste, casquette, comme tout le monde. Mais bizarrement, plus on l'habille, et plus il est transparent. Même vêtu comme le premier venu, ce quatrième compagnon ne ressemble à personne. Sa veste épouse sans un pli la forme de son corps ; sa culotte colle à ses fesses, à ses cuisses ; ses chaussures se moulent à ses pieds ; jusqu'aux couleurs qui se marient à son teint, sa chevelure, ses yeux. Au point que Jour en Trop, vêtu des pieds à la tête, a toujours l'air tout nu. Ses trois frères décident alors de couvrir le cadet d'un grand manteau pour le protéger contre les intempéries et les regards indiscrets. Mais ils ont tôt fait de comprendre que rien ne réussira à camoufler la nature toute nue de leur compagnon que même le temps ne parviendra pas à ternir.

— Tu es la beauté même, finit par s'exclamer son lointain ancêtre.

— La beauté même, répètent les deux autres, chacun lui réclamant secrètement sa part de paternité.

...Tandis que le nouveau venu les regardait tous les trois avec une égale et impartiale tendresse. Le monde était si grand et contenait tant de choses, que le petit n'arrivait pas à choisir. Pour régler le problème, il choisit tout, et là-dessus se montra digne fils de Gros comme le Poing. Il tenait cependant de Jean de l'Ours son âme transparente et son coeur généreux. Quant à Messire René, l'ancêtre arraché avec toutes ses racines du limon même de l'Histoire, il eut beau chercher dans son infaillible mémoire, il ne se trouva aucun lien de parenté avec l'enfant né Hors du Temps et qui n'avait de souvenirs que de l'instant présent. Et pourtant...

— C'est le fils que mes quatre siècles de silence m'ont ravi, qu'il soupira.

Et il revit son lignage possible mais avorté à la porte même du nouveau monde qu'il s'en venait découvrir et qui devait sortir des eaux sans lui.

Gros comme le Poing finit par trouver que la cérémonie du baptême avait assez duré et qu'il était temps de partir à l'aventure. Désormais, les quatre compagnons seraient inséparables.

— À la vie, à la mort! qu'il gueule, se croyant toujours

obligé, comme tous ceux de sa taille, de parler fort pour se bien faire entendre.

Il eut mieux fait de crier moins haut. Car sa voix vint frapper la colline appuyée contre l'horizon et rebondit jusqu'aux oreilles du bourreau qui était sorti de la ville hors du temps et cherchait partout la trace de ses ennemis. L'exclamation du nain le remit en piste, à l'insu des quatre compagnons qui sortaient insouciants du cercle vicieux en posant un pied sur l'ombre de l'autre. Pour son malheur, le bourreau, vêtu de noir de pied en cap, ne distinguait pas son ombre de sa personne réelle, et s'en vit tomber tête première en bas de la circonférence du cercle.

Pouf!

Les frères se retournèrent d'un coup sec. C'est Figure de Proue qui le reconnut le premier et qui mit immédiatement les autres en garde... Surtout qu'on ne s'attarde pas, qu'on poursuive son chemin sans se détourner... oh! trop tard. Ses trois puînés contemplent sans pudeur l'infortuné exécuteur des hautes oeuvres qui leur montre son cul. Et c'est l'esclaffe. Le géant et le cadet rient de voir rire Gros comme le Poing qui se tord en se tenant les côtes. Jamais ils n'ont rien vu de si drôle! L'ancêtre a beau les supplier de sortir de là et de s'éloigner au plus vite; que certaines vérités ne sont pas bonnes à connaître ni certains jeux à pratiquer; qu'on ne doit ni rire du danger, ni jouer avec la mort... peine perdue: les jeunes frais débarqués sur la planète ne veulent rien entendre et appellent le destin par ses petits noms:

— Peste! Gale!
— Fléaux!
— Calamités!
— Catastrophes!
— Cataclysmes!
— Mauvais oeil! mauvais sort!
— Banqueroute!
— Vache enragée!

— Vieux péteux de soufre d'enfer! Attrape-nous si tu peux!

Figure de Proue, genoux en terre, s'en arrache les cheveux. Ces étourdis ne comprennent donc pas à qui ils ont affaire? Ils l'ont pourtant sous les yeux! Un peu plus ils le toucheraient! Et pour sauver ses frères, Figure de Proue, cet ancien explorateur des mers ténébreuses, risque une deuxième fois sa vie. Il se redresse, fait bouger dans son fourreau sa vieille épée rouillée, et marche vers la mort la tête haute.

— Partez, qu'il commande à ses cadets sur un ton qui ne badine pas.

Les trois autres figent sous son regard courroucé et sa voix autoritaire. Et sans en saisir la cause, ils comprennent qu'ils doivent se sauver au plus tôt. Ils sautent sur les épaules des uns les autres et disparaissent dans un éclair.

Alors l'ancêtre, à une distance qu'il s'efforce de garder respectable, interpelle le bourreau dans sa langue.

— Tu ne touches point à ceux-là. Ce n'est pas l'heure.

— ...Hou... ou... ou...

— S'il te faut une victime, je serai seul.

— ...Crac!

— Et maintenant, approche, je suis prêt.

— ...Boum!... boum!... boum!

Les trois compagnons, au creux d'une brousse épaisse, se morfondent tout bas... Ils s'étaient donc aventurés dans un réel danger? Mais que va-t-il advenir de leur aîné, resté seul au combat? Avec son épée démodée, est-il de force à lutter avec le bourreau armé d'une hache à deux tranchants? Mon Dieu!... mon Dieu!... mon Dieu!...

— J'y vais, dit Jean de l'Ours.

— Non! lui crie Gros comme le Poing en s'agrippant à ses bretelles.

— Si fait, s'ébranle le géant en écrasant la feuillée tout autour de lui.

— En ce cas, tu m'emmènes, se résigne le nain en avalant trois jours d'avance de salive.

— Non, tranche Jean le Fort, j'irai seul et je le défendrai. Je suis Fort comme Quatorze.

Jour en Trop se glisse alors entre ses deux frères :

— Et moi? qu'il dit, l'air d'une souris qui vient causer bataille avec l'éléphant.

— Toi? s'empresse de répondre Gros comme le Poing, reste tranquillement caché derrière cette roche et ne te mêles pas des affaires des grands.

Jour en Trop se remet donc à sucer son pouce. Puis il se ravise :

— J'ai une idée! qu'il s'écrie en levant l'index de la main droite.

Les deux autres s'étonnent de voir leur cadet connaître les moeurs scolaires avant même d'avoir fréquenté l'école. Va, dis-la ton idée. Mais ils ont beau tourner la tête de gauche à droite, aucune idée ne sort de la bouche de l'enfant qui a disparu.

— Par où est-il passé?

Alors ils entendent suinter de l'air du temps :

— Je reviens tout de suite!

Et les deux fils de Bonhomme et de Bonne-Femme en restent interloqués.

Quand Jour en Trop réapparut un peu plus loin, au pied du cercle vicieux où se déroulait un combat mortel, il était grand temps que le secours arrive. Car le pauvre ancêtre venait d'épuiser ses dernières forces et ses ultimes arguments. Rien n'y fit : la logique, la science, le charme, la séduction, le marchandage, les promesses, et la force en dernière instance. Il n'en pouvait plus : il sentait ses os craquer de partout et ses muscles se déchirer. Puis jetant un oeil autour de lui, il eut un dernier soupir pour ses trois frères, ses fils, à qui il laissait la vie en héritage...

— À moi! qu'il entend juste au-dessus de sa tête.

Le moribond réussit à ouvrir les yeux pour rencontrer ceux de son cadet, le petit dernier, né le jour en sus.

— Sauve-toi, balbutie Messire René entre ses lèvres plus blanches que neige de novembre. Rejoins tes frères... dis-leur de ne pas pleurer sur moi... que j'ai eu deux belles vies...

— À moi! répète Jour en Trop qui plante cette fois ses yeux innocents dans ceux du bourreau ébranlé par tant d'audace.

Comment un aussi petit personnage ose-t-il se présenter les mains nues devant un aussi redoutable adversaire? Et le bourreau lève sa hache et, avant de l'abattre, lance un ricanement qui déracine les cyprès et les saules pleureurs. Puis il tranche à grands coups dans le firmament. Mais à sa honte, il constate que son arme n'a réussi à sabrer que l'air du temps. Où se cache le couard effronté?

— Je suis là!

Où? où es-tu? où diable es-tu?

— Je suis par ici!

Et le bourreau se tourne, et retourne, et virevolte, et s'entortille sur lui-même, et s'entremêle, et se présente enfin aux yeux des quatre frères, de nouveau réunis, sous l'aspect d'un dégoûtant noeud de vipères.

Quand, un peu plus tard, tandis qu'on pansait les blessures de Figure de Proue qui en avait pris un coup sérieux, aïe! aïe!... Gros comme le Poing voulut en connaître plus long sur les péripéties du combat, il reçut une réponse fort énigmatique du petit Jour en Trop:

— J'ai joué à bouchette à cachette avec le vilain, qu'il dit, et il ne m'a pas trouvé.

— Mais où donc t'es-tu caché?

— Entre deux instants.

— Comment?...

Les trois compagnons en gardèrent la bouche bée le restant de la journée. Mais à l'heure du soleil couchant qui violace les collines, Gros comme le Poing leva les yeux sur le front plissé de Messire René et devina sa pensée: leur frère cadet né le jour en trop avait le don prodigieux de se soustraire aux yeux des mortels en se réfugiant hors du temps. Et Jean de l'Ours, le seul qui avait l'habitude d'appeler un chat un chat, demanda candidement:

— Voulez-vous dire qu'il peut se rendre invisible?

Figure de Proue ne répondit pas, car son esprit planait encore au-dessus du champ de bataille... Comment mortel était ce bourreau encagoulé et inflexible? Et pour distraire ses frères de questions trop graves pour leur âge, il se contenta de soupirer:

— Cette fois j'ai bien cru que je passais outre.

— Mais non, mais non, le dorlotait Gros comme le Poing en l'enduisant de baume, d'onguent, de mots tendres et de caresses compatissantes. On ne passe pas outre si facilement, abandonnant ses frères et compagnons en outre-outre. Allons! on s'est juré fidélité, pour le meilleur et pour le pire, advienne que pourra! Aucun des quatre ne doit lever le pied avant l'autre, jurez! Que Dieu nous vienne en aide.

Et pour signer son long discours d'un mot digne de ses dons et à la saveur de son génie, il donna un coup de poing au ciel et cria: Merde! Le mot fit un tel bien à la compagnie qu'on l'adopta comme devise. Et les héros répétèrent en choeur:

— Merde au bourreau! merde à l'ennemi mortel!

Après quoi, on se sentit d'aplomb pour reprendre le chemin de l'aventure.

* * *

Tout en marchant d'un pas décidé sur la grand'route, chacun glosait de choses et d'autres en appuyant ses dires sur l'avis des sages, l'expérience, les dictons, les commérages de basse-cour, ou sur ses références personnelles, sources préférées de Gros comme le Poing. Messire René philosophait volontiers sur la vie quotidienne, tirant de hautes conclusions morales des plus petits faits et gestes qu'il croisait sur son chemin.

— C'est curieux comme en quatre siècles les choses ont changé mais non point les hommes, qu'il disait dans une langue qu'il cherchait à rendre conforme à l'usage des temps nouveaux. Voyez cette femme qui enferme tous ses oeufs dans le même panier ; et celui-là qui mange son blé en herbe ; et l'autre qui met sa faux dans le blé d'autrui ; et chacun qui tire l'eau à son moulin. N'ont changé que la forme du moulin, de la faux, du panier.

Les beaux discours, surtout ceux des autres, ont toujours creusé l'estomac de Gros comme le Poing. Et il propose à sa compagnie de s'arrêter dans la première auberge qu'on trouvera blottie dans un coin de la route. Quand ses amis lui demandent avec quelle monnaie de singe il compte payer les bonnes choses qu'il énumère déjà, l'étourdi petit diable lance en l'air des chiquenaudes et des images sublimes telles « les fleurs des champs sont vêtues et les oiseaux du ciel nourris, sans qu'oiseaux ou fleurs ne se soient tracassés de leurs lendemains ». Qu'il dit avec l'air d'avoir lui-même inventé la parabole.

S'il avait pu prévoir par quelle porte ses frères et lui sortiraient de l'auberge, le nain se serait moins empressé d'y entrer. Mais il avait faim. Et la faim est bien mauvaise conseillère.

Les compagnons se choisissent donc la meilleure table, face à la fenêtre, pour ne rien perdre des événements du jour, et commandent des légumes à la crème, des poissons à la crème, des viandes à la crème, des fruits à la crème, de la crème à la crème : à leur âge, nos héros ne se contenteraient de rien de moins que de la crème des produits de la terre. Tout cela arrosé du sang des dieux. Et trinque ! ce n'est pas tous les jours fête de Messire le Destin !

Celui-là a dû s'entendre appeler.

— Le voilà! s'écrie Figure de Proue qui s'engotte sur une feuille d'artichaut. Cette fois il nous a flairé tous les quatre. Car il a un compte à régler avec chacun de nous.

Et chacun revoit son propre combat avec le bourreau: le géant qui lui a résisté à bout de bras, l'ancêtre à bras-le-corps ; le cadet en se soustrayant à sa vue ; le nain...

— Il ne me pardonne pas de l'avoir humilié devant tout le monde.

Et Gros comme le Poing, hier encore si fier de sa victoire, se sent tout à coup personnellement visé. Et il songe que trop de succès rend l'homme vulnérable. Que la vie est bête de se mettre ainsi en travers de son chemin et l'empêcher d'aller où bon lui semble et de faire ses quatre volontés. Et merde! et merde! et merde!

Messire René, qui voit son jeune frère se débattre avec ses ennuis et son chagrin, essaye de le rassurer en échafaudant prémices sur prémices sur raisonnements. Mais Gros comme le Poing balaye tout ce fatras de logique lugubre. C'est bien le temps de philosopher sur la vie et la mort, quand juste en dehors de cette porte, de l'autre côté de la fenêtre, un affreux personnage qui a une querelle à vider avec lui enfile le boulevard, traverse la place et tourne la tête de tous côtés en quête de sa proie. Et pour se donner du courage, Gros comme le Poing lance à tout hasard:

— Qu'il s'en vienne pas me sortir de mes gonds, celui-là, parce qu'alors... je pourrais le faire danser.

Il ne croyait pas si bien dire. Et comme d'habitude, le petit rusé conçoit son idée en la formulant. Faire danser le bourreau... pourquoi pas? La veille, il l'avait bien fait péter. Et il sort de l'une de ses poches cachées sa flûte arrachée au balai de Clara-Galante.

— Attention! lui dit Messire René, le sage. Tu risques de t'enfoncer de plus en plus et de t'en faire un ennemi mortel. Sache qu'il te tient déjà à l'oeil.

Mais le petit écervelé, transi de peur l'instant plus tôt, a déjà oublié le danger et se lance dans de nouvelles étourderies.

— Danse, qu'il crie au bourreau qui n'est plus qu'à trois enjambées de l'auberge.

Et il arrache à sa flûte des sons comme ses frères n'en ont encore jamais entendus, une sorte de danse macabre qui met aussitôt toute la place en branle. Les passants, les flâneurs, les villageois sortis à leurs affaires, se saluent dans un pas de menuet, puis se passent le bras dans la chaîne, encerclant le bourreau ahuri qui ne contrôle plus ses jambes et se laisse entraîner et emporter et ramasser par la foule qui le serre de plus en plus près, le garroche au-dessus des têtes, sans se douter qu'elle joue avec...

— Arrêtez!

Le cri est venu du parvis de l'église où un curé, barrette de travers, s'attrape la tête en apercevant sa paroisse livrée à la débauche en plein jour de semaine, à l'heure où chaque citoyen est censé pratiquer un métier ou vaquer à ses affaires. Puis soudain, la même force sortie de la flûte de Gros comme le Poing s'empare aussi du prête qui, au scandale de ses fidèles et à sa propre honte, lève sa soutane et rejoint la danse macabre.

Figure de Proue comprend que c'est le moment de fuir, pas de temps à perdre, sortons de l'auberge, mes frères. Mais à l'instant où il se lève pour exécuter ce plan, ses vieilles jambes de quatre siècles s'ébranlent et se mettent aussi à danser, diable! Comment sortir de ce pétrin? Seul Gros comme le Poing n'est pas emporté dans la ronde. S'il cesse de jouer, le bourreau et le bourg entier vont s'arrêter de tourner et reconnaître le fauteur de troubles. Mais s'il continue, les trois compagnons resteront prisonniers de la ronde, de plus en plus ronde, de plus en plus macabre, encerclant l'auberge où un petit joueur de flûte ne sait plus à quel saint se vouer. Et faute de saint, il maudit sa marraine et ses présents empoisonnés, oubliant qu'il les a lui-même choisis au fond de la corbeille enchantée. La prochaine fois, qu'il se dit, je mettrai des conditions, proposerai moi-même les exceptions et amendements. Puis il se rappelle le mot de la marraine-fée :

C'est pour la vie. Songez-y bien.

Au désespoir, il cherche consolation du côté de ses frères qui râlent et transpirent, quand il aperçoit le visage transfiguré du jeune Hors du Temps. Gros comme le Poing suit son regard qui le mène à découvrir une auberge, en tout semblable à la leur, sise dans les nuages. Au premier coup d'oeil, il croit rêver et veut se frotter les yeux. Mais il manque d'échapper sa flûte et se remet sitôt à jouer, car la chaîne des villageois, oh catastrophe! a failli se rompre. Même que plusieurs ont perdu la mesure et se marchent maintenant sur les pieds. Gros comme le Poing doit penser vite et fort. Une maison juchée en pleins nuages... c'est leur salut. Mais d'abord, qu'est-ce qu'elle fait là? et qui l'a bâtie? L'ancêtre vient de l'apercevoir aussi, à travers la vitre, et se figure que le soleil couchant y est pour quelque chose, car à midi, les nuages n'abritaient pas d'auberge. Gros comme le Poing ouvre la porte pour mieux la voir à l'oeil nu, mais la perd du coup. Donc l'auberge n'est visible qu'à travers la vitre. Et l'ingénieux petit joueur de flûte en conclut que si sa compagnie doit atteindre cet abri dans les nuages, il lui faudra passer par la fenêtre. Et il demande du renfort du côté de Jean de l'Ours.

— Fais vite, mon frère. Dès que j'arracherai ma flûte de ma bouche, tu fonces à travers la vitre, te dresses de toute ta hauteur, t'attrapes la queue du nuage, t'agrippes au balcon de l'auberge, et nous laisses grimper le long de tes jambes.

Il en a trop dit. Car pour débiter tout cela, le beau parleur a dû retirer sa flûte de ses lèvres et cesser de jouer. Et voilà que la foule, s'arrêtant soudain de danser, reprend petit à petit ses esprits. Déjà le curé tempête au milieu de ses paroissiens et les menace presque de leur refuser l'absolution; mais ses fidèles ne l'écoutent pas, ils cherchent de tous côtés d'où venait l'ensorcellage et libèrent du coup leur bourreau. Messire René le voit s'en venir droit sur eux, atteindre la terrasse, poser le pied sur la première marche; et il attrape d'une main le jeune Jour en Trop et de l'autre s'accroche au talon de la botte de sept lieues du géant qui a déjà toute la tête dans les nuages. Quant à Tom Pouce, il n'a même pas eu à grimper; car au dernier moment il a sauté dans la poche de son frère et se tient maintenant solidement agrippé à la boucle de sa ceinture. Quand la foule lève les yeux, elle ne voit rien que des cumulus flottant au-dessus de sa tête.

Gros comme le Poing, assis au milieu de sa compagnie sur la terrasse d'une auberge plantée en plein ciel, crie des injures à l'encagoulé qui se gratte le crâne, l'air égaré, sur la place du marché, juste en dessous. Au mépris de toute prudence et des règles élémentaires de politesse, le nain fait à son ennemi mortel un vilain pied de nez.

— Au revoir à la semaine des trois jeudis, qu'il ricane, quand le ciel pleuvra des alouettes et que carême tombera en août!

Messire René dit Figure de Proue se bouche les oreilles et les yeux. Ce petit étourdi n'apprendra donc jamais? S'en aller donner rendez-vous à la Mort! même dans un jour et une saison irréels, même dans des circonstances impossibles! Ce rusé devrait pourtant savoir que rien n'est totalement impossible ou irréel ici-bas. À son âge, il devrait déjà s'être assagi.

Mais Gros comme le Poing, durant cette longue péroraison, loin de s'assagir, avait sauté sur ses pattes et fouillait l'auberge des nuages à la recherche de fruits défendus. Il goûtait à tout: aux primeurs, aux précoces, aux pas mûrs, aux piqués des vers... au risque de se réveiller le lendemain matin le ventre labouré par la colique.

Mais le ciel, comme nous allons voir, ne lui laissa pas

le temps de se rendre au petit matin. Car à la tombée du jour, d'autres nuages s'en vinrent s'accoler aux premiers, se cognant les uns contre les autres, mélangeant leur ouate blanche qui se mit à grisonner, puis noircir, puis bouger comme une mer en furie. Les murs de l'auberge commencèrent à craquer et les poutres à se disloquer et tomber du plafond.

— Sortons, fait Messire René qui a un étrange goût de sel et de gel dans le gosier. Crains qu'ayons par devers nous nouvel et espouvantable tempeste de mer. Pleust à Dieu que seyons espargnés.

Avec la mémoire des lugubres événements de sa première vie lui sont revenus les mots et l'accent de sa première enfance.

— Fuyons, frères bien-aimés! Le diable bat sa femme et marie sa fille. Et nous sommes conviés à noces diaboliques. Fuyons! Retournons en terre!

Grand Dieu d'eau bénite! Il a de ces expressions, l'ancien! Retourner en terre, qu'il dit. Tu parles d'une solution de rechange à leur position précaire! Pleust à Dieu, songe Gros comme le Poing, que leur savant compagnon leur proposât une issue plus réjouissante dans des mots plus rassurants. Et lui-même vient ajouter son grain de sel au potage de l'aîné:

— Si cherchions en firmament à happer par le manche fer de lance de la foudre avant qu'icelle ne nous fendit la caboche en son mitan... qu'est-ce que t'en dirais?

Messire René, ou n'apprécie point le discours du blancbec, ou n'en saisit pas la signification, car il reste raide comme un piquet planté sur sa terrasse. Et c'est là que le premier grain de grêle l'atteint en plein front, en passant proche de le figer pour la seconde fois en moins d'un demi-millénaire en une figure de proue congelée.

Avant minuit, la bourrasque s'était changée en rafale

qui avait dégénéré en tourmente qui avait engendré un cyclone. Nos héros en avaient vu d'autres, comme tout le monde. Mais personne avant eux n'avait vu la pluie d'en haut. Cette tempête leur tombait dessous. Leur tombait dedans. Leur tombait de tous côtés. Ils étaient eux-mêmes devenus tempête, pour tout vous dire. Comme si le ciel, cette nuit-là, s'était mis à pleuvoir des bonshommes. Car même le gigantesque Jean de l'Ours, Fort comme Quatorze, n'était plus qu'un fétu au sein de l'orage et au regard des étoiles. La Grande Ourse, un peu sa parente, devait glousser sous cape en voyant ce géant de la terre maltraité et vaincu dans le ciel par des gouttes d'eau.

Elles s'en donnaient à coeur joie, les coquines! Jamais gouttes de pluie ne mirent plus d'ardeur à fouetter et flageller leurs victimes. L'air de se dire : seules et isolées, nous ne sommes rien, mais laissez-nous seulement nous unir en un tout compact et vous aurez la mer. Figure de Proue croyait en effet retrouver l'océan en plein firmament. Il agitait bras et jambes pour faire surface. Mais allez trouver la surface du ciel! Que diable était-il venu faire dans cette auberge! Puis il se souvint : l'auberge... l'auberge dans les nuages... ça ne pouvait pas durer... il aurait dû se méfier, lui l'ancien, mais comment faire!... le bourreau ne lui avait point laissé de choix... Le refuge dans le mirage ou la mort... une seconde fois. Et le pauvre René de la Renaissance ne cherchait plus à comprendre, mais seulement à survivre à cette nouvelle épreuve.

Et c'est alors qu'il aperçut son cadet de Jour en Trop, à l'aise comme poisson dans l'eau, qui se faufilait entre la pluie, la grêle et les vents, ignorant le bon comme le mauvais temps. Les astres eux-mêmes ont dû se demander au fond de leurs galaxies d'où sortait ce nouveau prodige.

Mais cette nuit-là, les astres restèrent chez eux et ne se montrèrent qu'au petit matin, quand la tempête eut achevé de balayer le ciel. Oh! alors! d'un seul coup, le firmament se remplit, clignotant et scintillant à qui mieux mieux, l'Aldébaran répondant à la Bételgeuse qui criait aux Trois Rois de sortir du chemin Saint-Jacques. Une splendeur de ciel étoilé, un instant, l'instant de se mettre au lit à l'heure où les Bonhomme et Bonne-Femme de par le monde se frottent les yeux et se disent bonjour.

— Bonjour, dit Jour en Trop, ravi de retrouver ses frères et compagnons.

— Bonjour, répond Jean le Fort, surpris de se voir pour la première fois tout couvert de bleus.

— Bonjour, fait à son tour Messire René qui regarde de tous côtés, cherchant un écho qui ne vient pas.

...Où est-il? Il en manque un. Celui qu'on n'ose nommer pour ne pas attirer la malchance. Un malheur se serait-il produit?

Et sans se consulter, les trois frères se dressent et s'élancent à la recherche du quatrième compagnon, sans prendre le temps de s'épousseter de leur nuit d'orage.

— Toi, le cadet, fait Figure de Proue qui se sent soudain promu commandant, fouille au ras du sol, sans négliger le moindre brin d'herbe ni la plus petite coque de noix. Et Jean de l'Ours, mon grand, explore les arbres, inspecte chaque nid, chaque noeud au creux des branches. Pour moi, je me chargerai des arbustes et de la brousse.

Ainsi fut fait.

Passent un jour et une nuit.

Un malheur s'était produit. On ne le reverrait plus. Plus jamais. Il était bien trop petit. La tempête n'en n'a fait qu'une bouchée.

Et Jean de l'Ours s'empare d'une hart gigantesque arrachée à un pin en parasol et se met à faucher les champs, puis la broussaille, puis la forêt, et aurait sûrement fini par dénuder la terre entière si son aîné de Figure de Proue ne lui avait retenu le bras.

— Jean de l'Ours, mon compagnon, mon frère, ne t'acharne point contre le destin. S'il a décidé de nous prendre notre ami, tu ne peux rien contre lui ; si au contraire, il a résolu pour notre joie de nous le rendre, tes efforts sont inutiles : notre frère rentrera tout seul un bon matin.

Et passent une nuit et un jour.

Cette nuit-là, Messire René presse ses frères de s'endormir. Il veillera à la proue du monde, ne laissera passer aucun signe sans le consulter, aucune étoile sans lui demander des comptes. Et à son plus total ahurissement, au plus fort de la nuit, il voit apparaître la comète.

— Misérable! qu'il s'entend proférer. C'est toi qui nous l'as pris.

Au matin, il n'ose avouer à ses frères sa lugubre découverte de la nuit. Car lui seul, le ressuscité des temps anciens, connaît les pouvoirs maléfiques d'une comète. Elle ne lui est point apparue pour rien cette nuit. Elle venait le narguer, lui le revenu d'entre les morts qui est sorti vivant de ses griffes au bout de quatre cents ans.

...Elle s'est vengée sur lui, qu'il sanglote tout bas. Malheur de moi! Et il se frappe la poitrine.

Jean de l'Ours se tient loin de ses compagnons et pleure des larmes grosses comme des boules de cristal, des boules qui coulent le long de ses joues, s'accrochent à ses poils au menton, puis tombent et s'en viennent rouler à ses pieds. Le géant regarde ses propres sanglots se cogner les uns contre les autres, éclater puis se répandre en un ruisseau qui ramène le géant dans son lointain passé d'où son frère et lui, la main dans la main, étaient partis du pied gauche vers la grande aventure. Et tout bas, Jean de l'Ours implore la mort de l'emmener rejoindre son compagnon de vie.

Hé! frère,
C'est moi, Gros comme le Poing,
Que mère a fait un bon matin
Dans le restant de la pâte à pain!

Le géant fige. Pas possible! Il a entendu, il a bien entendu... c'est la voix du petit... d'où vient-elle? où est-il?

— Gros! comme! le! Poing!!!

— Je suis là! Laissez-moi sortir! laissez-moi sortir!

— Où es-tu? Mon frère, mon petit frère! où te caches-tu?

C'est Jour en Trop qui s'écrie:

— Je le vois!

— Où? où ça?

— Là-dedans!

Les deux autres suivent alors le doigt du cadet qui leur désigne une goutte d'eau plus grosse que ses semblables; alors trois paires d'yeux se posent en même temps sur la tête de Gros comme le Poing qui sourit du fond de sa bulle.

Jean de l'Ours, pris d'une joie si forte, exhale un ah! gigantal qui fait sitôt revoler la goutte de cristal. La bulle monte, à l'ahurissement de tous, flotte, puis vient s'écraser sur le nez de Figure de Proue qui se préparait à raisonner sur la loi de la pesanteur. Et c'est ainsi perché, que le nain fait sa seconde apparition au monde.

Seconde apparition: ce sont là ses propres mots. Alors que nous savons tous que Gros comme le Poing n'avait pas fait le plus petit pas vers le Grand Voyage. Sa tempête, il l'avait vécue dans une goutte d'eau, sans plus. Mais sortant après trois jours du fond de son tombeau de verre, il se figurait ou essayait de faire croire qu'il revenait du royaume des morts. Et il entreprit sitôt d'instruire ses frères sur les grands mystères de l'Au-Delà.

Tandis que ses cadets en avaient la bouche toute béante d'ébahissement, Messire René, le vrai Renaissant, se dérouilla bruyamment la gorge pour ramener le fanfaron à la réalité et ce faisant, le fit tomber de son perchoir sur ses pieds. Gros comme le Poing, qui connaissait encore peu de choses, avait pourtant bonne tête; et il comprit que la vie et la nature recelaient assez de merveilles pour décourager les débutants de sa taille à s'en aller les chercher ailleurs. Celui qui a réussi à pénétrer au coeur de la goutte d'eau n'a pas à s'inventer un voyage au-delà des mers. Voilà la conclusion qu'en tira Messire René, le sage de la Renaissance, et dont le jeune blanc-bec de Gros comme le Poing fit son profit.

— Dans ma bulle d'eau, qu'il se mit aussitôt à raconter à ses frères, j'ai trouvé d'autres gouttes, infiniment petites, qui celles-là en contenaient d'autres encore plus minuscules, toutes en mouvement, comme si la tempête qui rageait dehors faisait aussi rage en dedans. Je vous le dis en vérité, mes amis, mes frères, que le monde est bien plus riche, plus vaste et plus complexe qu'on ne l'avait d'abord imaginé. Il est tout bourré de petits mondes tout à fait semblables au nôtre où des paysans moissonnent le blé qu'ils vendent aux boulangers qui nourrissent des peuples qui vont à leurs affaires, sans se douter le moins du monde que je suis au-dessus d'eux en train de les regarder vivre une vie qui ressemble à la mienne. Puis soudain je me ressaisis et me demandai si par hasard il n'y aurait pas au-dessus de moi quelqu'un qui me regarde aussi, avec la même curiosité et la même...

Il s'arrête, le temps de calmer son esprit en ébullition et de mettre de l'ordre dans cet amas de pensées qui l'assaillent par tous les pores de son cerveau. Durant les instants qui suivent, ses compagnons restent muets. C'est alors que Messire René remarque que le nain a pris du poil en trois jours. Les deux autres, eux, ne voient rien, mais croient comprendre que leur frère vient de très loin. Puis Tom Pouce dit Gros comme le Poing jette autour de lui un regard qui cherche à englober les quatre horizons :

— Si le ciel compte autant de vastes mondes qu'une goutte d'eau de petits, je crains d'en perdre un jour la boule.

Et pour bien laisser entendre qu'il dit vrai et qu'il cherche à retrouver son équilibre, il se lance dans ses deux ou trois plus périlleuses pirouettes, puis finit par marcher sur la tête.

Alors les autres comprennent que leur frère qui vient de découvrir un nouveau monde dans une goutte d'eau est pourtant bel et bien revenu parmi eux, les pieds sur le plancher des vaches.

VI

COMMENT NOS HÉROS S'AVENTURENT VERS L'EST EN QUÊTE DE L'OCCIDENT

Au lendemain de la tempête qui faillit ravir Gros comme le Poing à sa compagnie, nos quatre aventuriers se débarbouillaient tant bien que mal les oreilles, les pieds et les mains, le cou et le nombril, les uns dans une mare de canards, le nain à même la rosée des champs, le géant... par où est passé le gros lourdaud? s'inquiète justement son frère.

— Viens voir, Gros comme le Poing! Je suis rentré comme toi dans la goutte d'eau.

Tom Pouce lâche son gant de pétal et accourt en fendant la brume pour trouver Jean de l'Ours sous la cascade qui tombe dru du plus haut rocher.

— Que fais-tu là? lui crie le nain à travers le rideau de pluie.

— Je me baigne dans une goutte d'eau, répond l'autre ravi.

— Tu te baignes dans un torrent, nigaud.

Jean de l'Ours en reste tout penaud, ses yeux cherchant à voir la différence. Hier son frère a découvert que l'eau avait des gouttes, les gouttes des gouttes... les gouttes des gouttes... des gouttes... des gouttes... et le fils sorti du bois ne sait plus où se termine ni où commence sa philosophie.

Encore une fois il se dit que son frère est trop fort pour lui. Messire René, qui a terminé ses ablutions, s'approche des débattants et tranche la question en faveur du plus faible.

— C'est Jean le Fort qui a raison. La mer n'est pas plus eau que l'eau enfermée dans une goutte. Ainsi le géant dans sa cascade peut découvrir le monde comme le nain dans sa bulle. Vous n'êtes ni plus grand ni plus petit l'un que l'autre. C'est l'univers qui change et s'ajuste à votre taille.

Et pour l'instant, on en resta là.

Jusqu'au lendemain.

Car justement le lendemain, l'insatiable petit bonhomme de Gros comme le Poing, que la nuit inondait de songes plus farfelus que ses rêves de jour, vint tourner autour de son patapouf de jumeau avec l'air de quelqu'un qui se prépare à redécouvrir le Nouveau-Monde.

— Tu sais, Jean de l'Ours, dit le Fort, Fort comme Quatorze, mon ami, mon frère, j'ai fait cette nuit une trouvaille qui pourrait changer ma vie.

Le géant, qui n'a jamais cherché à comprendre pourquoi les mouches avaient des ailes et les sauterelles des ressorts aux pattes, lève ses sourcils broussailleux, plonge ses prunelles dans celles de son frère, puis se dresse d'un seul coup. Comment? Gros comme le Poing, son petit Pouçot, son Tom Pouce, veut changer de vie? Mais alors, qu'adviendrait-il de lui? et des autres? Comment se terminerait leur aventure? Jamais Jean de l'Ours — tu m'entends? — ne survivrait au départ de son frère de sang, de lait, de farine. Et au bout du plus long discours de sa vie, le géant s'engotte dans sa propre voix.

— J'ai dit que ma vie allait changer, grand bêta, non pas que j'allais changer de vie.

Alors seulement Jean le Fort comprend et presse si tendrement Gros comme le Poing contre sa poitrine velue, que le nain sort de l'étreinte plus chiffonné qu'une reinette d'octobre... Aïe, aïe! mon ami, mon frère! n'oublie pas que tu es Fort comme Quatorze! Et le petit s'époussette et s'ajuste en grognant de tendres méchancetés au gros maladroit. Puis il retrouve le fil de son idée.

— J'ai beaucoup réfléchi sur mon aventure en goutte d'eau. Et j'en suis venu à la conclusion suivante, ouvre tes grandes oreilles et écoute bien : dans un tout petit morceau de vie ou de l'univers se cachent la vie et l'univers tout entiers.

Jean de l'Ours est si ébloui par le génie de son frère qu'il en oublie de chercher à comprendre et se contente d'admirer ; ce qui oblige notre Tom Pouce à commenter en trois points, gros A, petit b, petit c, sa thèse sur l'infiniment grand et l'infiniment petit qui conclut sur la place prépondérante du nain au coeur de l'univers. Jean de l'Ours, de plus en plus pâmé, désire seulement savoir si cette place prépondérante restera toujours au même endroit et s'il ne risque rien, lui le gros, dans ce chambardement des valeurs.

— Pourvu que tu restes avec nous, Tom Pouce, tu peux grandir ou rapetisser tant que tu voudras. De toute façon, peu importent ta taille et ton poids, tu seras tout le temps le plus fort et le plus rand.

Et la discussion s'achève sur une bonne embrassade où nos deux premiers héros se jurent, rejurent et rerejurent une éternelle et mutuelle loyauté. Et de loyauté en amitié en souvenirs communs, les frères sortis de la huche et de l'établi basculent dans l'enfance laissée en plan au-delà du ruisseau, où un Bonhomme et une Bonne-Femme rêvent les exploits de leur progéniture.

— Tu penses qu'ils se souviennent de nous? demande Jean de l'Ours en s'essuyant les yeux plus humides que la Méditerranée.

Gros comme le Poing renifle à rebours, pour ne rien laisser voir, et manque de s'engotter. Après quoi il se mouche à ses manches et finit par articuler sans l'ombre d'un accent :

— Ils sont tous deux accotés au poteau de la galerie, je peux très bien les voir, Bonhomme les mains dans les poches, Bonne-Femme les bras enroulés dans son devanteau, en train d'espérer notre retour.

Et les yeux de Jean de l'Ours font maintenant des vagues comme au temps des marées hautes.

— Tu es sûr, frèrot, qu'ils ne sont plus fâchés contre nous et seront contents de nous revoir?

Gros comme le Poing cette fois ne prend aucun risque avec ses narines engluées et sort carrément son mouchoir, comme un homme du monde. Mais en y apercevant ses initiales G.c.l.P. brodées aux quatre coins par sa mère, il n'a pas le temps de ravaler son émotion et laisse échapper bien malgré lui un long sanglot qui tombe dans son bonnet entre ses doigts et fait sonner les clochettes que Bonne-Femme y a cousues.

Quand l'ancien et le cadet, sortis des temps passés et hors du temps, rejoignent leurs compagnons assis dans la rosée, ils restent bouche bée devant le spectacle : ils sont là, les deux frères, un géant et un nain, côte à côte, les doigts embrouillés dans leurs ceintures et bretelles, qui braillent comme des veaux.

Figure de Proue a compris après un long raisonnement tout en prémices et *distinguo;* et Jour en Trop d'un seul coup, en sautant à pieds joints dans la conclusion. C'est l'ancêtre qui se dérouille le premier la gorge et aborde le sujet du retour. Il dispose d'arguements de taille, l'explorateur, étant lui-même en quête d'un lointain avenir. Gros comme le Poing s'efforce alors de lui faire comprendre qu'on ne regarde pas dans la même direction, car son frère et lui languissent après leur passé.

— Si faict, si faict, reprend l'ancêtre dans sa langue désuète. Ains vostre passé est mon ad venir, ou l'équipollent.

C'est alors que les autres saisissent qu'ils sont plus ou moins des rescapés de temps différents, qui se croisent par hasard, d'où la grande faveur que leur a octroyée le destin de leur avoir donné rendez-vous tous les quatre dans le même temps.

— Si nous partions à la quête de notre point de départ,

propose dans une soudaine illumination Messire René ; nous pourrions d'une part trouver nos origines communes et prouver d'autre part que la terre est vraiment ronde.

— ...?

— Forcément, renchérit le philosophe. Puisque notre point d'arrivée s'identifierait à notre point de partance.

— Vous voulez dire, s'inquiète Gros comme le Poing, que pour rejoindre l'ouest nous allons partir vers l'horizon opposé ? Vous ne pensez pas que le plus court chemin serait de faire demi-tour ?

L'ancêtre s'engage alors dans une dialectique tortueuse où il est question de recherche de l'inconnu, de quête du graal, de lutte contre les monstres et la médiocrité, de la défense de la dignité de l'homme. Sur quoi il conclut qu'il faut mettre le cap sur l'est.

Voilà comment nos quatre héros un bon matin ajustent leurs pas dans la direction du levant, à contre-courant du soleil, à vent-devant du vent qui vente.

....

Et marche, et marche, et marche.

.....

De temps en temps, Gros comme le Poing s'arrête pour indiquer à Messire René que la courbe de l'horizon n'a pas bougé, qu'au train où va la vie leur compagnie risque d'user ses semelles avant d'épuiser la lumière du soleil... argument qui ne suscite aucune réaction chez ses compagnons qui ne le saisissent pas... parce qu'il ne veut tout simplement rien dire. Mais Gros comme le Poing n'a jamais aimé le silence infini des astres, préfère dire des riens que de ne rien dire, et finit par dire « j'ai faim », pour donner de ses nouvelles.

Argument qui fait l'unanimité de la troupe. Et l'on bivouaque.

Le repas, pourtant frugal, ramène la gaieté et l'entrain

au coeur des compagnons, des petits surtout plus vite rassasiés parce que plus rapides à s'emparer des meilleurs morceaux. Et avec la bonne humeur, le nain retrouve ses rêves de grandeur et de conquête.

Au moment où il se prépare à larguer ses plus chimériques propositions, un pigeon bleu qui vole très bas lui envoie un message en plein bonnet, ébranlant ses clochettes qui se mettent à sonner.

— Petit effaré! qu'il crie à l'oiseau indiscret. Salaud!

Le pigeon surpris de s'entendre ainsi interpellé, s'arrête en vol, le temps de toiser et mesurer son interpellateur.

— Salaud toi-même! qu'entend à son tour Gros comme le Poing.

Il se tourne, se retourne, et comprend qu'il a bien reçu sa réponse de l'oiseau qui le regarde maintenant droit dans les yeux et cherche à lier conversation. Les trois compagnons, qui voient le nain parler tout seul, se donner des questions et des réponses, de fausses réponses à de mauvaises questions, finissent par se mettre dans la tête que leur talentueux petit frère est bel et bien en train de discuter avec l'oiseau. Et ils se souviennent des dons que Gros comme le Poing a reçus un jour de sa marraine.

— Comment, salaud moi-même? Est-ce que je t'ai chié sur la tête, moi?

— Non, mais tu es assis dans mon nid.

Gros comme le Poing se lève d'un coup sec, pour vérifier. Un coup trop sec. Et le voilà dans l'omelette jusqu'aux genoux.

— Faut-i' bien! des oeufs à deux jaunes!

Et le pigeon en tape du pied de colère. Le nain a juste le temps de sauter du nid et chercher refuge dans la poche de son grand frère, car déjà l'oiseau battait des ailes et affinait son bec.

— Cou-cou! crie effrontément Gros comme le Poing, bien à l'abri dans sa cachette.

Le pigeon se méprend sur son ennemi et croit avoir affaire à la garce qui sème ses oeufs dans le nid des autres.

— Que je t'attrape, mère dénaturée!

Et il s'envole à la recherche du coucou dans un froissement de plumes et de duvet, au grand rire des quatre compagnons qui, à partir de ce jour-là, s'interrogent sur la réputation pacifique du pigeon-voyageur.

L'incident du pigeon n'aurait laissé aucune trace dans la mémoire de nos héros, si nos héros avaient hérité de mémoires ordinaires. Mais rappelons-nous que les fils de Bonhomme et de Bonne-Femme, en premier lieu, traînaient leurs souvenirs partout dans la doublure de leurs vêtements; que Jour en Trop, né Hors du Temps, ne se souvenait jamais que de l'instant présent; et que Figure de Proue, au contraire, en se réveillant après quatre siècles de silence, avait retrouvé intacte la mémoire des temps passés. Voilà pourquoi aucune aventure désormais ne pouvait glisser sur le dos de nos compagnons comme sur les plumes d'un canard. La moindre petite tranche de leur vie allait s'imprimer dans l'un ou l'autre lobe de leurs quatre cerveaux et ressurgir au besoin du fond de leur mémoire collective.

Il ne se passa pas trois jours que ressurgit le pigeon bleu.

— Te revoilà, toi ! hucha Gros comme le Poing en s'abritant dans les plis du vêtement de son frère.

L'oiseau ne daigna pas répondre.

— Tu pourrais au moins dire bonjour, en v'là des manières !

— Tout le monde ne peut pas traîner une vie oisive, que fait le pigeon au malappris. Certains sont chargés de mission.

Gros comme le Poing, capable d'accomplir cinquante-six tâches à la fois, n'a pourtant jamais réussi à satisfaire en même temps à la curiosité et à la prudence.

— T'es chargé de mission ? qu'il vient demander au pigeon en s'approchant de lui jusqu'à portée de bec.

Et hop ! le voilà parti.

— Gros comme le Poing ! Tom Pouce, mon frère, mon ami ! Reviens !

Et les trois compagnons, les bras au ciel, les yeux chavirés et le coeur baignant dans son jus, regardent, impuissants, un pigeon-voyageur emporter un drôle de message dans son bec.

— ...Il ne l'emportera pas en paradis, grogne le géant en serrant les dents.

Pendant que ses frères l'appellent à grands cris et dans de grands gestes, le nain bat des jambes et des bras pour essayer de se dégager de la prise et retomber sur ses pattes. Il cogne même à coups répétés sur le bec de l'oiseau pour le forcer à s'ouvrir quand, jetant par hasard un oeil en dessous, il fige et change d'optique. S'il fallait que le bec s'ouvre, on chanterait chez lui un bien triste *Dies Irae !*... Pourvu seulement que le pigeon ne se mette pas dans la tête de lier conversation avec sa victime... pourvu qu'il ne songe pas à respirer par le bec... pourvu qu'il tienne le coup jusqu'à l'atterrisage... L'atterrissage ? Mais où s'en va-t-on comme ça ? Dieu de Dieu de Dieu ! Pas le temps de blasphémer, petit, cherche plutôt à te souvenir de tes prières... Mais qu'est-ce qu'il lui a fait au bon Dieu pour qu'il s'en prenne toujours à lui ? C'est pas juste à la fin ! Et il veut taper du pied selon sa vieille habitude, mais ses pattes ne font que battre l'air du temps qui ne s'en porte pas plus mal.

...Surtout ne regarde pas en bas, Tom Pouce, chante plutôt, récite les fables et les contes que ta mère t'a enseignés, enfant... Pauvre mère Bonne-Femme! si elle pouvait voir, du fond de sa cuisine ou du clos familial, la position précaire qu'occupe dans le monde ce fils à qui elle a prédit un avenir si brillant! Brillant, son avenir! Juste en bas, la tête fracassée entre deux montagnes, le voilà son avenir!

Dans un geste irréfléchi, il cherche un instant la vallée en dessous qui sera son tombeau. Et la tête se met à lui tourner. Le vertige, il ne manquait plus que ça ! Puis petit à petit, son coeur retrouve son nid au creux de sa poitrine, et ses oreilles cessent de bourdonner. Sa nausée a disparu en même temps que sa peur. Il n'y pense même plus. Car il vient de faire une découverte inouïe : on survole présentement un pays exactement de sa taille ! une contrée où les montagnes sont des buttes de sables ; les forêts à peine des bosquets ; les fleuves des ruisseaux qu'il saurait passer à gué ; des villages entiers qui tiendraient dans l'arrière-cour du domaine paternel. Incroyable ! Il s'en tape les cuisses. Enfin le pays où les nains sont rois !

— Descends, pigeon ! je veux rentrer chez moi. Je suis roi ! Je suis roi !

Et il donne de grands coups de poings sur le bec et dans la gorge de l'oiseau qui s'engotte, perd son souffle, puis cherche à le reprendre. Mais un souffle a suffi pour lui faire lâcher prise. Et voilà notre héros en chute libre vers le pays où les nains sont rois, vu d'en haut, mais qui grossit, à mesure qu'on s'en approche, se déforme, retrouve ses fleuves profonds, ses arbres gigantesques, sa croûte rugueuse et crevassée. Et... oh ! malheur ! Gros comme le Poing vient de le reconnaître juste en dessous, s'agitant dans sa tache d'ombre, la tête relevée vers le ciel et qui fixe son ennemi par les trous de sa cagoule. Celui-là ouvre tout grands les bras et enveloppe l'horizon de son manteau. Cette fois, le nain ne lui échappera pas, la gravité est trop forte, l'air trop clairsemé, les vents bêtement assoupis sous la feuillée. Ç'en est fait du petit né dans la pâte, un huitième jour, du rêve de sa bonne-femme de mère.

...Maman!

Oupse!... Qu'est-ce qui se passe? À l'instant où il touchait du pied le capuchon du bourreau, son ennemi mortel, et qu'il a cru... non, il racontera plus tard à ses frères qu'il n'y a pas cru, qu'il n'a pas réellement eu peur, qu'une voix lui a dit au fond de lui que son heure n'était pas venue... allons donc! il vient de commencer sa vie et n'a pas encore amorcé la moitié du quart de la seizième partie des grands exploits de sa destinée!... à l'instant donc où le nain allait s'écraser contre une roche qui n'était plus une roche mais un rocher, l'oiseau a réussi un vertigineux looping, a passé entre les jambes de Gros comme le Poing qui se réveille de son cauchemar le derrière dans les plumes, chevauchant en plein ciel un pigeon-voyageur.

Oh! ça alors! Pour un revirement de situation... Et avant

même de joindre les mains pour remercier le ciel de ses bontés, notre diablotin porte les mains à son nez et fait à son ennemi mortel l'un de ces signes qu'affectionnent les enfants mal élevés dans ce genre de circonstances, c'est-à-dire quand la circonstance passe à un cheveu de noyer l'événement.

Cette nouvelle position est à la fois plus confortable et plus prestigieuse. Or nous savons que le prestige et le confort figurent au premier plan des priorités de notre héros, bien avant la paix, la justice, la vérité, l'égalité pour tous et autres galimatias de pareille farine, juste après le bonheur d'être en vie. Ainsi monté, le nain en oublie sa frayeur passée et même les dangers de voler si haut et cherche à connaître la destination du pigeon ainsi que la mission dont il est chargé.

— J'apporte un message urgent, fait l'oiseau.

— Ah! bon. Tu le caches dans ta tête, ton message?

— À la patte gauche.

— Comme c'est curieux!... C'est donc un message écrit?

— Naturellement. On va pas se mettre à faire des dessins. Pfeuh!

Gros comme le Poing feint d'ignorer l'impertinence, tout en renvoyant la balle.

— Évidemment, puisqu'un messager sait lire.

Le pigeon calouette, puis rentre sa gorge dans son gosier.

— Il n'a pas à se donner tant de peine; il lui suffit de se poser au bon endroit, le message bien visible attaché à la cuisse.

Gros comme le Poing sent des démangeaisons par tout le corps. Il est à deux coudées — de ses coudes à lui — d'un secret qui engage peut-être l'avenir du monde. Ou sa destruction. On ne connaît pas la provenance de ce pigeon, ni sa destination finale. Pour voler si haut, l'oiseau est sûrement chargé d'une mission de la plus haute importance. Et le nain se voit déjà sauveur du monde, bienfaiteur de l'humanité, couronné de lauriers, figé pour l'éternité dans sa statue de marbre blanc. Il s'étend sur le dos emplumé et fait glisser son bras le long de la patte gauche du messager. Il tâte, joue des doigts, fouille dans le duvet...

— Regarde en bas, fait le pigeon attiré soudain par un décor insolite. Gros comme le Poing revient d'un coup sec sur ses fesses, l'air innocent. Puis il se penche pour contempler le paysage qui se déroule en dessous, remettant à plus tard ses autres projets. Il agrandit les yeux, retient son souffle, laisse échapper une gamme de ah! ah! ah! et s'enroule tout entier autour du cou de l'oiseau.

— Tu m'étouffes, mauvais cavalier, redresse-toi.

Le nain retrouve petit à petit ses esprits et se remet en selle, solidement cramponné aux plume de sa monture.

— Éloignons-nous d'ici, pigeon... virons vers l'ouest, retournons chez nous...

Le pigeon n'a pas l'air de comprendre, jamais il n'a fait ça. Un messager ne saurait revenir sur ses pas avant la fin de sa mission : c'est contraire à sa nature. Gros comme le Poing s'arrache les cheveux, mais n'ose plus regarder en bas.

— Tu ne vois donc pas, bel oiseau, que nous volons tout droit vers l'enfer? Déjà la fumée m'étouffe, tu ne m'entends pas tousser?

Et il tousse de plus belle jusqu'à s'érailler complètement la gorge et s'étouffer pour vrai.

— Nous serons grillés comme des châtaignes, ne t'aventure pas par là, pigeon ma colombe, retournons auprès de mes frères qui t'accueilleront comme un ami, je te le jure, je te ferai même compagnon, promis.

Et il signe son serment de son pouce sur ses lèvres, sa gorge et sa poitrine.

L'oiseau écoute le joli bavardage de Gros comme le Poing, la tête enfouie dans son duvet et tremblant comme une feuille. Et il cherche à le rassurer.

— C'est un feu de forêt, j'en ai vu bien d'autres. Compte-toi chanceux de voyager sur mon dos, et songe aux malheureux faons, lièvres, marmottes, oursons qui sont encerclés par les flammes. Aujourd'hui, le salut est dans les airs.

Le nain se remet à respirer. Puis soudain il éperonne sa monture à coups de talons anti-dérapants :

— Hue! qu'il crie. Tribord! Fais demi-tour. Je suis ton

cavalier, c'est donc moi qui commande. Et je t'ordonne de me ramener à mes frères.

Les ailes du pigeon figent de surprise. Ce nain, qui peut tenir tout entier dans la main d'un homme, est pourtant lui-même un homme qui sait parler d'autorité. Et la bête s'est soumise. Elle fait un grand cercle et reprend la route du suroît, à l'étonnement de Tom Pouce qui ne se croyait pas si fort. Mais pour une fois, son cri lui est sorti du coeur, il n'a pas réfléchi. En songeant au danger que courent les animaux de la forêt, il a revu son frère Jean de l'Ours, son ancêtre Messire René, et son cadet Jour en Trop, talonnés par l'incendie. Et se dressant de toute sa taille, le nain en cet instant a grandi d'un pouce.

— Vite, pigeon, dépêche! Faut les prévenir de changer de direction. Hue! huhau!

Quand les quatre compagnons furent enfin réunis, avant le coucher du soleil, on ne sut dire qui avait encouru le plus grand péril. Car tandis que Gros comme le Poing volait au secours des trois autres, ceux-ci se préparaient à combattre à bras nus une forêt en flammes par où avait disparu Gros comme le Poing.

Le pigeon contemplait avec attendrissement la scène des retrouvailles et songea à sa compagne laissée au printemps au bord d'un nid ravagé. Gros comme le Poing l'aperçut qui sucrait les fraises de sa tête et décida qu'il était temps de tenir sa promesse.

— Voilà un oiseau qui, en dépit d'un mauvais départ, m'a rendu par la suite de grands services. Que diriez-vous de l'accueillir dans la compagnie au même titre que nous?

Messire René allonge sa figure de proue jusqu'à laisser entendre au nain que de mémoire d'homme on n'a encore jamais adoubé, à sa connaissance, un pigeon-voyageur; que ce précédent risque d'introduire un dérèglement des us et coutumes; que sans être raciste, il croit cependant à la différence entre les espèces.

...Hé! oui; hé! oui, radoteux, songe Gros comme le Poing. Tout cela est élégamment dit et fort bien pensé. Mais pour l'heure, un pigeon est là, les yeux en amande, les ailes fatiguées, le duvet à griche-poil d'avoir rebroussé chemin vent-devant. Et tout cela pour quoi? Pour ramener un frère à sa famille, un compagnon à sa compagnie. Puis c'est un pigeon-voyageur, mes amis; songez qu'il fût chargé de mission... À propos, il doit encore garder, pendu à sa patte gauche, le message ultra-secret qu'il s'en allait livrer.

— Pigeon, mon ami mon frère...

Et Gros comme le Poing s'en vient le caresser dans le sens des plumes. L'oiseau se laisse approcher par son maître sans regimber ni s'effaroucher. Un pacte d'amitié s'est scellé entre eux là-haut, au-dessus du monde. Mais à l'instant où le nain glisse la main le long de sa cuisse, le messager rentre sa patte sous son aile. Ce secret lui fut confié, il n'est pas à lui. Gros comme le Poing se mord le pouce. Et va pour sa démangeaison!

— Tu sais, pigeon, il n'y a pas de secret entre des compagnons. Si tu veux faire partie de la compagnie...

— Je m'en irai, roucoule l'oiseau tristement.

— Tu es donc buté tant que ça? Tu ne préfères pas rester avec tes frères d'aventure?

— Si je trahis ma mission, vous ne voudrez plus de moi. Et j'aurai tout perdu, et l'honneur et l'amitié.

Gros comme le Poing ouvre la bouche pour écraser son subalterne d'un argument décisif, mais l'argument reste bloqué dans son gosier. Ça ne passe pas. Rien ne passe plus là-dedans. Devant un pigeon qui se débat entre le devoir et l'amour, le petit homme n'a plus d'argument et se tait. Puis éclatant de rire et pirouettant sur sa tête pour se donner de la contenance, il raconte à ses frères, dans un discours où se bousculent les subjonctifs et les adjectifs verbaux, que l'oiseau, ici présent, surnommé par son maître Marco Polo, se met à leur service et consent à les conduire, moyennant d'être reçu compagnon, tout droit vers le trésor le mieux gardé du monde.

Les trois autres en calouettent d'étonnement et de joie.

Et de ce pas, les quatre compagnons, précédés d'un pigeon-voyageur aux ailes marbrées bleues, reprennent la route du levant en chantant des airs de par-derrière le ruisseau et en se criant : Merde!

VII

COMMENT L'ANCÊTRE PASSE À UN CHEVEU DE PROUVER QUE LA TERRE EST PLATE

— Dire que j'aurais tant pu instruire mes contemporains! se lamentait Messire René qui marchait de découverte en découverte.

Bizarrement, c'était pourtant les trois autres qui manifestaient le plus d'émerveillement. Car tandis que l'ancêtre explorait un nouveau monde né quatre siècles auparavant, ses cadets découvraient chaque matin le monde entier surgi des temps primordiaux. Seul le pigeon ne semblait s'étonner de rien, ne voyant pas les avantages que sa race avait pu tirer de l'évolution.

— Elle est bien ronde? demande Figure de Proue pour la septantième fois.

— Ronde, Messire René, comme un ballon. Avec un pôle au nord, un autre au sud, et un équateur en son milieu.

Et le nain qui peut réciter sur ses doigts, à l'envers comme à l'endroit, les vingt-six lettres de l'alphabet, la table de multiplication jusqu'à douze, et les verbes irréguliers — qui dans sa bouche, soit dit en passant, sont plus nombreux que les autres —, s'appitoye sur l'ignorance de Maître René qui aurait pu fréquenter Copernic et Jacques Cartier.

Soudain Figure de Proue s'arrête, car il vient de se rendre compte que l'horizon de l'est a disparu. Il scrute le nord : même phénomène. Ainsi du côté sud. Seul un soupçon de ligne barre encore l'horizon ouest, d'où ils sont sortis.

— On pourrait toujours bifurquer vers l'occident, suggère Gros comme le Poing pour ne pas dire : faisons demi-tour.

— Je crains, fait Messire René, que l'ouest finisse aussi par se dérober : notre ultime horizon ne tient plus qu'à un fil.

Et voilà que le cercle de brune se referme sur le dernier mot de sa phrase et isole les compagnons les uns des autres.

— Jean de l'Ours !

— Gros comme le Poing !

— Messire René, Jour en Trop ! où êtes-vous ?

— Ils sont juste à côté, maître.

C'est le pigeon qui a répondu à Gros comme le Poing.

— Tu vois quelque chose, Marco Polo ?

— Je vois bouger le brouillard. Je peux m'envoler vers l'est à la recherche d'une terre plus solide, si vous me le commandez.

— Va, mon ami, et ramène-nous une branche dans ton bec. On t'attendra ici.

Et Gros comme le Poing, qui croyait connaître tant de choses, recommande au pigeon-voyageur de ne pas oublier son lieu de départ.

— Ohé ! crie le nain à sa compagnie. Que personne ne bouge !

— Ohé ! répondent les autres. On reste là.

Un vrai ciel de confiture, songe le nain. Pourvu que ce temps maussade ne survive pas à sa patience. Car déjà les jambes lui démangent et ses pieds frétillent.

— Vous êtes toujours là ?

— Toujours là. Que personne ne bouge.

Et personne ne bouge.

D'heure en heure, on se hèle pour s'assurer de la sécurité de chacun. Et pour tuer le temps, Tom Pouce propose à chaque compagnon de raconter l'épisode le plus glorieux de sa vie. On se rend vite compte qu'aucun fait et geste de la vie de nos héros ne dépasse en gloire leur propre venue au monde. Mais comme le nain ne peut se satisfaire de la réalité, pourtant déjà plus merveilleuse que les jardins suspendus de Babylone, il en rajoute et donne à l'événement un long préambule où sa boulangère de mère roulait la pâte comme un tapis de Turquie, comme un rideau de pluie, comme un épais brouillard...

Et c'est là qu'il conçoit son idée.

— Jean de l'Ours, mon frère, veux-tu te rendre utile?

— ...Hé...

— Eh bien, lève tes mains au-dessus de ta tête... plus haut, le plus haut possible, cherche à toucher le ciel... c'est ça. Maintenant dessine un grand cercle en descendant les bras jusqu'au sol, étire-les, étire, bien, bien, mon frère. Tu vois?

Mais non, Jean de l'Ours ne voit encore rien, sinon une retaille de brume qui tombe à ses pieds.

— Roule-la comme de la pâte à gâteau.

Et le géant s'exécute. Petit à petit, les trois autres voient s'ouvrir dans la brume un long tunnel qui débouche dans le beau temps. Et l'on acclame le génie de Gros comme le Poing qui a rendu un horizon à ses frères. Voire un horizon tout neuf, plus plat que l'ancien, plus rectiligne, plus...

— ...Comment?

Le héros vient de se rendre compte que le paysage a changé et que ses frères et lui par conséquent, tout en restant sur place, ont dû faire un long voyage. Et se grattant la nuque:

— Ça serait-i' possible, qu'il fait, de changer d'endroit sans bouger?

— Seulement si l'endroit lui-même avait voyagé à notre place, répond Figure de Proue.

Et à son tour de se gratter la nuque.

...La terre que l'on dit ronde l'est peut-être à la manière d'un disque et non pas d'un ballon. En tournant autour du soleil, rien ne l'empêche de tourner également sur elle-même, se renverser comme une assiette et, qui sait?... nous révéler un jour son envers. Et comme à l'accoutumée, l'ancêtre, transporté par sa prodigieuse découverte, retrouve ses mots et ses accents primitifs :

— Je crains, mes compaings, mes frères, que seyons timbés dans l'épaisse brume au revers du monde, et que marchions dumeshui sus la teste de nos pays et payses restés à l'endroit.

Dans ce galimatias, Gros comme le Poing commence par comprendre que si quelqu'un est timbé sur la teste, c'est bien l'ancêtre qui, chaque fois qu'il s'énerve, retombe dans sa lointaine enfance. Puis il finit par déchiffrer le sens aberrant des paroles qu'il vient d'entendre et par s'attraper la tête :

— Grands dieux! compaing, maître ancestral et devin! Parlons clairement. Quelle surprise nous réservez-vous?

Messire René tâche alors de calmer son cadet et ses compagnons. Que la terre soit un disque ou un globe, elle sera toujours à la merci des étoiles qui circulent dans le firmament à la manière des petits pois dans un potage. Le plus petit pois de tous, le plus fragile, et sans doute le plus fraîchement sorti de sa cosse, est en même temps le seul qui voit les autres se promener dans son potage et qui sait qu'il existe.

Les trois jeunes apprentis de la vie se regardent les uns les autres en silence, ébahis, éblouis, effrayés. De se sentir soudain en équilibre sur un petit pois flottant dans un potage, ça donne le vertige; mais un vertige délicieux de penser qu'on est chez soi dans ce potage-là. Et Gros comme le Poing, comme s'il était le seul être né sur sa planète, se croit tout à coup le maître du monde.

— Qu'attendons-nous pour partir à sa conquête?

Ses trois frères le dévisagent sans comprendre : Jean de l'Ours pataugeant encore dans sa bolée de soupe, les deux autres cherchant à réconcilier leur âme avec l'univers. Le nain grimpe alors au faîte d'un bouleau blanc pour parler de haut à ses compagnons :

— Mes frères, mes amis, qu'il dit, le monde et ses planètes nous appartiennent. De nouveaux horizons s'ouvrent devant nous. Nous n'avons plus de temps à perdre. Un jour nous serons las et le bourreau nous rattrapera.

Puis il se mord la langue. Il saute du haut de son arbre dans le chapeau du géant, et revient sur terre. Plate ou ronde, à l'envers ou à l'endroit, pour l'instant sa surface est solide et rassurante comme un bon plancher de logis paternel. Les étoiles n'ont qu'à bien se tenir. Ni Gros comme le Poing, ni aucun de ses compagnons n'ont l'intention de céder une poussière de leur patrimoine qui leur vient tout droit d'Adam et Ève, leurs plus lointains ancêtres.

....

Et marche et marche et marche...

.....

Et ils viennent à l'heure du midi se cogner le nez à une frontière qui s'est dressée à l'improviste sur leur chemin.

— Rien à déclarer?

— Rien, dit Figure de Proue qui a la prudence de se taire.

— Rien, dit Gros comme le Poing qui a l'habitude de mentir.

— Rien, dit Jour en Trop qui n'a rien.

Tandis que Jean de l'Ours, retournant ses poches, enlève son chapeau et balbutie :

— Ma marraine m'a donné un jour un héritage...

Avant même que les autres ne parviennent à lui coller la main sur la bouche, ils voient les portes s'ouvrir toutes grandes pour laisser le passage au géant qui ne sait quoi faire de sa personne et hésite à entrer.

— Soyez le bienvenu, Monseigneur, et faites comme chez vous.

Les compagnons regardent partir Jean de l'Ours si bien entouré et porté en triomphe qu'il ne parvient pas à se retourner pour leur dire adieu.

— Ah! ça alors! fait un Gros comme le Poing fâché contre son frère, le monde et son potage.

— Vous attendez quelqu'un? s'enquiert alors un sous-douanier en habit de cérémonie.

Le nain lève les sourcils en accents circonflexes, puis se fait tout doux et petit, au point qu'on le croit un instant évaporé dans les poussières du temps.

— Nous attendons notre tour pour entrer visiter votre beau et grand pays.

L'agent de douanes paraît fort perplexe.

— Mais qui demandez-vous? qu'il dit poliment.

Au tour des autres de s'interroger. Et c'est Jour en Trop qui risque :

— Le portier.

Aussitôt la barrière se lève pour laisser passer le petit orphelin de père et mère qui était venu au monde tout seul, tout nu, tout simplement venu au monde.

Les deux compagnons les plus intelligents et les plus au fait des moeurs de leurs temps n'osent plus penser, ni raisonner, ni réfléchir. Ils restent plantés à la frontière comme deux pantins rangés dans un placard. Comme ils n'ont rien à perdre, ils se décident ensemble à dire n'importe quoi, ayant au moins deviné que la clef de cette porte fermée se cache dans les mots. Et à tout hasard, ils disent en même temps :

— Mon fils...

— Mon père...

Et voilà nos quatre héros réunis encore un coup, mais

cette fois dans un pays qui semble marcher sur la tête. Et c'est là qu'ils comprennent, après un long échange de vues où Gros comme le Poing a réussi à faire triompher les siennes, qu'ils sont passés de l'autre côté de la barre d'horizon. Ici tout marche à contre-sens, sens dessus dessous, à l'envers du bon sens. Et chaque compagnon durant un long moment en garde un doigt dans la bouche, sur la tempe, dans l'oeil, dans le nez. Une fois remis de leurs premières émotions, les quatre décident d'un commun accord que la meilleure façon de voir à l'endroit l'envers des choses est de marcher la tête en bas. Et le premier qui s'exécute est Gros comme le Poing qui réussit sans grand effort à toucher le sol de la paume de ses mains. Après quoi il se hâte d'encourager les autres :

— Allons! peureux, lâches, lambineux! sur la tête, flandrins!

Jour en Trop, dans une superbe grande roue, vient atterrir sur ses mains et poursuit son ballet la tête en bas, à l'émerveillement même du Pouçot qui en perd l'équilibre. Quant à Jean de l'Ours, chacune de ses tentatives est couronnée d'un échec si retentissant, que la terre en tremble et se tord de douleur. Enfin l'ancêtre, vieux de quatre cents ans, se figure que l'âge a des privilèges dont il est bien heureux en ce jour et lieu de se prévaloir. Et pour ne pas laisser voir qu'il recule devant l'aventure, il échange la pirouette du corps contre une de l'esprit.

— Nous faisons erreur, mes enfants, de regarder l'envers à l'envers. Pour bien le voir tel qu'il se présente à nos yeux, dans toute sa bizarrerie et singularité, il nous faut l'envisager à l'endroit. Alors seulement, debout sur nos pieds et la tête en haut, verrons-nous les autres la tête en bas.

Même Gros comme le Poing dut reconnaître la justesse de la proposition et ne trouva rien à opposer à cette logique. Et c'est ainsi que nos héros, la tête en l'air et les pieds sur le sol, partirent à la découverte du monde à l'envers.

Tel que nous connaissons le nain, tout lui semblait bon pour exercer sa curiosité, s'amuser, se gausser de tout un chacun, s'instruire à peu de frais et courir le plus d'aventures possible en prenant le moins possible de risques. Ses frères, au nom de la foi jurée et de leur indéfectible amitié, n'avaient d'autre choix que de suivre le téméraire dans ses joyeuses équipées.

C'est ainsi, en parcourant le pays de long en large, de bas en haut, du matin au soir et du soir au matin, que la compagnie remarque l'étrange position de la pyramide sociale. Contrairement à toute société connue, celle-ci repose sur sa pointe. Messire René, qui a plus vécu que ses frères, constate que la hiérarchie de cette étrange société compte plus d'arrivés que de partants, plus de citoyens dans le gouvernement que dans le peuple gouverné. Et c'est Gros comme le Poing qui rigole en croisant dans les rues une multitude de docteurs, grands-maîtres, excellences et très honorables, mais un seul Tartempion.

À leur étonnement, toutefois, les visiteurs constatent que c'est le Tartempion qui reçoit le plus d'attention. On a pour lui tous les égards dus à une espèce en voie d'extinction. Ménager le peuple! qu'on crie volontiers sur son passage, il constitue la base de toute société. La base de cette société-là se révélait si fragile, que la disparition du seul et dernier Tartempion risquait de provoquer l'écroulement de la pyramide et l'éclatement de la hiérarchie. D'où le soin extrême qu'on prenait du plus gueux, plus va-nu-pieds et plus Jean-foutre citoyen du pays devenu, par sa rareté, denrée précieuse.

Gros comme le Poing se gratte la nuque et finit par dire:

— C'est Messire René qui a raison: ces gens-là sont timbés sur la teste.

Nos explorateurs ne sont cependant pas au bout de leurs découvertes. Car plus ils parcourent le pays et plus ils s'étonnent. Les habitants du monde à l'envers ont beau marcher la tête en bas, chacun ne nourrit qu'une seule ambition : grimper, grimper dans l'échelle sociale, grimper dans la hiérarchie diplomatique, grimper sur la tête les uns des autres. Au point que la base de la pyramide, qui se trouve en haut, continue de s'étendre et menacer dangereusement sa pointe, fichée en terre.

— Qu'est-ce qui leur prend? s'insurge Gros comme le Poing devant tant de bizarreries.

...Il prend au bachelier d'aspirer à devenir docteur ; au diacre, archevêque ; au lieutenant, maréchal ; au député, ministre ; à l'agrégé, titulaire ; à l'adjoint, directeur ; au directeur, directeur-général ; et à tout le monde, président.

Et le Chef du Protocole s'en arrachait les cheveux.

Il n'était point le seul. Le plus à plaindre restait le Président du Conseil du Trésor. Car chaque contribuable se réclamait des privilèges de sa fonction, privilèges qui commençaient par la dispense et s'achevaient dans l'exemption. Chacun avait si bien réussi à se réfugier dans l'un ou l'autre abri fiscal, que tout le fardeau de l'impôt finissait par reposer sur les seules épaules de Tartempion qui n'avait pas un écu sonnant en poche. Voilà comment la caisse d'un État riche en mines, céréales, forêts vierges, eau potable et mers poissonneuses, restait toujours vide.

Et voilà pourquoi le Président du Conseil du Trésor s'arrachait les cheveux en compagnie du Chef du Protocole.

Mais le plus désespéré était le Ministre des Travaux Publics. Car le jour où le dernier balayeur de rues fut promu ingénieur des routes ; le dernier casseur de pierres, grand-maître des ponts et chaussées ; le dernier vidangeur, intendant de la fosse d'aisance : les vidanges, les ponts et les routes furent abandonnés à Tartempion qui s'y installa comme cochon en foire.

Et c'est ainsi que le Ministre de la Voirie s'unit au Président du Conseil du Trésor et au Chef du Protocole pour s'arracher les cheveux.

Au bout de trois jours, nos explorateurs avaient constaté que plus de la moitié du pays exhibait déjà une tête à moitié chauve, et que l'autre moitié aspirait sauvagement à en faire autant.

— Au train où vont les choses, s'écrie soudain Gros comme le Poing, le pays tout entier va bientôt nous montrer son crâne nu comme un oeuf.

Messire René évite de regarder ses frères. Mais croisant les mains et levant les yeux au ciel; il dit d'une voix sépulcrale :

— Crains qu'ayons chaviré à l'envers de la terre, enfants, et que seyons présentement en dessous de son assiette. Restons quiets et ne mouvons plus. Pour ce que chaque pas nous rapproche de bordure du monde.

Les trois jeunes compagnons se serrent les uns contre les autres, aussi impressionnés par le ton du discours de l'ancien que par son contenu. Pour la première fois, le nain met en doute sa propre vision du monde et soupçonne les astronomes et les géographes de son pays de supercherie... Si le petit pois était plutôt lentille? qu'il se demande effarouché. Alors la terre serait vraiment plate. Ses frères et lui n'auraient d'autre choix que de rester éternellement sur place ou risquer à chaque pas de basculer dans le vide. Il sent déjà ses pieds se détacher du sol, et toute sa petite personne partir au vent, plonger dans le firmament et... et ses souvenirs d'un premier plongeon lui reviennent en mémoire...

— Marco Polo! qu'il crie.

Ils ont oublié le pigeon en deçà de la frontière. Grand Dieu! On ne peut pas le laisser là. Il ne trouvera jamais tout seul le mot de passe. D'ailleurs même s'il donnait le mot juste, personne hors Gros comme le Poing ne le comprendrait. Il court le risque de se voir capturer, rôtir sur la broche, dérober son secret à la patte gauche. Et dans un pays qui marche sur sa tête, Dieu sait ce qu'on en ferait. Le monde a le cou sur le billot, mes amis, mes frères mes compagnons chéris!

— Et merde, et merde, et merde!

Encore une fois, l'instinct du nain a eu raison du destin

et arraché sa compagnie à la plus périlleuse position. Le cri de ralliement a percé le firmament et s'est cogné aux oreilles du pigeon-voyageur qui cherchait désespérément ses maîtres par tous les cieux, depuis des jours.

En rejoignant la petite troupe dans le pays à l'envers, le pigeon en roucoule de joie et laisse échapper de son bec une brindille d'églantier qui manque d'assommer Gros comme le Poing. Mais le nain est trop heureux pour avoir mal. Et ce n'est que pour les formes, ou pour cacher son émotion, qu'il chiale :

— Aïe! aïe! Marco Polo, mon ami! Ma tête n'est pas un nid de pigeon.

Puis nos héros d'aventures font une telle fête au messager, que celui-ci n'a pas le coeur de leur donner d'autres nouvelles que les bonnes. Quand Messire René arque un sourcil pour s'enquérir :

— Ronde?

L'oiseau, par le nain interposé, répond dans son jargon :

— Vue d'en haut, elle est bien ronde, maître.

Et voilà pour la bonne nouvelle. L'autre, qu'il garde enroulée à la patte gauche...

Mais déjà Gros comme le Poing secoue les puces de tout le monde et crie à son pigeon de les guider hors d'un pays sans dessus dessous, sans bon sens, sans queue ni tête.

Et l'on repasse la frontière, heureux de retrouver à portée de vue quatre horizons bien courbes et qui se déplacent contre un ciel sans nuages.

VIII

OÙ NOS QUATRE HÉROS APPRENNENT COMME IL EST DUR DE SORTIR DU BOIS

Et la belle vie reprend.

Le ciel peut-il offrir à quatre aventuriers sans peur plus grand réconfort qu'une bonne terre solide sous les pieds, un horizon bien rond et bien défini, un firmament sans nuages ?

Si !

— Et quoi encore ?

Gros comme le Poing a son oeil des grands jours qui louche du côté de son pigeon bleu : on leur a promis un trésor au bout de la route. L'oiseau est le premier surpris. Petit à petit, le nain se souvient d'avoir lui-même inventé le trésor pour mieux consolider la compagnie ; pour assaisonner les heures fades de quelques grains de rêve et d'espoir ; pour que la réalité, séduite, finisse par ressembler à ses inventions.

— Au pas, qu'il crie, et en avant ! le trésor est devant nous !

De toute façon, veut, veut pas, une fois en haute mer ou sur les grands chemins, un aventurier ne peut plus retourner la tête pour pleurer ses oignons d'Égypte. D'ailleurs la seule odeur des oignons aurait fait prendre la route à n'importe quel fils de Bonhomme qui a déjà goûté aux fruits exotiques ou rêvé de paradis perdus. Jamais je croirai, que se répétait Gros comme le Poing qui le répétait ensuite aux autres, qu'au bout du chemin on ne trouve rien de mieux que de la friture d'oignons à la mode grand-mère. Pour ce qu'il connaissait de grands-mères, l'enfant de la huche à pain! Mais le Pouçot avait bonne tête, comme lui avait dit sa mère, et n'oubliait jamais un mot, une idée, une image susceptibles de servir un jour ses intérêts. Et les intérêts de ce diablotin, tombé des chapiteaux de cathédrale dans une cuisine de bonne femme, allaient de bien rire, à bien manger, à bien s'amuser, à bien faire à bien du monde des gorges bien chaudes. Pour le reste, qui vivrait verrait, on n'était point pressé de vieillir. En avant, marche!

...Il avait quand même fait rouler au fond de sa gorge les nombreuses consonnes de «grands-mères» et le mot s'était coincé entre ses deux amygdales. Il se mit à le retourner dans tous les sens. Comme tout fils de personne, Tom Pouce rêvait de généalogie. Et quand la recherche des ancêtres s'allie au besoin de tendresse et à la nostalgie de l'enfance, infailliblement surgit du plus profond subconscient le visage ridé, crêpé, parcheminé d'une grand-mère. Hélas! des quatre compagnons, seul Figure de Proue pouvait se vanter d'en avoir connu une. Et lors de sa lointaine première vie. Figurez-vous ce qu'il pouvait rester d'une aïeule, même grandmérissime, après quatre siècles! Fallait donc à nos héros faire leur deuil de l'unique grand-mère de la compagnie.

— Mais Clara-Galante... voulut intervenir Jean de l'Ours.

— Clara-Galante est une marraine. Et une sorcière en plus.

Puis Gros comme le Poing, malgré lui, se souvint du :

Tire la chevillette la bobinette cherra!

Et de bobinette en chevillette, il vit surgir la grand-mère au fond des bois. Jean de l'Ours songea au chêne dont il était sorti et qui retraçait ses origines dans la forêt.

Messire René, vieux routier de la vie, sentit de quel côté penchait l'âme de ses cadets et haussa des épaules lourdes de quatre cents ans.

— Avant de parvenir aux ancêtres, qu'il leur dit...

...puis il ne dit plus rien. Pas plus on ne saurait vivre l'expérience des autres, pas davantage la vie des autres ne saurait compenser la sienne. L'aîné se dit que tôt ou tard ses cadets devraient passer par là: autant prendre tout de suite le bois et que chacun en sorte le coeur net... et avec trois poils de plus au menton. Mais les autres ne comprirent rien aux savantes divagations du radoteux et rentrèrent dans la forêt pour y cueillir la faîne et les noisettes.

Hormis l'ancêtre, aucun de nos héros ne sut à quel moment au juste il avait passé l'orée du bois. Comme l'écolier ne sait pas à quel moment il a pris la clef des champs. C'est plus tard qu'il comprend, quand les champs s'ouvrent et se déroulent les uns après les autres, s'emboîtent les uns dans les autres, refermant sans retour chaque barrière derrière lui. De même la forêt s'est refermée sans prévenir, d'un coup sec, sur nos quatre compagnons. Quand chacun s'est retourné pour jeter un dernier coup d'oeil à la lisière du bois, ses yeux ont buté sur un mur opaque de conifères, strié çà et là de bouleaux blancs.

— Nous n'avons d'autre choix que d'aller par devant nous, conclut Messire René.

Ses frères ne demandaient que ça: aller de l'avant, c'est le sens même de la vie et ça ne peut déboucher que dans l'aventure. Et les aventures en forêt seraient forcément peuplées des trois ours, de la Belle au bois dormant, de Renart et Ysengrin... raconte, l'ancien.

Messire René plonge dans son inépuisable mémoire et en sort des pans entiers d'histoires d'animaux encore bien vivants de son temps. Il raconte pour égayer la compagnie

— un peu aussi pour l'initier aux épreuves qui ne manqueront pas de surgir en forêt — comment Renart emporta de nuit les jambons d'Ysengrin ; comment Tybert prit les soudés de Renart et comme il en cuit de s'attaquer à un vieux chat ; comme le roi Noble tint cour plénière et comment Chanteclerc, dame Pinte et ses trois soeurs vinrent demander justice pour dame Copette ; et comment à la fin, Renart faillit devenir bon moine.

Moine, lui! et les trois autres s'esclaffent en se tapant dans les mains. Jamais les jeunes héros n'ont entendu si beaux contes! Jamais les bois ne leur ont paru si merveilleusement habités! Des histoires à rendre fou notre Tom Pouce qui se voit déjà débarquer au sein de cette assemblée d'animaux, se prendre de bec, dans sa langue, avec le premier coq de bruyère à déployer sous ses yeux son plumage ardoisé rayé de noir... Le nain, soit dit en passant, aurait mieux fait de laisser les volailles à leur nid, mais n'anticipons pas.

L'ancêtre conte et raconte si bien, instruisant ses frères de si tant merveilleuses histoires sur la vie et le déroulement du monde, que les compagnons s'enfoncent au plus creux de la forêt sans laisser de traces. Ce n'est qu'à l'heure où l'angélus avait coutume de sonner au clocher de son village, par-delà le ruisseau de Clara-Galante, que Jean de l'Ours entend crier sa plus grosse tripe.

— Si on tendait des collets à lièvres? qu'il propose à la compagnie.

Le petit Jour en Trop revoit défiler sous ses yeux l'assemblée de renards, loups, chats, coqs, poules et lièvres qui s'en allaient chez le roi Noble et crie : non! en se bouchant les oreilles. Ses grands frères sont bien contraints de donner à leur cadet quelques leçons de choses sur les moeurs des animaux qui, pour survivre, n'hésitent pas à se manger les uns les autres, voire à s'en prendre à l'homme quand la faim les y pousse. Et pour conclure, Figure de Proue explique aux jeunes assoiffés de contes que dans la vraie vie les animaux ne sortent pas toujours du Roman de Renart ou des fabliaux, mais plus souvent et tout bêtement de leurs trous.

Le premier trou que piétinèrent nos compagnons aurait dû s'appeler un monticule plutôt qu'un trou; et nos personnages auraient dû logiquement le contourner. Mais ils le piétinèrent, allez savoir pourquoi! Allez savoir pourquoi on donne du pied dans un nid de fourmis. Seules les fourmis le savent, se taisent et recommencent, parfaitement conscients que le jour suivant le pied suivant leur tombera dessus. Mais un ours n'a ni la résignation, ni la sagesse des fourmis. Et Jean de l'Ours voit se dresser devant lui un superbe animal qui aurait pu être son cousin. Le géant reste un long instant à le contempler.

— Chan de l'Ourche! Chan de l'Ourche! chuinte son frère le nain, la gorge plus rêche que du papier sablé.

Puis Gros comme le Poing se sent happé par Messire René qui pousse les deux petits dans un tronc d'arbre. Après quoi, l'ancien se couche de tout son long sur la mousse et fait le mort. Pas avant toutefois d'avoir crié au grand bêta de Jean de l'Ours:

— Défends-toi, Jean le Fort!

Alors seulement le géant comprend. Il doit combattre l'ours, cousin ou pas. D'ailleurs même parents, ils sont de deux espèces différentes. Il se met en position de combat et mesure l'adversaire.

- Il est plus petit que moi! qu'il fait, honteux.

Gros comme le Poing, à l'abri dans son tronc de chêne, a eu le temps de retrouver ses esprits. Mais c'est pour les reperdre aussitôt, en entendant ânonner son idiot de frère. Pas possible! le niais ne va pas se mettre à réciter ses maximes dans la gueule de l'ours! Mais qui l'a mis au monde, celui-là!... Son père et sa mère, justement, il est donc de la même pâte que lui, il est son frère, à la vie à la mort. Et le nain, se gonflant la poitrine comme un petit pain sur un réchaud, sort la tête de son arbre et crie à Jean de l'Ours :

— Courage, mon frère, ne lâche pas! Je suis là!

Jean de l'Ours tourne la tête de tous côtés. Où est passée sa compagnie? Soudain il aperçoit l'ancêtre étendu dans la mousse, les bras en croix. Il est mort! Figure de Proue, qu'il a lui-même ramené à la vie en l'arrachant à sa gangue de glace, son frère, son enfant, gît là inerte sous la feuillée. Et le géant se retourne vers son cousin des bois et, presque attendri, lui reproche :

— Pourquoi as-tu fait ça? C'était notre ancêtre...

L'ours est si surpris du sang-froid de l'homme, qu'il en oublie de se mettre en garde et reçoit sans même sourciller le coup de massue qui l'envoie rejoindre ses ancêtres à lui. Plus tard, quand Gros comme le Poing sera bien revenu de sa peur et de ses émotions, il prétendra avoir entendu l'ours soupirer en tournant de l'oeil : vous me revaudrez ça, bande de trous du cul!... Mais ce jour-là, le nain ne songe qu'à sauter autour de son héros de frère en improvisant, au grand rire de sa compagnie :

Il l'a eue, la vilaine bête,
Il l'a eue, il l'a eue!
Et d'un bon coup sur la tête
L'a fait sortir par le cul!

...Après quoi l'ancêtre se dérouille longuement la gorge, choisit son timbre, donne dans le grave et rauque par respect pour la grandeur de la circonstance, et se lance dans une diatribe en trois points sur le thème du chaos primitif dont a triomphé, en ce jour, notre bien-aimé Jean de l'Ours le Fort dit Fort comme Quatorze.

Tom Pouce le Pouçot dit Gros comme le Poing, selon sa vieille habitude de bâiller durant le prône, n'épargne pas son aîné dit le radoteux beau prêcheur. Et il scande le discours de Messire René de haaaahhh... qui s'achèvent en sssss... où le nain croit entendre approcher le sommeil.

Ssss...

Le voilà soudain qui lève la tête. Il a beau se boucher les lèvres des deux mains, le sifflement continue. Alors il se dresse tout entier. D'où vient ce crissement juste au-dessus de lui? Il en aura le coeur net. Et sans réfléchir — mais quand s'est-il arrêté pour réfléchir, celui-là? — il colle ses semelles anti-dérapantes à l'écorce du pommier sauvage et grimpe. Il s'approche à quatre pattes de la branche rugueuse et desséchée qui ondule dans le vent et... constate qu'il ne vente pas. Seul le pommier bouge, et d'une seule branche!

Sssss...

Aïe! aïe! descends, Gros comme le Poing, retourne à ta compagnie. Tu ne pourrais pas apprendre une fois pour toutes, fourré partout, à rester chez toi! La curiosité finira par te coûter cher, petit étourdi!... Toutes ces bonnes leçons, le nain se les récitait sans lâcher des yeux la langue fourchue d'un serpent qui sifflait de plaisir devant la mine décomposée d'une proie aussi appétissante. Si la peur ne lui avait fait perdre la tête, Gros comme le Poing cachait pourtant des dons capables de surprendre même un tel adversaire. Au lieu de parler tout seul, il aurait bien dû parler au serpent. Et peut-être ces deux menteurs seraient-ils venus à s'entendre. Mais la panique n'est jamais bonne conseillère. Le reptile fit jouer ses crochets meurtriers avec la vitesse de l'éclair et Gros comme le Poing, qui se croyait pourtant rapide... ne dut la vie, à ce moment-là, qu'à sa taille si minuscule que les dents empoisonnées vinrent se ficher dans son bonnet. L'attirail de clochettes en fut si ébranlé que le serpent en resta muet durant trois bonnes secondes.

...Trois secondes qui suffisent au petit Hors du Temps pour grimper à son tour dans le pommier, se planter juste devant la bête qui tient toujours le nain par le bonnet, et le fixer de ses yeux clairs et perçants. Le serpent fige. Puis se met à s'enrouler sur lui-même comme un cordage sur un pont de navire, onduler de tout son corps sous le charme, dresser la tête au ciel en soulevant le nain qui n'a pas la présence d'esprit de dégager sa tête de son bonnet.

La scène qui suivit ne put être racontée, pour une fois, par le beau causeur de Tom Pouce. Non pas qu'il n'eût rien vu. Il se trouvait au contraire en excellente position de suivre de près la lutte entre l'enfant et le serpent. Mais il devra admettre lui-même que, vus de trop près, le monde perd ses reliefs et la vie ses perspectives. D'ailleurs après cette aventure, le nain devait perdre la voix durant de longues heures. Et il laissa la parole à l'ancêtre qui lui-même resta estomaqué d'entendre l'innocent dernier-né, qui savait à peine distinguer sa droite de sa gauche, discourir avec le serpent sur les grands thèmes de la création du monde.

...T'as causé assez de malheur comme ça, vilain, qu'il disait, va-t-en et laisse mes frères tranquilles.

Mais le serpent ne bougeait pas, cherchait même à s'arracher au charme de Jour en Trop. Dans un suprême effort, il lança un dernier sifflement dans un jet de salive, mais ne réussit qu'à lâcher sa prise, fort heureuse de venir se meurtrir les reins, les bras et les chevilles au pied du pommier.

C'est alors que Jean de l'Ours a grincé des dents et fait craquer ses jointures. Car il a flairé que cet animal-là, en dépit de sa taille, était plus grand que lui. Messire René dut s'interposer et user d'autorité.

— La force n'a aucun pouvoir contre le mensonge, disait-il au géant qui grognait et piaffait dans la mousse. Laisse faire le petit, né hors du temps du serpent. Aucune morsure ne peut l'atteindre. Quand le monstre le voudrait...

Le monstre a dû le vouloir, le temps d'un coup de sifflet. Mais Jour en Trop fut plus rapide et esquiva le serpent qui fendit l'air puis se mordit la queue. Le pommier tout entier s'ébroua, fit pleuvoir ses derniers chicots et se tut.

Et la terre a failli basculer une deuxième fois dans le péché.

Mais même la terre avait du mal à faire ses quatre volontés quand nos héros en avaient décidé autrement. Et les voilà repartis de plus belle avec la ferme intention de la rafistoler à leur guise.

Messire René, fort de son ancienneté et de sa connaissance du passé, et qui se sentait dans l'obligation d'instruire ses cadets sur toutes choses, ne perdait jamais une occasion d'introduire chacune de ses leçons par un « si vous voulez mon dire » suivi de trois points de suspension.

...Bon, ça va, dis-le ton dire. Car de toute façon, on commençait à les deviner et pressentir, ses dires, *on*, c'est-à-dire Gros comme le Poing, *on* soupçonnait depuis son entrée dans les bois que le réincarné connaissait tout sur tout, avait déjà tout vu, tout fait, passé par toutes les expériences humaines qu'*on* s'apprêtait à connaître, et qu'à ce rythme, *on* risquait de ne plus vivre que des restes de vie réchauffée. Quel hachis! Partir à l'aventure pour s'apercevoir au bout du chemin que l'horloge chaque nuit se remet à zéro ; que le calendrier chaque année repart de janvier ; que les saisons suivent leur cycle ; et qu'au sein de leur petite troupe, une mémoire vivante et orale — combien orale! — tuera l'imprévu dans l'oeuf et empêchera que l'impossible soit! Et Gros comme le Poing crache de dépit son plus gros motton.

Le crachat d'un si petit Pouçot n'arrose qu'un ver de terre qui, secouant l'ondée de son échine, attire un rayon de soleil que capte au vol l'oeil d'un moineau qui plonge sur sa proie, l'emporte dans les airs où il doit le défendre contre l'attaque d'un corbeau aussi affamé que lui et qui en profite pour faire bouchée double, mais qui à son tour éveille la convoitise d'un vautour. Le crissement d'ailes et de becs alerte le lièvre qui, dressant l'oreille hors de son trou, arrache de sa tanière le renard qui chasse le loup du bois. Alors Gros comme le Poing, ébloui, se réconcilie avec la nature : si une goutte de sa salive peut déclencher un pareil concert dans l'oeuf, que donnera trois notes de sa flûte ?

S'il avait pu voir plus long que son nez, le pauvre Tom Pouce, il eût laissé dormir sa flûte au plus creux de sa poche de fesse, et se fut bien gardé de réveiller la nature qui dort. Mais comment pouvait-il prévoir ou même pressentir une chose dont il ne connaissait même pas la couleur ? Et il joua de la flûte, le hardi fils de Bonhomme, de tous ses doigts, de toute son âme, une âme qui en savait plus long que sa tête et son coeur.

Le musicien s'aperçoit avec ravissement que la forêt s'est tue sous le charme et que les oiseaux ont largué leurs proies. Ce qu'il en reste. Si le beau Messire René pouvait s'arrêter de danser et reprendre son souffle, il commenterait sûrement sur le sujet de l'éternel retour du ver de terre qui, même coupé en deux, renaît indéfiniment de sa seconde moitié. Mais il saute, le gigueux, et tourne, et salue sa compagnie...

...Sa compagnie ? Gros comme le Poing lève les yeux et détache sa flûte de ses lèvres. Aussitôt les danseurs figent, une jambe en l'air. Les premiers à retomber sur leurs pattes sont le géant et le cadet qui cherchent à voir par où est venue la dame. L'ancêtre sait, lui, qu'elle est sortie de la flûte et qu'elle est fée.

Fée... ?

Et les trois jeunes se frottent les yeux. Ils ont toujours cru aux fées, la question ne se pose pas, mais celle qui a surgi devant eux n'en a aucunement l'apparence. Elle a bien davantage l'allure d'une bonne paysanne de par-delà leur ruisseau, avec ses nattes et son tablier rempli de petits fruits des bois. Qu'est-ce qu'il lui prend à Messire René de la saluer de la sorte et lui faire trente-six simagrées ? Des fées comme celle-là, le village de leur père et mère en déborde : des Jeanne, Catherine, Marie, Mariette... toutes plus nattées, basanées et insupportables les unes que les autres.

...Tu te souviens, Jean de l'Ours, de celle qui m'a dérobé

les plus jolies billes de ma collection? et de l'autre qui me renversait tête première dans les marguerites? et de l'effrontée menteuse qui se prenait pour une princesse et avait réussi à te faire accroire que son père était plus grand et plus fort que toi? Tu te souviens de Catherine, Claudine, Marie et Jeannette?... Ne te fie pas à celle-là, mon frère, elle n'a pas plus de coeur ni de jugement que les autres, elle fait juste semblant, elle finira par se moquer de toi et me faire une jambette... Qu'est-ce qu'il a, l'ancien, à la regarder comme ça? Il est devenu baveux ou quoi? Ne t'approche pas, Jean de l'Ours!

Si Gros comme le Poing avait pu deviner ce jour-là ce qu'il ne devait pas tarder à comprendre — encore quelques années, mon grand — il se serait abstenu de retenir son jumeau et de traiter son aîné de baveux. Mais on sait depuis sa naissance que le nain devait rester durant toute sa vie trop petit pour son âge. Sa mère en ornant son petit pain de finesse, d'astuce, de jarnigoine et de joie de vivre, n'avait jeté dans la pâte qu'une pincée de levain, du bout des doigts. Tandis que le sieur Bonhomme, maître-menuisier, sans prendre la peine de dégrossir son tronc de chêne, n'y allait pourtant pas de main morte et façonnait un géant auquel il ne manquait, dès la naissance, aucun attribut.

— Reviens, Jean de l'Ours, mon frère! cette maigrichonne n'est pas une fée, c'est Marie-Catherine-Jeannette! Tu ne vois pas son jupon qui dépasse? et ses chaussures plates? et ses genoux sales? et ses ongles trop courts? et le ruban dénoué dans ses cheveux? Elle louche, Jean de l'Ours, et ne sourit pas mais ricane. Viens-t-en!

Le cadet de Jour en Trop écoute pérorer Gros comme le Poing et se demande quelle mouche l'a piqué. Pourquoi crier si fort après son frère qui contemple une dame inoffensive qui cueille les fraises des bois dans son tablier à fleurs? De jolies fleurs sur un joli tablier, rempli de fraises rouges aux feuilles vertes. Et le soleil qui filtre à travers les branches des rayons qui font danser les fruits au bout de leurs queues. Il faut bien, Gros comme le Poing, que la dame soit une fée pour faire naître toute cette beauté au fond d'un tablier.

Le nain jette à son cadet un regard qui lui dit: tu ne vois donc pas, innocent, que les fraises avec leurs queues dans un tablier enroulé autour de la taille de cette femme ne sortent pas de sa baguette magique, mais de tes yeux? Le petit le regarde sans comprendre: la phrase est trop longue et la pensée trop tortueuse. D'ailleurs l'attention de Jour en Trop est soudain attirée ailleurs, du côté de Messire René qui fait de grands gestes pour éloigner ses cadets de l'épicentre du danger.

— Retirez-vous, qu'il s'efforce de dire à ses frères. Allez-vous-en. Passez tout droit sans regarder.

Tu parles! Et Gros comme le Poing, qui l'instant plus tôt a tout fait pour détourner Jean de l'Ours du sous-bois, se plante maintenant debout à côté de Figure de Proue avec la ferme intention de l'arracher aux griffes... aux ongles trop longs de cette... de cette enjoleuse qui darde à pleine bouche son venin sur l'ancien. Mais le nain se rend vite compte que l'ancien n'est pas si ancien qu'on aurait pu croire; qu'il s'est redressé la colonne, et assoupli aux jointures, et déridé le visage. Et quelle flamme dans les yeux!... Figure de Proue, mon ami, mon vieux, reviens sur terre, ce n'est qu'une femme, une bambine fraîchement sortie des jupes de sa mère. Elle n'est même pas jolie, et sera menteuse, je la connais; ne reste pas là, mon ami, mon frère, tu seras malheureux.

...Malheureux? Mais il est heureux comme un prince et c'est là son malheur. Car l'ancien n'est pas dupe de ce bonheur-là, il l'a déjà vécu tant de fois. Et malgré ces désolantes expériences passées, il est prêt à recommencer, il se connaît, il connaît la faiblesse et la richesse de son coeur. Il restera sous la feuillée à cueillir...

— Et nous?

Il se retourne. En un éclair, la vision de ses trois frères s'est cognée à sa rétine. Ils se tiennent tous trois par la main, six yeux braqués dans les siens. Pourquoi ne sont-ils pas déjà partis? Qu'a-t-il à voir avec des enfants ignorants de sa vraie vie et des ses vrais besoins d'homme? Le ciel ne lui a point accordé pour rien une seconde chance : il a droit de la suivre et la vivre jusqu'au bout, pour le meilleur et pour le pire.

...De grâce, allez-vous-en. Laissez-moi ma vie. Merci de me l'avoir rendue, merci pour votre amitié et pour les beaux jours d'antan...

Jean de l'Ours le regarde avec les yeux d'un boeuf qu'on conduit à l'abattoir; Jour en Trop avec l'air de la marmotte qui met le nez hors de son trou à la chandeleur; et Gros comme le Poing, sans air, sans regard, sans rien. Si pourtant, un mot. Un seul mot qui réussit à sortir de sa bouche en cul de bourdon : Merde! Il est tombé comme un rayon de lune qui s'en est venu chatouiller l'image toujours collée à la rétine de Messire René. Et malgré lui, l'ancien laisse échapper un gloussement. Il a ri, l'ancêtre, le compagnon! Il a souri puis éclaté à la face de sa compagnie. Il est donc sauvé.

— À nous, Messire René!

Le cri a dû effrayer la fée qui s'est évaporée dans une buée blanche, sans laisser de traces.

Si, quand même. Car dans sa hâte de disparaître, elle a laissé tomber des feuilles de fraises que le petit Hors du Temps a cueillies pour ses frères. Et croyez-le ou pas, c'est Gros comme le Poing qui a choisi la plus grosse et la plus belle pour sa collection de fleurs séchées.

Après la rencontre de la fée en tablier regorgeant de fraises sauvages, Gros comme le Poing était convaincu que le pire était passé et que la forêt ne pouvait leur réserver plus grand danger. Et il entraîna sa petite troupe dans la joie des aventures dans les bois. Ouvre-nous la route, Jean le Fort, écarte les branches. Le monde est à nous. Et chaque compagnon se fraye un chemin selon sa taille : le géant en fauchant les arbustes de ses bras; l'ancêtre en zigzagant entre les gros troncs; le cadet en suivant l'ancêtre; Gros comme le Poing, assis les pattes pendantes sur le rebord du chapeau du géant.

Ainsi juché, le nain laisse les vapeurs du sous-bois lui monter à la tête et envahir tout son corps. Ça n'en prend pas davantage pour le mettre en transes. Le voilà donc qui chante, et conte, et défie les monstres de la forêt. Que vienne le loup, le méchant loup, s'enfermer dans la bergerie; qu'il montre les oreilles pour voir, pour voir s'il est gris ou blanc. Vienne le loup, le loup méchant... hou-ou!...

Figure de Proue lève la tête sur le nain juché là-haut et le prie de contrôler ses élans poétiques. Puis il entreprend d'instruire le jeune Apollon sur les responsabilités de son art. On ne provoque point impunément les Muses, qu'il fait; c'est faire naître les choses que de les nommer. Ainsi sont nés les dieux antiques et les démons des temps anciens. Ainsi le loup...

Tut, tut, tut!... Combien de temps aurait duré ce beau discours, si Tom Pouce ne s'était avisé de sauter du chapeau de son frère au dos de son pigeon, puis de prendre les devants?

— Je vais reconnaître les lieux, qu'il crie aux autres. En avant, Marco Polo!

Et il éperonne son cheval volant.

— Ne t'éloigne pas, Gros comme le Poing! lui font d'en bas ses frères en le suivant des yeux.

— Vous en faites pas, nous volons en rase-mottes, leur répond l'autre. Juste de quoi apercevoir le loup d'en haut et vous prévenir du danger.

Trop sûr de lui, le petit, trop écervellé et hardi. Car en guidant sa monture ailée dans des pirouettes de plus en plus risquées, il passe à un cheveu de laisser son bonnet à la branche d'un peuplier, et une moitié de culotte dans un nid.

Ouf!

— C'était un nid de pies-grièches en plus, se lamente

le pigeon. Pourvu que la mère n'ait pas été au logis.

Elle y était. Et n'a pas pardonné aux effrontés leur incursion en domicile d'autrui. Barbares! qu'elle jacasse en se lançant à leur poursuite. Le pigeon ne fait ni une ni deux et crie au cavalier de bien se tenir. Le nain sent passer cinq ou six vents qui mettent en branle les multiples clochettes de son bonnet. La musique est le plus sûr moyen de réveiller tous les nids de la forêt. Et voilà une symphonie de trilles, touit-touit, so-ouit, couâ, couâ... qui envahit les bois et rejoint la petite troupe de nos héros pour les prévenir qu'un malheur guette leur quatrième compagnon.

— Je l'avais prévu, se contente de gémir Figure de Proue, tandis que les deux autres se mettent déjà à son service et attendent ses ordres avant de bouger.

Mais au moment où l'ancien ouvre la bouche, un son arraché aux racines mêmes de la forêt profonde enterre sa voix... Hou-ou!

— Le loup!

Cette fois c'est lui. Aucun doute. Certains cris ne trompent point. Ne bougez pas. Reprenons nos esprits... Mais Jean de l'Ours ne peut retenir son agitation. Non pas qu'il ait peur du loup; il est Fort comme Quatorze. Il craint pour son frère qui vole quelque part dans les airs et ignore sans doute le danger qui le guette à l'atterrissage. Pour ça, l'ancien en convient: cet étourdi est capable de s'en venir se poser juste dans la gueule du loup. Faut agir vite. Point de temps à perdre. À propos de temps, le seul qui en dispose tant qu'il en veut, c'est le petit Jour en Trop. Et Messire René se tourne vers son cadet.

— Saurais-tu te rendre invisible aux yeux du loup?

Aux yeux du loup et de tous les animaux des bois. Mais du coup, invisible aussi au pigeon et à Gros comme le Poing qui ne saura le repérer. Et l'ancêtre se tord les mains l'une dans l'autre et tremble de toute la tête. Jean de l'Ours s'impatiente: il veut partir à la chasse du loup. Mais où se cache-t-il? On l'entend, des quatre coins à la fois. Mon

Dieu! mon Dieu! Un seul loup de la meute fera son petit déjeuner du nain et du pigeon!

— Pas si le pigeon continue à voler.

Mais il finira par s'épuiser et se poser au sol, ne se doutant de rien.

— Et si on grimpait les uns sur les autres? suggère le petit. On formerait un totem au-dessus des arbres et notre frère nous distinguerait.

Sûrement. Et Jean de l'Ours monte dans le plus grand chêne, puis installe debout sur ses épaules Messire René qui porte Jour en Trop sur les siennes.

— Mon enfant, ne vois-tu rien venir?

Il voit un combat d'oiseaux au loin, des coups de becs et d'ergots au milieu d'un nuage de duvet; il entent piauler des oisillons et jacasser la pie-grièche qui mène la lutte comme une mégère enragée dont on aurait ravagé le nid.

— Descends, commande l'aîné. Retournons au sousbois, mes frères, nous en avons assez vu. Si quelqu'un a ravagé le nid de la pie, je connais le coupable, le crime est signé. Concertons-nous sur les mesures à prendre pour venir au plus vite au secours de notre ami, menacé à la fois en l'air et au sol.

Jamais la compagnie ne s'était vue si démunie devant l'adversité. Jamais s'était-on senti aussi impuissant. Le ciel seul pouvait sortir leur compagnon d'un tel péril. Implorons-le, mes frères. Gros comme le Poing court en cette heure les plus grands dangers.

....

Gros comme le Poing, en cette heure, courait de toutes ses jambes, ce qui équivalait *grosso modo* au saut d'une sauterelle dans un champs de trèfles.

Récapitulons.

Pendant que ses frères, alertés par le concert d'oiseaux, découvraient la situation périlleuse où il se trouvait embarqué, le nain avait fini par mesurer lui-même l'ampleur de la catastrophe et se cognait le front en bégayant ses: Aïe, aïe! aïe, aïe! Le pigeon pour sa part avait compris deux choses:

d'abord qu'il ne devait pas exposer la vie de son maître dans un combat d'oiseaux; ensuite qu'il combattrait plus à son aise sans lui. Et en l'enjoignant de ne pas en bouger, il avait déposé son ami dans un nid désaffecté.

Hélas! c'était compter sur la collaboration aveugle et totale de Gros comme le Poing. Le pigeon aurait bien dû savoir, depuis le temps, qu'un petit diable de l'espèce de son maître ne pouvait pas rester une heure en place, même dans un nid douillet, même au coeur du danger; que la curiosité et le goût de l'aventure finiraient par chasser notre héros du nid et l'amener nez à museau avec nul autre que son cousin germain des bois:

— Le renard! qu'il s'écrie sans même songer à se mettre en garde.

— Bonjour, frèrot, que fait le goupil la gueule pleine de componction.

— Salut, vieux frère, que répond le nain en parodiant l'autre.

— Tu m'as tout l'air de chercher quelqu'un; je pourrais peut-être t'aider.

— C'est gentil, cousin. Pour l'instant, je me contentais de fouiner dans les bois à la recherche de rien ni de personne.

— Dommage, l'ami, les bois renferment tant de mystères et de trésors cachés.

Le mot trésor aguiche le nain au bon endroit. Mais il se fait prudent. Il est encore vierge et ignorant des choses de la nature, mais comme lui a prédit sa mère, il apprend vite. Surtout en si excellente compagnie. Et c'est qui jouera au plus fin, du renard ou de lui.

— À vrai dire, et pour ne rien te cacher, je cherchais ma grand-mère, ronronne-t-il nonchalamment en poussant la ressemblance jusqu'à se lisser les moustaches.

Le renard, qui a l'heur de connaître personnellement le chef de tribu des chats sauvages, ne laisse pas le geste passer inaperçu et offre déjà de parlementer.

— Je peux te servir d'intermédiaire, qu'il propose avec

de l'onction dans la voix, cela ne me tardera guère et puis tu es mon cousin.

Gros comme le Poing laisse glisser entre l'oeil et la paupière un pli quasi-imperceptible; mais rien n'est imperceptible à l'animal le plus rusé et le plus fourbe des bois — comme notre malheureux personnage fils de Bonhomme et de Bonne-Femme en devait bientôt faire la preuve. Car le temps de ce clin d'oeil, le nain a cru deviner, oh! à peine, flairer plutôt, pressentir que son cousin des bois pouvait se moquer de lui et peut-être l'induire à commettre quelque faute impardonnable. Mais l'action était déjà trop engagée; et puis suffisamment tentante; et puis... n'était-ce pas lui qui avait mentionné le premier le mot grand-mère? n'était-ce pas son idée? le renard ne s'offrait qu'à l'y conduire.

Et sans même achever de conclure le pacte, les deux rusées petites créatures se mettent au pas, quarante pas de nain pour quatre de goupil, et s'engagent en zigzagant sur la pente qui descend comme un col de montagne.

— Cogne, fait le renard en s'éclipsant devant son protégé.

Gros comme le Poing lève les yeux pour voir se dresser devant lui une cabane en tout semblable à celle de Clara-Galante, sa marraine. Et un frisson de joie craintive lui coule le long du dos.

— Tu crois que je devrais?

— Si tu devrais? Mais tu dois, mon ami. C'est le logis de la grand-mère. Et tu sais comme les grands-mères se languissent de voir leurs petits-enfants. Cogne et entre.

Le nain voulut se retourner pour voir, mais la forêt s'était refermée derrière lui. Il se sentit tout à coup franc seul dans les bois, même le renard avait disparu. Que diable était-il venu faire là? Et ses compagnons? Où se trouvaient maintenant ses compagnons?

— Tire la chevillette la bobinette cherra!

A-t-il rêvé? a-t-il entendu? Il ne se souvient même pas d'avoir cogné.

— Allons! tu entres ou tu n'entres pas?

Cette fois, plus de doute. Il a entendu. Quelqu'un l'a appelé. De toute manière, il est trop tard pour faire demi-tour. Et pis merde! qu'il dit. On n'a pas tous les jours la chance dans la vie de trouver le chemin qui ramène chez soi.

Il pousse la porte et entre.

Avant même de voir, il a senti. D'un seul coup toute son enfance lui a sauté au nez. De la confiture à la rhubarbe et aux fraises des bois. Et de la brioche. Une bonne odeur de maison maternelle.

— Ça sent comme chez moi, qu'il dit.

— Alors fais comme chez toi.

Il lève la tête et c'est là qu'il l'aperçoit: ronde, rose, joufflue, la chevelure en toque, les yeux gris rieurs, la bouche à peine plus grande qu'un noyau de prune, toute la personne ramassée autour d'une poitrine plus douce qu'un coussin de duvet d'oie. Le nain en reste pantois. Pourquoi s'était-il imaginé retrouver ici la sorcière Clara-Galante? Cette vieille dame n'a rien d'une prophétesse, nécromancienne, tireuse de cartes. C'est la parfaite grand-mère à qui l'on demande de tricoter des chaussettes aux enfants ou de leur raconter des contes merveilleux. Et sans réfléchir, oubliant les plus élémentaires règles de convenances, Gros comme le Poing lui saute sur les genoux et:

— Vous connaissez l'histoire du Petit Poucet? qu'il fait sans plus de manières.

La grand-mère n'a même pas l'air surpris de l'ingénuité du petit. Comme si elle n'avait attendu que lui durant des temps immémoriaux.

— Vous êtes bien vieille? qu'il lui demande. Vous avez connu mes parents? et les parents de mes parents?

Il voulait connaître tant de choses à la fois, qu'il basculait les questions les unes dans les autres: pourquoi restait-elle au fond des bois? depuis quand? qui lui apportait la farine de son pain et le sucre des confitures? avait-elle des voisins, des amis? et le loup, elle n'avait pas peur du loup?

— Ce que vous avez de beaux yeux, grand-mère.

— C'est d'avoir tant regardé les fleurs du sous-bois, qu'elle fait.

— Et votre voix chante comme les oiseaux.

— C'est de les avoir tant écoutés réveiller la nature chaque matin.

— Et votre peau est douce et vos joues rondes...

Quelle merveille qu'une grand-mère! songe Tom Pouce qui en avait tant rêvé. Comment avait-il pu s'en priver si longtemps?

— Où t'en allais-tu comme ça? lui demande la vieille en lui prenant le menton.

— À l'aventure, grand-mère. Je m'en allais par le monde apprendre la couleur du temps.

— Ah! bon. Fort bien, fort bien. Et tu as appris beaucoup de choses?

— Oh! oui, beaucoup.

Et Gros comme le Poing se lance dans un exposé détaillé des différentes péripéties du voyage qui a commencé, il y a fort longtemps, en franchissant le ruisseau de son village natal. L'aïeule l'écoute raconter la naissance de ses frères et compagnons de route; la rencontre d'un méchant bourreau encagoulé; la tempête dans une goutte d'eau; le voyage à dos de pigeon-voyageur devenu par la suite son ami; la visite d'un pays où tout le monde marche sur la tête; la lutte contre les bêtes de la forêt où ses frères, les uns après les autres, ont faili perdre la vie... Le nain lève la tête et se tourne du côté de la porte. Mais la grand-mère, qui avait prévu le geste, lui attrape les oreilles et replante ses yeux dans ceux du petit.

— T'inquiète pas pour eux, ils se débrouilleront très bien tout seuls. L'un est assez grand, l'autre assez vieux, le petit assez doué pour sortir du bois sans toi. Je vais mettre le pot au feu. T'aimes la soupe à la baillarge?

...Soupe à la baillarge! songe Gros comme le Poing; des mets et des mots du pays. Et il s'en lèche d'avance les dix doigts jusqu'aux poignets.

— Va me chercher des écopeaux, fait la vieille. Ramasse

des aigrettes et des brindilles car t'es encore bien petit.

...Pas si petit que ça, songe le nain en faisant la moue.

— Et ne t'éloigne pas de la cour, le loup a coutume de rôder à cette heure-ci.

...Petit tout de même, concède Gros comme le Poing.

Et l'on brasse dans la marmite et l'on attise le feu, et l'on conte des contes merveilleux et des histoires fantastiques et drôles où Gros comme le Poing retrouve ses héros favoris le Chat Botté et le Petit Poucet qui reviennent finir leur vie en rentrant tranquillement chez leurs parents. On est si bien au chaud à sentir la soupe à la baillarge et la confiture aux fraises.

— À table! appelle l'aïeule.

Et elle pousse sous les fesses du petit une chaise de sa taille. Même sa mère Bonne-Femme n'avait pas eu pour lui plus d'attention.

— Demain, dit la vieille, j'ajouterai un os dans le potage. Aujourd'hui je n'ai pas eu le temps de visiter mes pièges et collets.

...Frou... frou...

Qu'est-ce que c'est?

— Ne bouge pas, petit, je crois que nous avons de la visite qui vient à point gonfler notre repas.

À peine a-t-elle achevé sa phrase qu'un froissement d'ailes se fait entendre dans la cheminée puis ploc! un pigeon s'écrase dans la braise.

— Marco Polo!

Et Gros comme le Poing saute de sa chaise et accourt au secours de son ami. Mais la grand-mère fut plus rapide: elle tient déjà la volaille par une patte et glousse d'étranges ricanements.

— Voilà qui va drôlement bien engraisser notre pot, qu'elle susurre, les doigts déjà enroulés autour du cou du pigeon.

— Non!!! hurle Gros comme le Poing. C'est mon oiseau, mon ami, mon compagnon.

— Un compagnon, ça? Allons, petit, c'est un pigeon

sauvage et ce sera ce soir ton dîner.

Et de nouveau la vieille sorcière s'apprête à tordre le cou de l'animal. Mais cette fois, Gros comme le Poing est plus rapide, il y va de la vie de son ami. Et prenant une profonde inspiration, il éternue de tout son nez. La vieille pousse un pet énorme qui la secoue de la tête aux pieds et lui fait lâcher sa prise qui s'envole au plafond.

— Sauve-toi! lui crie Gros comme le Poing, tandis que la grand-mère s'attrape le visage des deux mains.

— Petit voyou! qu'elle bave de colère en ramassant son balai. Je vais te montrer des manières, moi!

Mais Gros comme le Poing ne lui donne pas le temps de lui en montrer par des méthodes comme celles-là. Et enfourchant son pigeon qui s'est glissé entre ses jambes, il se laisse emporter par le trou de la cheminée hors de la cabane qu'il avait un instant prise pour le logis ancestral.

La fête des retrouvailles cette fois dura toute la nuit. Chacun se lançait à qui serait le plus éloquent dans l'éloge et la bravoure de l'autre qui lui avait sauvé la vie. Puis on finit par accorder la palme au pigeon-voyageur qui avait tout risqué en pleine conscience : lui seul connaissait au préalable l'ampleur des dangers qui se cachaient dans les bois.

Au petit matin, quand la compagnie eut jugé qu'elle en avait assez vu et qu'il était temps de sortir de la forêt, on ne sut se mettre d'accord sur la direction à prendre. Les bois étaient si denses, qu'on ne distinguait plus les sentiers entre les arbres.

— Si fait, moi je m'y retrouve, dit Gros comme le Poing, le seul assez petit pour se faufiler à son aise entre les troncs et reconnaître au sol les allées du sous-bois. La forêt n'est dense qu'en haut, qu'il dit, pas en bas.

Et voilà comment un nain sortit ses grands frères du bois.

Hélas! le même jour, le même Gros comme le Poing s'égara dans un champ de maïs.

IX

DES RÉFLEXIONS D'UN NAIN SUR LES GRANDEURS ET MISÈRES D'UN VEAU À CINQ PATTES

Au sortir de la forêt, puis du champ de maïs, les quatre compagnons s'assirent en rond pour reprendre souffle et retrouver leurs esprits. Décidément, les bois cachent autre chose que de la faîne et des noisettes. Et se souvenant de la planète représentée par une lentille ou un petit pois, Gros comme le Poing se frappe le front du plat de la main et se donnant des airs de petit Newton :

— Si mon potage contient tant de mystère et de richesses, qu'il fait, que dire de l'univers?

L'ancêtre s'en écarquille les yeux, puis sourit. Ses compagnons, cette fois, sont bel et bien sortis du bois. Mais ils ne mesurent pas pour autant la longueur de la route qui les sépare du dernier horizon.

— J'en aurai le coeur net! que réplique Gros comme le Poing à Figure de Proue, sans prendre le temps de se demander : net de quoi?

Il sait seulement que la terre est à tout le monde et que par conséquent, ses frères et lui sont des Crésus. Pas de temps à perdre, mes frères. L'avenir nous attend. Allons!

Et le nain entraîne ses compagnons, bras dessus, bras dessous, à siffer des airs du bon vieux temps, tout en criant à Pierre, Jean, Jacques qu'ils croisent sur leur chemin qu'ils s'en vont ferrer les poules et mettre la charrue devant les boeufs, de ne pas les attendre avant la semaine des trois jeudis.

L'ancêtre eut préféré que l'écervelé s'abstienne de provoquer le destin et de défier la vie chaque jour en combat singulier. Le monde recèle déjà assez d'embûches et d'embuscades, sans aller en plus appeler le malheur par ses petits noms. Mais Gros comme le Poing ne voyait pas le monde du même oeil que son aîné. À son avis de diablotin décroché d'un chapiteau, tout était à refaire dans ce monde-là : à commencer par les poules qui gagneraient à porter des fers aux pattes ; les boeufs qui auraient avantage à se laisser guider par la charrue ; et la semaine qui saurait sûrement profiter de ses trois jeudis.

Messire René laissait divaguer Tom Pouce sous l'oeil ébloui de Jean de l'Ours qui voyait galoper les poules, et de Hors du Temps qui s'amusait à jongler avec les jours en trop. Ces jeunes assoiffés de merveilles et d'inédit n'avaient l'air de douter de rien, pas même de leur propre immortalité. Et l'ancêtre se fit scrupule d'examiner de trop près la question. Le soleil s'était levé si rouge ce matin-là, l'horizon était si loin, pourquoi se presser de parcourir la distance qui les en séparait? Et l'on se remit à chercher la direction des vents.

Par là! que chacun criait en pointant vers l'un ou l'autre des quatre points cardinaux, tandis que Gros comme le Poing levait tout bonnement le bras vers le ciel, la façon la plus sûre d'indiquer les quatre directions à la fois et de se ranger d'avance du côté du gagnant. Pour une fois, le ciel lui donna raison en révélant aux yeux de la compagnie une superbe formation d'outardes qui ne se posaient pas de questions sur la direction à suivre.

— Celles-là au moins savent où elles vont, que fait Messire René en se remémorant qu'elles y allaient déjà de son temps.

Gros comme le Poing contemple le V parfait qui se

découpe dans le ciel et se dit qu'un régiment aussi discipliné se prépare sûrement à une conquête éclatante; que sa figure même laisse présager une victoire certaine; et que les quatre compagnons n'ont rien à perdre de s'accrocher à l'arrière-garde d'une grande armée.

— Si on les suivait? qu'il propose.

Et sans attendre la réponse de ses compagnons qui n'ont pas eu le temps de se revirer, il a déjà sauté à dos de pigeon et giddup! il s'envole tout droit vers la pointe du V. Pauvre Marco Polo! Savoir voler c'est une chose, mais c'en est une autre pour un pigeon de rattraper au vol une formation d'outardes qui a pris son élan dans le sud plusieurs semaines plus tôt. Et il roucoule tout bas que les bêtes auraient avantage à mieux choisir leurs maîtres et que si c'était à refaire...

— Fais ce que je te dis, commande le Pouçot, j'ai un mot à échanger avec ma Mère l'Oie.

...Ta Mère l'Oie pourrait te voir venir du mauvais oeil, petit. L'heure n'est pas aux contes, mais à la grande migration.

Tout ce raisonnement n'empêche cependant pas le pigeon d'obéir à son seigneur et de le mener face à la grosse outarde en tête de formation.

— C'est elle? s'inquiète Gros comme le Poing qui ne distingue plus un oiseau de l'autre, une aile d'une patte, une plume de son duvet.

Il est tombé au beau mitan d'une volée en débandade où le grand V s'est émietté en une pétaudière d'oiseaux sauvages. Que s'est-il passé? pourquoi ont-elles ainsi brisé les rangs? Et cherchant des yeux ses frères restés en bas, il aperçoit dans le miroir d'un lac, juste en dessous, le V parfait des grands migrateurs. Le nain, qui sait si peu de choses mais qui a bonne tête, comprend alors que la perfection comme la beauté gagnent à être vues de loin. Mais il se promet de ne faire part de cette découverte à personne.

Entre temps il a compris qu'il aurait intérêt à ne pas brusquer sa Mère l'Oie, à la prendre plutôt de biais, par la gauche-centre-droite, ou de face-par-en-dessous. Et il se dérouille la gorge dans un gargouillis de : Heheuh... heheuh! qui fait calouetter la grande outarde.

— Dégaaaage... qu'elle crie, tu me caaaches le laaarge...

Le pigeon ne se le fait pas dire deux fois et bifurque. Mais le nain n'est pas prêt à renoncer si vite. Et comme chaque fois qu'il se trouve à bout de ressources, il s'abandonne à son instinct.

— Attention au renard! qu'il crie de loin.

Le mot a produit l'effet escompté : les oiseaux ont perdu le rythme et le V s'est disloqué. Leur guide fait alors un rapide plongeon et rejoint par derrière le pigeon et son cavalier.

— Vous avez dit renaaarrrd?

Gros comme le Poing demande secrètement pardon à son cousin des bois, puis s'enfonce :

— Dans le taillis, juste en dessous.

— Merci, bonhomme. Je vous rends service pour service : attention au repaire des brigands vers le sud-surouââââ!

— Des brigands? Que font-ils là?

La mère outarde a retrouvé le rythme et reconstitué la formation. De la pointe du grand V, elle crie à Gros comme le Poing :

— ...comptent... leur... argent...

Voilà comment, le matin suivant, la compagnie se mettait en route vers le sud-suroît. Mais auparavant, nos quatre héros avaient traversé une longue nuit blanche. Car il ne faut pas croire que tous partagèrent spontanément l'enthousiasme de l'écervelé Tom Pouce qui se voyait déjà trônant sur une charretée de pièces d'or et d'argent. Messire René surtout avait de solides raisons de craindre les voleurs de grands chemins qui l'avaient plus d'une fois détroussé et laissé pour mort lors de sa première vie. Il nourrissait en plus une vague appréhension vis-à-vis de l'argent volé qui finissait toujours par brûler les mains de quiconque s'en emparait. Jean de l'Ours, pour sa part, jugeait qu'aucun trésor ne valait le prix du danger où seraient exposés ses compagnons; mais promettait toutefois, si l'on devait s'y aventurer, de les défendre tous jusqu'à la dernière goutte de son sang. Quant au petit Jour en Trop, le pouce entre les lèvres, il écoutait attentivement et cherchait à saisir le mystérieux pouvoir de l'argent qui avait réussi cette nuit à semer la discorde entre ses frères.

Au petit jour, Gros comme le Poing avait fait triompher ses vues qu'il avaient développées en douze points — où figuraient entre autres la justice, la lutte du bien et du mal, Robin des Bois — et qui pouvaient se résumer en un seul: l'argent fait le bonheur. Et l'on se mit en route vers le sud-suroît.

L'outarde avait été des plus précises quant à la direction, sud-sud-ouest, mais point sur la distance. Et la troupe s'en vit donner quasiment tête première dans le nid de brigands. Heureusement qu'un instant plus tôt, Gros comme le Poing avait écouté son pressentiment et envoyé le pigeon-voyageur aux nouvelles. La plus grosse nouvelle s'amena d'elle-même en courant et jurant et lançant des pierres à l'oiseau qui criait à plein gosier à ses maîtres de s'égailler sous la feuillée. Ce que ne tardèrent pas à faire trois compagnons effarouchés. Seul Jean de l'Ours ne trouva dans la brousse aucune touffe d'arbustes assez haute pour le camoufler. Et pour ne pas compromettre ses frères, il figea dans la position du chêne, bras et doigts écartés comme des branches. Le chasseur, furieux d'avoir raté son gibier, s'en vint en maugréant se soulager sur dix orteils qui couraient comme des racines sous la mousse. Gros comme le Poing, de son nid de corbeau, chuchota aux deux autres juste en dessous:

— Arrosé comme ça, Jean de l'Ours manquera pas de fleurir au printemps.

Puis il pouffa de rire dans ses mains.

Une fois le danger bien passé, on se rassembla en cercle pour se concerter. Les brigands avaient leur repaire à portée de voix... parlons bas. Il fallait procéder avec circonspection et d'abord planifier sa stratégie. Et il fut convenu que, l'oiseau étant exclu, on enverrait en éclaireur le petit Hors du Temps.

— Tu sauras te rendre invisible? lui demande Messire René.

— Je saurai, fait Jour en Trop.

— Ne prends aucun risque surtout. À aucun moment ne te montre à leurs yeux. Écoute bien et reviens nous rapporter leurs moindres paroles.

— Et merde!

Le petit a déjà disparu. Les autres s'asseoient dans les feuilles et se croisent les doigts. Silence. Personne ne bouge. Le temps passe. Le savant Messire René risque un mot, puis deux :

— Étrange... comme le temps dure quand le petit n'est pas là.

— Il est là!

Il vient de rentrer dans leur temps et sauter à leurs yeux.

— Alors?

— Et puis?

— Raconte!

Et il raconte.

...ta part, ma part... ta part, ma part... ta part, ma part... où c'est qu'est la mienne?... Il a vu quatre brigands assis dans un cercle carré en train de se partager un trésor. Ta part, ma part. Et à un moment donné, caché entre deux plis du temps, Jour en Trop a réclamé sa part de l'argent pour l'apporter à ses frères. Les voleurs se sont redressés, ont fouillé partout et ne trouvant personne, se sont enfuis avec le trésor.

— Beau gâchis! crache Gros comme le Poing en tapant du pied sous l'oeil rond de Jean de l'Ours et dur de Figure de Proue.

— Le petit a cru bien faire, dit enfin l'ancêtre. Nous n'allons pas nous quereller là-dessus. Que les brigands disparaissent avec leur argent, bon débarras. Et vogue la galère!

Mais le nain ne le prend pas si bien et ne se laisse pas embarquer dans cette galère-là. Le cadet par sa niaiserie a fait échouer leur premier plan. Tant pis! Ce ne sont pas les plans qui manquent dans la petite tête de Gros comme le Poing, et magnanime, il commence par pardonner à son cadet, puis par proposer un nouveau stratagème.

— On va leur tendre un piège, qu'il dit.

— Un piège? Comment?

— C'est simple, trouvez l'appât et vous capturez la bête.

Un mince sourire coule sur les joues de la Figure de Proue qui comprend où veut en venir l'astucieux petit Pouçot. L'appât des voleurs c'est l'or. Semez de l'or sur leur route et...

— Mais nous n'avons pas un écu sonnant.

Gros comme le Poing cligne de l'oeil à la face du soleil. Ce diable à quatre n'a peur de rien. Il est prêt à tout risquer pour le plaisir de l'aventure. Et sautant, dansant, gesticulant de la tête, il fait sonner les clochettes de son bonnet qui attirent puis renvoyent les rayons du soleil.

— Il s'agit seulement de me trouver au bon endroit. Tôt ou tard...

Plutôt tôt que tard. Si le téméraire s'était arrêté un instant pour réfléchir, pour tirer toutes les conséquences de sa stratégie, et en conclure que l'appât d'ordinaire est le premier sacrifié, il eut pris certaines précautions dont celle de retirer à temps la tête de son bonnet. Mais même le plus malin des rusés n'a pas tous les talents. Et notre petit diable qui réussit comme prévu à faire tomber sa proie dans le piège, y tomba du même coup, ce qui n'était pas prévu du tout.

Ah! ça alors!

Ce sont les brigands qui furent les plus surpris.

— Qu'est-ce que c'est que cet insecte?

Gros comme le Poing commence par se récurer les oreilles. Qu'est-ce que c'est que cette langue-là? qu'il répète. Puis en la reprenant à son compte, il la comprend. Pas possible! on l'a traité d'insecte. Et il plante ses poings sur ses hanches et se pince le bec. Les dieux sont bons : sa colère lui a fait avaler sa peur, le temps de retrouver son aplomb.

— J'appartiens à la même espèce que vous, ne vous en déplaise.

En voulant se réclamer de ses droits de l'homme, il s'aperçoit qu'il s'est jeté lui-même dans le camp des brigands et il s'en mord la langue.

— ...Mais moi je suis du côté des victimes, non des bourreaux, qu'il rectifie.

Gaffe sur gaffe, petit maladroit. Car là tu viens bêtement de te ranger dans le camp des victimes. Aïe, aïe!... Tu ne pourrais pas tourner dix fois ta langue en ta bouche avant de parler, étourdi.

Pendant que quatre horribles têtes sont penchées au-dessus de la sienne et qu'une main velue et crasseuse le tripote dans tous les sens, le fait pivoter sur sa colonne, puis finit par le soulever par sa culotte, Gros comme le Poing implore à mille lieues sa bonne femme de mère et tous les pénates de la cuisine maternelle. Petit à petit, il reprend ses esprits en se disant que tôt ou tard ses frères retrouveront ses pistes et viendront le secourir.

Ses frères avaient immédiatement retrouvé ses pistes. Car il avait été convenu que la troupe se tiendrait aux aguets, non loin du piège. Mais on n'avait pas attendu les brigands si tôt et en force. Surtout, on n'avait pas songé à l'éventualité d'une prise d'otage!

— Ho, ho, ho! ricanait le plus gros des quatre. Cette chose-là vaut plus que l'or qu'elle a fait miroiter. Un insecte parlant! quelle aubaine! Calculez tout l'argent qu'on va en tirer au cirque.

Et le deuxième d'enchaîner :

— Il pourrait bien appartenir à tout un peuple de son

espèce. Servons-nous de lui pour attirer les autres.

Et le troisième :

— Avec un appât comme ça...

...Dupeur dupé! s'engottait Tom Pouce, tandis que le quatrième ajoutait :

— ...On va les capturer tous, les conduire au cirque et faire fortune! Ho, ho, ho!

...Calme-toi, Gros comme le Poing, reprends tes sens, t'as déjà vu pire... ah! oui? quand ça?... enfin tu pourrais être déjà mort, ces brigands-là sont des bandits, compte-toi chanceux d'être encore en vie, la vie c'est tout ce qui importe à la fin, accroche-toi à ton souffle, ne cesse pas de respirer, fais le mort mais garde l'oeil ouvert... Et puis ça t'apprendra à fourrer ton nez partout, espèce de malfaisant!

Pendant cette oraison funèbre de Gros comme le Poing à Gros comme le Poing, ses trois frères suivaient le cortège de loin, envoyant périodiquement Jour en Trop aux nouvelles qui se gâtaient à mesure qu'on approchait du cirque. Jean de l'Ours se lamentait en suppliant son aîné de lui permettre d'aller les tuer, les tuer tous, les monstres qui gardaient son frère en otage.

— Le gros l'a enfoui dans sa poche, vint informer Jour en Trop.

Messire René s'efforçait de calmer le géant. Une bataille rangée, à cette heure, mettrait en danger la vie du nain.

— Pour l'instant il ne risque rien. Ne les perdons pas de vue et guettons l'occasion.

...Bête de bête de bêta! que maugréait Gros comme le Poing. Je n'y vois rien au fond de cette poche... Pouah! v'là le salaud qui se mouche à mon bonnet. Que les clochettes lui fassent éternuer de la grêle, au bandit!... Éternuer... éternuer... Hé, hé! qu'il se dit. Et sans perdre une seconde, le nain éternue de toutes ses forces du fond de sa prison. Hélas! ces voleurs de grands chemins n'en étaient pas à leur premier pet, et celui-ci se confondit à la gamme de rots, jets de salive et mots obscènes qui empoisonnaient l'air sur leur passage. Un pet de plus ne les fit pas rougir... Il me reste ma flûte, songea le nain qui, à l'étroit, finit pourtant par lui arracher quatre notes. Aussitôt huit pieds se mirent en branle. Les voleurs sautaient, dansaient un genre de polka qui ne les lâchait plus. Ils se dévisageaient tous les quatre sans comprendre d'où leur venait cette soudaine envie de sautiller qui les mortifia bien plus que l'envie de péter. Mais le plus à plaindre était Tom Pouce qui, ballotté au fond d'une poche sordide, finit par rendre son déjeuner avec sa flûte. Ainsi finit la polka qui emportait le dernier espoir de Gros comme le Poing. Certains dons ne sont pas de toutes circonstances, qu'il se dit; j'aurais bien dû demander à ma marraine une grande aiguille empoisonnée pour piquer les fesses de mes ennemis. L'image de l'aiguille fit surgir celle de sa mère Bonne-Femme. Et pour la première fois depuis fort longtemps, le nain sorti de la huche se mit à verser des larmes qui risquaient de le réduire en une pâte informe et gluante.

Tout à coup il sent des doigts crochus qui lui entourent la taille, l'arrachent à son cachot poisseux et le plantent sur le plat d'une main poilue. Le nain commence par sécher son nez et ses joues de trois coups de manche, puis par bicler au soleil. Quand enfin il y voit clair, il reçoit le spectacle en pleine face: des acrobates, des clowns, des lions en cage, une femme à barbe, de la musique, des ballons et banderoles multicolores. Il est tombé au milieu d'un cirque. Dire qu'il en a tant rêvé durant toute sa vie! Rêvé aussi de gloire et de conquêtes; rêvé de se trouver un jour la cible de milliers de regards émerveillés. D'où lui vient soudain le malaise qu'il éprouve devant tous ces yeux braqués sur lui? Il n'ose même pas se gratter le bout du nez qui lui démange, ni relever la bretelle de sa culotte qui glisse dangereusement le long de sa hanche. Toutes ces émotions lui ont labouré les tripes, en plus, et voilà qu'il éprouve un pressant besoin de... faire quelque chose, de sortir de là, de s'arracher à cette foule de curieux qui encerclent ses ravisseurs en train d'annoncer la merveille du siècle. Où ça?... Il tourne la tête de tous côtés et ne voit plus que des visages hilares ou intrigués ; des doigts dégoulinants de caramel qui cherchent à lui pigouiller les côtes ; des femmes endimanchées qui lui font des gui-di-gui-di sous le menton. Merde! dans quels draps s'est-il fourré? Et comment se soustraire à la vigilance du barbare qui le soulève au-dessus de la foule sur le plat de sa main comme un roi lilliputien sur son bouclier? Voilà le bandit devenu soudain saltimbanque pour annoncer sa marchandise : un insecte parlant! messieurs-dames, approchez! approchez!

— Venez écouter la voix de ténor s'arracher de la plus minuscule gorge de bestiole que la terre a jamais portée! Approchez!

...Approchez tant que vous voulez... mais vous risquez d'attendre longtemps avant que la bestiole vous crache un mot de sa gorge, vulgaire populace!

— Parle, petit, dis bonjour à Madame!

...Chienne de vache de saloppe! t'auras jamais d'autre bonjour de moi, tiens-toi-le pour dit.

— N'aie pas peur, parle dans ta langue et tes mots, fais une phrase, n'importe laquelle, on veut juste entendre le son de ta voix.

...La voix de mon cul que je vous réserve, salopards!

Le chef de brigands finit par trouver la comédie trop longue, il a hâte de passer le chapeau ; et attrapant Gros comme le Poing par le collet, il lui serre juste assez le cou pour arracher à sa proie le mot qu'attendait la foule :

— Lâche-moi, bandit! Au secours!

Son cri ravit son public qui applaudit à faire s'envoler les pigeons.

...Pigeon... où est mon pigeon?...

— Marco Polooo! s'égosille le nain désespéré.

La foule se tord, et se tape les cuisses, et hurle : encore!... au sadique plaisir des brigands qui ont trouvé enfin comment faire chanter leur merveille. Et que je te torde le cou, petit coquin, et que je te fasse cracher ton jus, et... Soudain la foule reste sidérée, un instant, l'instant avant de sentir ses pieds taper le sol, au rythme d'une musique sortie d'une flûte minuscule et qui enterre pourtant les cors et tambours du cirque. On danse à trois lieues à la ronde, sous les chapiteaux, sur les estrades, au faîte d'un trapèze isocèle, tout le cirque danse. Jusqu'aux quatre bandits qui, à quatre pattes, dansent en cherchant leur imprévisible bestiole qui a profité du tohu-bohu pour s'échapper.

— Cette crapule va nous le payer, que dit à bout de souffle le chef des brigands.

...Crapule toi-même, siffle tout bas Gros comme le Poing en sortant la tête d'un meulon de foin. Heureusement pour sa santé qu'il a passé la tête entre deux pailles et aperçu juste à temps la gueule ouverte d'un veau affamé.

— Attention! hurle le nain à la bête qui fige et cherche à comprendre ce que lui veut son auge.

Quand enfin leurs yeux se rencontrent, le veau et le nain finissent par échanger quelques mots, puis engager conversation. Et c'est ainsi que notre héros, même au fond de la plus précaire des situations, poursuit son instruction sur les bizarreries de ce monde.

— Qu'es-tu venu faire au cirque? lui demande Gros comme le Poing.

— M'exposer, répond le veau en reculant d'un pas pour mieux exhiber ses avantages.

— Un veau à cinq pattes! siffle le nain. On aura tout vu!

Le veau s'enfarge alors dans une génuflexion ridicule pour répondre au sifflement de son public qu'il a pris pour une marque d'admiration.

— On vient en foule pour me contempler, qu'il beugle bêtement. Je suis même classé attraction numéro deux.

— Vraiment? fait Gros comme le Poing faussement intrigué. Et le numéro un?

La bête roule ses grands yeux de veau chagriné puis finit par concéder:

— Une truie rose à deux tête, qu'elle fait.

Et Gros comme le Poing laisse échapper son premier gloussement de la journée.

Pendant que la foule tape sur les bandits qu'elle accuse d'avoir subtilisé le héros avant la fin du spectacle, et que le héros se tient au chaud sous une meule de foin à causer avec un veau, les trois membres restants de la compagnie et un pigeon-voyageur se frayent un chemin à travers la marée des curieux, interrogeant les clowns, les fous et les enfants.

— Vous n'auriez pas aperçu un bonhomme pas plus gros qu'un poing, vêtu d'une veste rouge et coiffé d'un bonnet à clochettes?

Les enfants, les fous et les clowns cherchent dans leurs souvenirs qui ne s'éveillent qu'à l'indice fourni par Jour en Trop.

— Il joue de la flûte, qu'il dit.

Ah! oui, si fait. Les fous se rappellent avoir dansé, et les clowns, et les enfants qui acquièscent de la tête. Mais il a disparu.

— Il ne peut pas être loin, fait Figure de Proue. Cherchons autour d'ici.

— Mais jamais on le trouvera, il est trop petit, se lamente Jean de l'Ours, tandis que le cadet saute sur une tribune en criant à ses frères:

— Lui nous verra, si on monte assez haut.

Et c'est ainsi que la foule fit cercle cette fois autour d'un géant qui faisait apparaître et disparaître un bel enfant grimpé sur ses épaules, qu'annonçait un troisième saltimbanque sorti d'un livre d'images des temps anciens.

— Approchez, Dames et Seigneurs, criait Messire René, venez voir l'homme le plus grand de la terre et l'enfant le plus beau... c'est moi, l'ancien, qui vous le dis... nous sommes là sur une estrade à l'ombre du chapiteau, Jean de l'Ours, Jour en Trop, Marco Polo et moi-même, Messire René... nous sommes là, Gros comme le Poing!...

Hélas! les appels désespérés de son aîné ne réussirent pas à distraire Gros comme le Poing de la profonde réflexion où l'avait plongé sa découverte des grandeurs et misères d'un veau à cinq pattes.

...Tout le jour sous les projecteurs, que lui avait confié

la star des curiosités monstrueuses, à recevoir les hommages d'une foule en délire... jamais on n'a vu pareille originalité, chose aussi rare, bête aussi singulière, cinq pattes, figurez-vous, une patte en sus, peu importe qu'elle soit en trop, c'est unique, inédit, absolument fabuleux! Et le veau de passer des heures à faire le beau et l'important devant sa cour, sous la chaleur du soleil, dans la poussière de l'arène, mâtant à chaque tour de piste son envie de boire et manger, son envie de botter le derrière le l'écuyer qui le fouette, son envie tout court. Un veau à cinq pattes ne saurait avoir de ces basses envies, voyons, ma chère! la star du cirque! l'attraction numéro deux, presque numéro un, qui en deux mois a enrichi ses maîtres et fait monter la cote des spectacles. Quelle merveille qu'une patte en trop!

— ...Mais le soir, avait soupiré le veau, je rentre à l'étable, seul et misérable, boitant de ma cinquième patte.

Puis levant les yeux sur son compagnon attentif:

— Je suis un monstre, qu'il dit.

C'est à cet instant précis que le nain entendit son nom débouler sur toute l'octave, de la bouche de Figure de Proue. Avant de s'arracher à sa meule de foin, il jeta un oeil chargé de compassion sur la star du cirque et lui fila en se sauvant:

— Console-toi, mon vieux, et dis-toi que Mozart et Einstein n'étaient peut-être rien d'autre qu'une verrue sur un cerveau.

Puis il enfouit au fond de sa mémoire inconsciente cette nouvelle découverte qui alla rejoindre celles de l'infiniment petit et l'infiniment grand, de l'envers qui n'est envers que par rapport à l'endroit, ou de la perfection qui gagne à être vue de loin.

Les amateurs de cirque qui croyaient avoir tout vu avec la danse d'un veau à cinq pattes s'agglutinèrent en piaffant autour d'une arène où se déroulait un combat qui ne figurait sur aucun programme : quatre brigands uniformes contre quatre compagnons disparates.

— Olé! hurlait une foule hystérique devant un spectacle inédit et gratuit.

Mais au moment où Jean de l'Ours attrapait à bout de bras son plus proche adversaire et se préparait à le faire tourner comme une masse pour assommer les trois autres, Messire René l'arrête en plein vol d'un cri effaré :

— Jean de l'Ours!

Le bras du géant fige de surprise et le brigand un instant reste suspendu au-dessus des têtes. C'est alors que les trois autres compagnons aperçoivent sur la figure de l'ennemi la cagoule du bourreau.

— Lâche-le, Jean de l'Ours. Ce combat-là ne saurait se tenir dans un cirque.

Le combat devait pourtant avoir lieu, mais en temps et lieu opportuns.

— Vendredi le 13 à midi, propose d'une voix rauque l'un des brigands.

— À l'ombre des cyprès, ajoute son compagnon.

— Au champ de repos, ricane le troisième sous l'oeil narquois de l'autre qui se tait.

Nos quatre héros se regardent, la luette nouée mais les yeux secs. Alors l'ancêtre prend une voix de gorge pour accepter le défi au nom de ses frères :

— Vendredi au champ de repos.

X

EN LA SEMAINE DES TROIS JEUDIS, ALORS QUE LE CIEL PLEUVAIT DES ALOUETTES, COMMENT CARÊME TOMBA EN AOÛT

Au champ de repos! Gros comme le Poing vient tout juste de comprendre. Les brigands leur ont donné rendez-vous dans un cimetière! On ne va pas se soumettre à ça, jamais de la vie! D'ailleurs pourquoi laisser à l'adversaire le choix du lieu? Pas déjà assez qu'il ait fixé l'heure et le jour? Quelle heure déjà? et quel jour?... À midi, vendredi le 13! Ça ne va pas, non? C'est mettre toutes les malchances de son côté.

— Des deux côtés, rectifie Figure de Proue.

...D'accord, des deux côtés. Mais ça reste le choix des autres. Et pour cause. Les méchants ont manifesté de tout temps des goûts pour le pervers, le morbide, les lieux lugubres, macabres et sombres, c'est connu.

— La rencontre est fixée à midi, l'heure du soleil à son zénith.

...puis c'est pas juste. Ils sont quatre...

— Et nous?

...quatre bandits, gros et forts comme des bûcherons, qui ne jouent pas franc d'ailleurs, des tricheurs, qui nous convoquent dans un coupe-gorge... c'est se jeter dans la gueule du loup.

À bout de souffle et d'arguments, Gros comme le Poing se laisse choir dans l'herbe mais se redresse aussitôt comme un ressort: il est tombé sur une touffe de chardons. De mauvais augure... Que la vie a donc de vilains jours! Si le temps pouvait enfin venir et s'en aller et emporter ce maudit vendredi dans son sac, ni vu ni connu. Qu'il s'envole au plus vite. Il faisait si bon vivre jadis, dans le temps, avant la funeste rencontre de ces bandits, ces bourreaux, ces chevaliers de l'Apocalypse!

Et le nain se met à compter sur ses doigts le temps qu'il lui reste à vivre avant le jour fatal de l'affrontement. Qu'on en finisse au plus vite. Après on respirera en se rappelant le temps où l'on avait eu si grand peur, où rien n'était encore fait, où l'on poussait désespérément sur le temps pour en finir, où l'on sera si soulagé d'avoir traversé ce tunnel que... mais le tunnel est encore là, juste devant, les jeux ne sont pas encore faits, on n'a pas encore franchi le jour...

— On est le combien?

— Jeudi, répond Jean de l'Ours sans le chercher, heureux de démontrer qu'il n'a pas oublié les jours de la semaine.

Jeudi?!!!

Cette fois, même Figure de Proue a tressauté. Déjà? Il reste à la compagnie fort peu de temps pour se mettre en forme et s'exercer aux arts de la guerre. Quatre contre quatre, c'est juste. Mais il est difficile de compter un nain parmi les combattants. Et le cadet est un novice qui ne saura pas distinguer une épée d'un javelot. Quant à l'ancêtre, il craint d'avoir livré lors de sa première vie ses meilleurs combats, et se voit mal entrer en lice à son âge. Il reste Jean de l'Ours, bien sûr. À lui seul, le géant en vaut quatre. Mais Jean de l'Ours est imprévisible avec ses maximes désuètes. Sans compter que l'adversaire est de taille et ne jouera pas franc, le nain a raison. Messire René a bel et bien reconnu la cagoule sur le visage de l'un d'entre eux. Le bourreau sera vendredi au champ de repos, ne nous berçons pas d'illusions.

— Il nous reste fort peu de temps, conclut Figure de Proue. Mettons-nous au travail.

Jour en Trop a réagi. Peu de temps? Mais on a tout le temps. C'est du temps qui manque? Qu'à cela ne tienne! Qu'on lui dise seulement combien on en veut.

Gros comme le Poing et Messire René, ébahis, voient leur cadet jongler avec le temps comme un musicien avec des notes. Et la même idée leur saute en même temps derrièr le front.

— Donnons-nous du temps! qu'ils s'exclament.

Et voilà comment nos héros connurent une semaine de trois jeudis.

À midi moins quart, vendredi le 13, le pigeon-voyageur venait annoncer aux quatre héros que les quatre brigands, rangés en bataille, marchaient au combat, armés jusqu'aux dents.

Gros comme le Poing pria aussitôt les trois autres de l'excuser, qu'il devait rapidement descendre de son poste de vigie, sur le chapeau de son frère, pour une affaire qui ne souffrait pas de délai.

— Ce n'est pas le moment, de répliquer Figure de Proue, promu commandant en chef de la troupe.

— Moment ou pas, faut ce qu'il faut, de répliquer à son tour Gros comme le Poing en se tenant le ventre.

Et de réplique en réplique, le nain effaré finit par semer la moitié de ses affaires en route et atteindre la feuillée dans un gâchis lamentable. Merde et merde et merde! qu'il grogna en voyant l'état de sa culotte. Il résolut d'aller se débarbouiller au ruisseau qui chantait tout près, sous bois. Et c'est ainsi que le combat commença sans lui, au premier coup de midi.

Il commença de même sans Jour en Trop que son général envoya aux nouvelles du nain égaré sous la feuillée. Ce petit diable fourré partout courait toujours le risque d'être avalé tout rond, par mégarde, par n'importe quelle bête des bois. Sans compter les fauves qui en feraient volontiers leurs délices.

— Va, petit, déniche le nain. Et s'il a trop peur, restez tous deux cachés au creux d'un chêne ou à l'ombre d'un saule pleureur. Aussi peut-on ici se passer de cadets.

L'aîné dit ça pour se donner de la contenance, pressentant que la bataille qui allait éclater bientôt pourrait se passer également de vétérans de son espèce. Dès le premier jeudi, Messire René avait su qu'en définitive le combat reposerait sur les seules épaules de Jean de l'Ours.

Il avait toutefois oublié un compagnon, que d'ailleurs cet ancien humaniste avait tendance à mépriser injustement : le pigeon-voyageur. Mais il faut se souvenir que Messire René s'était formé l'esprit dans les écoles anciennes, où l'on se posait encore la question quant à l'existence de l'âme chez les animaux. Il était par conséquent très loin de croire en la vertu belliqueuse des oiseaux. Il devait bientôt se laisser détromper.

Sitôt en effet que le pigeon eût compris dans quelle merde s'était empêtré son maître Gros comme le Poing, il vola au secours de ses troupes de manière fort inattendue : il partit chercher du renfort dans le ciel. Il s'était souvenu de la formation d'outardes dessinant dans le firmament le le grand V de la victoire ; et du lien d'amitié entre la Mère l'Oie et les brigands. D'ailleurs dans un combat comme celui qui se préparait, il ne fallait pas négliger les secours du ciel.

Et le pigeon-voyageur partit vers les nuages porter son message de guerre. En moins de temps que n'en prit Gros comme le Poing pour se débarbouiller les fesses, et Jour en Trop pour le repérer dans la cuvette de son ruisseau, Marco Polo avait déjà rattrapé la formation des oiseaux migrateurs et alerté les oies, les grues, les buses, les bécasses, les échassiers, les corbeaux, les cormorans, les vautours, les faucons, les condors, les aigles et les gerfauts.

— Aux armes! qu'il crie à ses compères. Volons au secours de nos troupes.

Et sans connaître les causes premières du combat, les grands guerriers du ciel se rassemblent en force, encerclant le champ de bataille et font dans un tintamarre de cris de guerre le suprême plongeon.

Entre-temps, Gros comme le Poing et Jour en Trop ont réussi à se retrouver parmi les bagages et à rejoindre Figure de Proue à l'arrière-garde.

— Je crois que ça chauffe au front, que risque un Tom Pouce revenu de ses frayeurs et de ses emmerdantes aventures. Asseyons-nous là pour mieux suivre le spectacle.

Pourvu qu'il ne fût pas de la lutte, Gros comme le Poing n'avait jamais douté de l'issue du combat et faisait pleine confiance à son frère jumeau.

— Vas-y, Jean de l'Ours, le Fort comme Quatorze! montre-leur ce que t'as dans le ventre!

Messire René se dit que Jean de l'Ours en effet peut se passer de ses frères, et il s'asseye sur un monticule d'aigrettes entre le nain et le cadet. De leurs places au premier rang, les trois compagnons suivent le combat en hurlant, s'attrapant la tête, se bouchant les oreilles, se couvrant les yeux, se tapant dans les mains ou sur les cuisses, et s'égosillant dans un jargon d'arène.

— Surveille tes arrières, Jean de l'Ours!

— Sur la gueule!

— Dans le ventre!

— Casse-lui le nez!

— Place ton aile droite à gauche pour les confondre!

— Attention! penche-toi!

Jean de l'Ours s'est penché juste à temps pour éviter un bec d'aigle en plein dans sa prunelle. Il lève la tête et aperçoit l'armée des oiseaux de proie qui vole au secours des combattants. Mais quels combattants? De quel bord se tient le ciel dans une guerre sainte?

Gros comme le Poing a vu hésiter son frère. Mon Dieu! il ne va pas encore se poser les stupides questions sur son bon droit!... cet idiot pourrait avec sa conscience rigide compromettre l'issue même du combat et du coup mettre en danger sa propre vie et celle de ses frères!... Jean de l'Ours!... pas le temps de réfléchir sur le bien et le mal! frappe, Jean, mon ami, cogne! tu te poseras les questions après!

Messire René se gratte la tempe:

— Quelle cause défendent les oiseaux?

Car ils emplissent le ciel. Sont-ils tous du même bord? Allez savoir dans de cafouillage d'ailes, de becs et d'ergots! Jean de l'Ours a retrouvé son ardeur et risque de faire un beau massacre de tout le monde. Mon Dieu, mon Dieu, ne l'abandonnez pas.

Gros comme le Poing est soudain pris de hoquet.

— Marco Polo, Marco Polo!

Car le pigeon vient d'entrer dans le champ de vision de son maître.

— Que se passe-t-il là-haut?

Mais le messager n'en sait pas plus long que personne. Il admet être parti chercher du renfort, croyant bien faire. Hélas! il ne contrôle plus ses troupes, et bat sa coulpe. Dans quoi s'est-il embarqué? C'était bien l'affaire d'un émissaire de prendre des initiatives! Il aurait bien dû se cantonner à son rôle de pigeon-voyageur, et ne pas s'en aller bêtement réveiller l'ours qui dort.

Comme pour tourner le fer dans la plaie vive de la conscience de Marco Polo, un faucon vient frôler de son aile la petite troupe qui ne se sent plus en sécurité même dans les galeries. Car juste au-dessus de la tête des spectateurs, les aigles s'attaquent aux vautours et les bécasses engueulent les grues. Toute cette guerre ressemble étrangement à un orchestre sans chef qui tourne à la cacophonie.

Soudain, au clocher lointain, le gros bourdon donne le douzième coup de midi. Gros comme le Poing entend le silence qui s'ensuit. Le combat est terminé. Comment? déjà?

Il a duré le temps de sonner douze coups de l'angélus. Tout ce carnage en si peu de temps! Ou est-ce le temps qui s'est arrêté? allongé? ralenti pour permettre à Jean de l'Ours d'achever son oeuvre?

— Allons voir!

Et Gros comme le Poing saute sur ses pieds et court au front secourir son géant de frère qui reste là, pantois, la bouche ouverte et les yeux ronds, à mesurer l'ampleur du massacre: des plumes, des pattes et des ailes jonchent le sol; un épais brouillard de duvet flotte au-dessus des tranchées; puis là-bas, entre deux saules, trois des brigands gisent sanglants et murmurant leurs dernières paroles:

...ta part, ma part... ta part, ma part...

La litanie des mourants rappelle à la mémoire de Tom Pouce que toute cette guerre est née d'un conflit d'intérêt entre des compagnons d'aventure et des brigands sur la possession d'une poule aux oeufs d'or. Et quand il veut se remémorer l'image de la poule, il se tâte et découvre qu'il a failli passer le restant de sa vie dans un cirque à boiter des cinq pattes pour amuser une populace avide de monstruosités.

— Il en manque un, vient annoncer la face longue de Figure de Proue.

Mais à peine a-t-il terminé sa phrase, qu'il reçoit une bruyante réponse du ciel. Une pluie d'alouettes vient fouetter le visage et les épaules de nos quatre compagnons qui ne savent plus où abriter leur désarroi. Quel nouveau déluge s'acharne sur un jour déjà si chargé d'événements extraordinaires?

La réponse vient du pigeon-voyageur via le nain.

— Lors d'un combat de faucons, ce sont les colombes qui sont les premières écorchées.

Pauvres petits passereaux des champs qui ne savent que chanter et qui eurent le malheur ce jour-là, en voulant rejoindre leurs nids, de passer entre le marteau et l'enclume!

Et voilà comment nos héros, en la semaine des trois jeudis, virent le ciel pleuvoir des alouettes.

L'énergie dépensée au combat creuse l'appétit. Et le premier à sentir le vide de ses tripes fut Gros comme le Poing. Par bonheur, ce ne sont pas les bonnes choses qui manquaient avec un pareil butin laissé au champ d'honneur. Mais comme toujours, les premiers à surgir des quatre horizons pour s'en venir recueillir les lauriers de la victoire furent les déserteurs, collaborateurs ou vétérans de guerres anciennes. Ce fut un joyeux carnaval qui dura trois jours et ne laissa sur le champ de repos que des os d'alouettes. Quand Messire René voulut lever la tête pour s'informer du jour et de l'heure, il reçut la réponse d'un gros bonhomme joufflu qui bavait des restes de graisse dans sa barbe.

— Mardi, bientôt minuit.

Nos amis ne comprirent pas tout de suite où était passé le temps. Puis leurs yeux finirent par se dessiller : seuls les héros vivent hors du temps qui court ; le commun des mortels n'avait connu des trois jeudis qu'un jeudi, vendredi, samedi. Ajoutez trois jours gras, et vous voyez galoper à vos trousses le visage émacié et lugubre du Mercredi des Cendres. Personne n'était dupe : après avoir si proprement vidé le ciel, tout le monde se préparait à un long mois de carême.

— Quel mois sommes-nous? demanda sans réfléchir Gros comme le Poing qui s'en mordit aussitôt les pouces.

— Sommes en août, prononça à l'ancienne Messire René en accentuant bien fort la diphtongue.

Aïe! aïe! se contenta de répondre Gros comme le Poing qui venait de se rappeler qu'il avait, dans le passé, donné rendez-vous au bourreau dans un temps et des circonstances qu'il avait crus irréels.

Et voilà comment le ciel, après avoir plu des alouettes, en la semaine des trois jeudis, fit tomber carême en août.

L'ancêtre rassembla ses troupes et leur dit :

— Enfants, au jour de hui avons gaigné une espouvantable et grandiose bataille. Mais crains que le ver seye resté en pomme. Car manque dans le camp ennemi la dépouille d'un guerrier. Seyez vigilants.

Les trois jeunes héros, un peu moins jeunes depuis la veille, mais non moins héros, promenèrent sur le champ d'honneur de grands yeux chargés d'appréhension. Et pour la première fois, le bourreau leur apparut le visage découvert.

— Là! cria Jour en Trop la main pointant vers un cyprès tordu et rabougri.

—Aïe, aïe! enchaîna Gros comme le Poing en enfonçant son bonnet sur ses yeux.

Tandis que Jean de l'Ours, sans broncher, serrait déjà les poings à s'en faire craquer les phalanges.

D'une voix rauque, Messire René donna ordre à ses cadets de ne pas bouger. Cette fois, il s'avancerait en solitaire devant l'ennemi. Qu'on le laisse affronter le monstre les mains nues, armé de sa seule mémoire du passé. Et sous l'oeil intrigué de ses frères, il ajouta :

— Suis déjà passé par là. Apprenez qu'homme averti en vaut deux.

— Mais Messire René, notre ami, commença Gros comme le Poing...

— Paix, enfants, répondit l'ancien en levant la main pour les bénir. Ne bougez d'ici que je ne vous appelle. Soyez sans crainte d'esprit ni trouble de coeur. Attendez de recevoir signe de moi.

Ses trois compagnons se turent en regardant partir vers le cyprès plusieurs fois centenaire celui qui fut durant cette première partie de leur vie le père et le guide de leur joyeuse compagnie. Et chacun se demanda quand il le reverrait.

....

Le matin suivant, au soleil levant, Messire René sortit de la brune et marcha d'un pas ferme vers sa troupe.

— Messire René!

— Figure de Proue!

— L'ancêtre, ami! nous sommes là!

Mais cette fois, les retrouvailles ne s'accompagnèrent pas de joyeuses bombances comme à l'accoutumée. Car l'aîné passa tout le jour à instruire ses frères et compagnons sur la portée et la tournure de sa rencontre avec le bourreau.

...Il a compris, le vilain, que nous avons triomphé de lui, que son temps est écoulé, et que vous êtes tous trois sortis de vos premières aventures sans trop de dommages. Il s'est enfui, écrasé sous la honte et la déception. Il n'a plus qu'à rentrer dans son trou, au fond de sa ville absurde au bout du cercle vicieux. Vous ne le reverrez plus.

Et pour appuyer sa prophétie, l'ancêtre exhiba aux yeux émerveillés de ses jeunes compagnons une cagoule sanglante et déchiquetée comme un vieux drapeau.

Gros comme le Poing voulut alors fêter en grandeur cette victoire, et levait déjà les deux bras pour attirer le ciel de son bord, quand il suivit les yeux de l'ancêtre accrochés à un point noir au plein centre de l'horizon.

— Qu'est-ce que c'est?

Messire René rassembla ses amis à l'ombre de son manteau grand ouvert.

— La Faucheuse, qu'il dit.

Et nos quatre héros regardèrent longuement cette femme vêtue d'une cape plus large que des ailes de condor et qui fauchait le blé mûr d'un geste lent, sûr et précis.

XI

DE LA PLUIE, DES FROIDURES, DE LA FOUDRE ET DES VENTS, DÉLIVREZ-NOUS, SEIGNEUR

Nos quatre compagnons étaient sortis du champ de repos bien vivants, toujours aussi disparates, bâtis comme des paradoxes, traînant de par le monde, comme la veille, leur envers à l'endroit et leur sens dessus dessous, cherchant à traverser la vie sans se presser de rattraper leurs vieux jours.

Comme auparavant.

Ils restaient tous les quatre d'aussi bonne composition d'âme, de corps et de sentiments, et ne demandaient rien d'autre au siècle que la liberté de s'y ébattre à leur aise. Le siècle avait tout l'air de vouloir se montrer bon diable et de leur offrir mille occasions de lui chercher des poux, sans avoir à en rendre compte le lendemain à Dieu et à son père.

Rien n'avait changé. Quasiment rien.

Tels que nous les voyons : un rusé diablotin qui répond — ou ne répond pas — à l'appellation de Tom Pouce dit Gros comme le Poing ; un géant loyal et courageux Fort comme Quatorze ; un sage Figure de Proue sorti tout droit de ses aïeux après avoir sauté des chaînons de sa lignée qui s'était prolongée sans lui; et pour compléter le joyeux quatuor, un bien nommé Jour en Trop, beau comme un dieu, frais comme la vie, né entre deux temps, à l'heure où l'instant d'après n'est pas tout à fait sorti de l'instant d'avant... tels que nous les voyons, ces quatre enfants de la terre et des temps qui courent, n'ont gardé pour tout héritage du premier paradis que leur pomme d'Adam. Ils avancent donc fièrement à la quête et conquête de leur destin, tout nus sous leurs hardes, n'emportant pour affronter le monde et ses planètes que deux ou trois dons chacun, échoués par hasard dans leurs berceaux respectifs.

Ces dons réunis leur ont permis de découvrir, outre que la terre est ronde, qu'elle est quadrillée de parallèles, latitudes et longitudes; qu'elle tourne sur son axe à heures fixes sans jamais laisser les points cardinaux s'enfarger les uns dans les autres; et que depuis tout le temps qu'on lui gratte la croûte, elle n'a pas fini de livrer ses secrets.

Nos héros, sortis ébouriffés et meurtris de la bataille, n'en gardaient pas moins l'âme haute, le coeur résolu et la volonté ferme de ne laisser aucun bâton entraver leur route de fortune, ni aucun bourreau s'interposer entre leurs rêves et la réalité.

— D'ailleurs le bourreau est mort, de conclure Gros comme le Poing, le plus pressé de reprendre la route de l'aventure. Un bourreau sans son masque n'est plus rien.

Et pour bien montrer qu'il a démystifié l'imposteur, il agite au vent les lambeaux du drapeau noir et troué qui fut jadis la cagoule de leur ennemi. Jean de l'Ours et Jour en Trop saluent avec dérision le symbole de leur victoire, tandis que Messire René promène sur l'horizon des yeux chargés d'appréhension.

— Rien ne nous résistera, continue de s'égosiller le nain, parce qu'à nous quatre, nous sommes les plus forts.

Et se juchant sur le chapeau de son frère, il commence une longue diatribe sur la longueur, largeur et profondeur de la vie qui doit durer toujours, jusqu'à satiété, jusqu'à l'heure où nos héros décideront eux-mêmes de la rejeter comme une chaussette difforme et usée.

— Quand on ne voudra plus de cette vieille défroque, ce sera toujours assez tôt pour la jeter aux orties, qu'il gueule, appuyé sur la plume d'autruche de Jean de l'Ours.

Il se prépare à gloser à l'infini sur la métaphysique de l'être et de l'existence, quand une brise subite s'empare de la plume et fait tourbillonner Gros comme le Poing qui s'étouffe dans le duvet. Il finit pourtant par s'arracher au cyclone et crier à Jean de l'Ours de le remettre à terre. Mais avant de revenir sur ses pieds, il a le temps d'apercevoir les ailes grand ouvertes de la faucheuse au milieu du champ de blé... *Jamais je croirai que la garce va nous couper l'herbe sous les pieds,* qu'il marmonne entre ses dents, pour le plaisir des mots, pour se donner de la contenance surtout.

Messire René fronce les sourcils.

— Tenez-vous droits et ne bougez les pieds, qu'il fait d'une voix qui ne laisse aucun doute dans l'esprit de ses compagnons sur la gravité de l'heure. Je connais cette créature. Elle a nom de Margot l'Enragée.

Jean de l'Ours et Jour en Trop respirent : Margot, c'est un joli nom. Et puis un danger qu'on peut nommer n'est plus aussi dangereux ; comme un mystère est démystifié le jour où on l'appelle par son nom. Gros comme le Poing, qui a suivi le raisonnement de ses frères, est moins rassuré : il connaît au contraire la puissance des mots et leur pouvoir de destruction. Quand on s'appelle Margot l'Enragée...

— De mon temps, elle portait aussi le nom de Margot la Folle, continue l'ancêtre, ignorant les sillons profonds que creusent ses mots dans l'inconscient collectif de la petite troupe. C'est cette fameuse Dulle Griet qui apparaissait dans toutes les fresques et se promenait dans toutes nos légendes. Bien mal à propos. Nos artistes et conteurs auraient bien dû savoir que tôt ou tard, la mégère s'échapperait des murs, des cadres et des mots. La voilà désormais qui parcourt le monde comme une folle, semant ses fléaux à pleines mains.

Les trois autres restent ébahis devant une pareille histoire. Puis pour dire quelque chose :

— Envoyons le pigeon lui demander ce qu'elle cherche, propose Jour en Trop.

— Ou si elle a besoin de nous, d'ajouter Jean le Fort.

— Ou si elle veut mon pied au cul, de renchérir Gros comme le Poing qui ne risque rien, ayant mesuré d'avance la distance infranchissable entre son pied et le cul de l'intruse.

— Tenez-vous bien serrés les uns contre les autres, conseille l'ancêtre aux jeunes aventuriers. Et jurez-vous de n'abandonner aucun compagnon en détresse, quoi qu'il advienne, de vous secourir mutuellement en toutes circonstances, de reprendre la route coûte que coûte, même par les chemins tortueux et les mers ténébreuses, sous le soleil ou sous la pluie, alertes ou fourbus, toujours et partout, défendez-vous les uns les autres, jurez.

— Nous jurons!

Aussitôt le nain lève le bras vers le ciel et, le prenant à témoin :

— Jurons de venir également au secours de Marco Polo et de nous laisser de même secourir par lui.

Et les quatre héros tendent les mains vers le cinquième compagnon qui lâche un message jaunâtre et gluant sur la fraise de Messire René, manière de pigeon de leur crier : Bonne chance!

Et pffft! le monde est trop jeune, la vie trop large, l'appétit des héros trop vaste pour laisser une seule bonne femme de Margot, enragée ou pas, se glisser dans leur temps comme un ver dans la pomme. Que la terre les emporte gaiement dans sa course au sein de la galerie d'étoiles!

...Sauf que ce soir-là, aucune étoile ne se pointe dans le ciel. Bah! ce sera pour la nuit prochaine. Mais rien non plus dans la seconde nuit. Pas davantage dans la troisième. Un ciel vide. Ou trop plein. Selon Messire René, qui s'était beaucoup frotté à l'astronomie en son temps, le firmament ne paraît jamais aussi vide que lorsqu'il est chargé.

— Ce sont les déchets du ciel qui font fuir les astres, qu'il dit ; préparons-nous à du mauvais temps.

La fin de sa phrase s'achève en queue de poisson, détrempée comme un chiffon sous la pluie. Les dieux ont ouvert les écluses, et un torrent s'abat sur la troupe transie dès les premières gouttes, grosses comme des noyaux de cerises. Chacun se souvient alors de son aventure au coeur des nuages, dans sa prime jeunesse, où l'on avait découvert la tempête vue d'en-haut et d'en-dedans. Mais c'est autre chose de se trouver juste en dessous et de recevoir les clous sur la tête.

Figure de Proue craint que les grands froids ne viennent changer toute cette eau en glace et ne le transforment encore une fois en buste de cristal. Jour en Trop, qui jouait tantôt aux billes avec les gouttes, voit tout à coup ses billes devenues osselets. Quant à Jean de l'Ours, il s'effraye de sentir son écorce pourrir sous l'ondée, se couvrir d'une mousse touffue qui dégage une odeur de moisi. Quand on sort du bois, qu'il se dit... mais il n'a pas le temps d'en dire davantage que ses paroles lui figent dans le gosier.

Le souvenir de ses propres origines lui a rappelé celles de son frère sorti de la pâte. Ah! dieux! dans quel pétrin il doit se trouver aujourd'hui! Un déluge qui réussit à faire moisir du bois de chêne, que fera-t-il d'un petit pain? Et Jean de l'Ours, oubliant son écorce, fait éclater en mille miettes le mur du son, puis se met à fouiller dans les débris du mauvais temps pour y retrouver des vestiges d'un nain en détresse.

— Gros comme le Poing! Gros comme le Poing, réponds!

Hélas!

— C'est moi, Jean de l'Ours, ton frère, ton ami! Où es-tu, frèrot?

Pauvre frèrot!

— Tom Pouce! Pouçot! Gros comme le Poing, fils de ta mère! reviens!

Le fils de sa mère ne demande que ça, le malheureux. Mais comment? À peine si les mots de son frère parviennent à s'engluer dans la membrane ramollie de ses tympans. Ses oreilles ne sont plus que deux éponges informes et perforées; son ventre et sa poitrine ne sont plus que pâte molle et collante. Avant tout, empêcher ses membres de se détacher de son corps; ne pas perdre la face; garder sa tête sur les épaules. Quelle catastrophe! À vue d'oeil, son être entier change de forme, il pourrait au petit matin se réveiller crabe ou scorpion... *Qu'est-ce que je vais devenir!* qu'il a juste le temps de marmonner d'une voix pâteuse, avant de sentir ses lèvres s'agglutiner et se fermer derrière une croûte gercée. *Mon Dieu! mon Dieu!* songe-t-il au plus creux de son cerveau qui, curieusement, n'a pas été détrempé par la pluie... *Se pourrait-il*, qu'il se dit, le doigt sur la tempe — mais le doigt passe tout droit, la tempe a disparu — *que l'esprit garde son identité propre et poursuive sa route, intact et inchangé, dans un corps en métamorphose?* Le mot métamorphose redonne espoir au nain. S'il garde son identité, son être qui s'appelle Gros comme le Poing et qui parle à la première personne du singulier, qu'importe que son corps se transforme? Qui sait? il sortira peut-être agrandi de cette aventure... rien ne l'empêche de revenir du déluge dans une forme superbe et transfigurée... Et il crie au ciel de ne pas se gêner, quant à s'y mettre, de ne point ménager le levain dans la pâte, de faire enfler la croûte, de la dorer davantage, si ce n'est pas trop demander; et puisqu'on y est, souffler un peu plus de moelle dans les os, une huile plus douce aux jointures et, pourquoi pas? une goutte ou deux de sang bleu dans les veines. On ne vit pas tous les jours sa métamorphose!

Pendant que le nain s'efforce de sortir gagnant de la plus grande aventure de sa vie, ses frères fouillent les moindres plis et coutures du temps pour en rescaper leur malheureux compagnon. Ils secouent les broussailles, pataugent dans les mares, détournent la chute des torrents et cherchent désespérément à éponger le firmament vitreux.

Puis le soleil finit par chasser les derniers lambeaux de nuages et par entreprendre son grand ménage de midi. De tous côtés, on voit se dresser les brins d'herbe, rire les rigoles, valser les feuilles qu'on croyait mortes mais qui faisaient juste semblant. Et assis en plein milieu de l'été indien, Gros comme le Poing en train de faire dorer sa croûte flambant neuve.

— C'est lui! crie Jour en Trop qui l'a reconnu à son oeil à pic et en coin.

— Gros comme le Poing! s'exclament les deux autres en voulant lui sauter au cou.

Mais c'est difficile pour un géant d'enlacer un nain sans l'étouffer; alors il le soulève à hauteur des yeux et...

...C'est bien toi, Gros comme le Poing?

...Comme tu as changé!

...Qu'est-ce que la vie t'a fait?

...Comment te sens-tu dans ta nouvelle peau?

...On dirait que t'as grandi.

...En tout cas, tu as pris du poids.

...Et ton menton est mieux garni; puis t'as de la mousse sous le nez.

...Tes épaules sont plus larges, tes muscles plus fermes.

...Ta pâte s'est affermie et ta croûte rembrunie.

Enfin Jean de l'Ours laisse échapper dans un sifflement admiratif:

— C'est ton père Bonhomme qui serait content de te retrouver ainsi!

...Bonhomme, c'est bien loin tout ça, songe Gros comme le Poing qui n'a aucune intention pour l'instant de partir à la recherche de son père. Une vie nouvelle l'attend dans un corps tout neuf. Car maintenant il est rassuré: le déluge ne l'a métamorphosé ni en crabe ni en scorpion, mais lui a dilué la pâte, durci la croûte, et lavé légèrement le cerveau. Il se sent un autre homme.

— Qu'elles se montrent, les enragées Margot! Je saurai, moi, leur tourner la peau à l'envers et montrer au monde leur infecte doublure. Qu'elle s'amène, la Dulle Griet!

Elle s'amena.

Et le premier à en rester la bouche ouverte et les bras pendants fut notre héros Gros comme le Poing. Car cette fois il la vit de plus près. Il l'aperçut, en même temps que ses frères, debout sur la colline, et qui agitait les larges pans de son manteau.

— Ne restons pas ici, fit Messire René de sa voix la plus rauque. Cherchons refuge loin de ces buttes.

Et les voilà partis vers l'est, au pays du soleil levant. Se seraient-ils fourvoyés? Le soleil le lendemain matin tarde à se lever, et le jour suivant ne se lève pas du tout. Le nuit éternelle du Grand Nord a rogné les franges du dernier jour. Le temps est tout noir.

— Mais les champs sont blancs! de s'exclamer Jour en Trop qui vit son premier hiver.

Cet enfant Hors du Temps était destiné à vivre chaque année son an premier, à contempler chaque hiver sa première neige, et chaque printemps ses premières fleurs des champs. Son passé et son avenir se tassaient dans un présent qui n'en finissait plus de redécouvrir le monde à chaque instant.

— Tout blancs, qu'il dit, blancs comme neige!

— Mais *c'est* de la neige, nigaud!

Et Gros comme le Poing, en souvenir de son enfance où son frère et lui se livraient à des combats de boules de neige en se demandant à chaque printemps si l'hiver suivant accorderait un dernier sursis à leurs jeux d'enfants, lance un plein bonnet de neige dans la nuque de son cadet, pour le déniaiser.

— Ne nous attardons pas en ces lieux de froidure, propose Messire René. Cherchons à reprendre la route du sud.

Point de temps à perdre, je sens l'engourdissement envahir mes membres.

— Le sud est par là.

— Par là? Tu es sûr?

En réalité, le sud n'était plus nulle part: l'hiver n'a pas de sud, nos héros doivent se rendre à l'évidence... Autant imiter les arbres et les ours des bois, hiberner, et laisser le temps nous conduire, réfléchit Gros comme le Poing. Ainsi pourrons-nous sans bouger sortir du nord en débouchant ragaillardis dans le printemps.

Messire René frémit à l'idée de traverser un hiver sans bouger. Combien de temps durerait la saison froide? Ne serait-ce pas là tenter les dieux?... le diable?... Secouez-vous... frères... ne vous... laissez point... envahir par... par... par le somme...

— Le blizzard! s'en vient les prévenir Marco Polo. Fermez la bouche.

Gros comme le Poing comprend: respirons par le nez, ne laissons pas la froidure entrer crûment dans les bronches; gardons la tête basse, les yeux au sol, les jambes arquées; de temps en temps, frottons-nous les joues et les oreilles; et bougeons sans cesse les pieds. Gros comme le Poing était un vieux routier de l'hiver, comme son frère Jean. Pas l'ancêtre, venu du vieux monde. Et la troupe l'aperçut qui ronflait déjà, tous ses membres engourdis sous une épaisse couche de glace.

— Réveillons-le! s'écrie le nain. Souffle, Jean de l'Ours.

Et pour la deuxième fois en une si courte existence, le géant actionne ses narines et ses poumons et s'acharne sur le corps déjà froid de son ami... Figure de Proue, mon père, mon frère, Messire René, reviens, réveille-toi, sans toi nous sommes des enfants perdus... pendant que le nain et le cadet lui frictionnent les paupières et les lèvres en lui chuchotant des mots tendres mouillés de larmes qui tombent comme des dragées sur ses joues.

Tout à coup, le pigeon, qui n'avait pas cessé de voler de l'hiver au printemps, s'en vint avertir ses maîtres que les outardes étaient en route. Jour en Trop laissa tomber les bras, et Gros comme le Poing se laissa tomber tout entier. Il était temps! que soupira chacun, à bout d'espoir et de souffle, tandis que Jean de l'Ours, accroché à ses maximes, continuait d'achever l'oeuvre commencée. Il continua même à pomper l'air de ses bronches longtemps après que le gelé fut dégelé et ramené à la vie. Par principe, par entêtement dans le bien. À tel point que Tom Pouce eut autant de mal à calmer le souffle du géant, que le géant à revigorer celui du congelé.

Quand enfin Messire René ouvrit l'oeil, il le fixa sur sa compagnie et dit dans un accent qu'on ne lui connaissait pas:

— Hé ben! je crois que j'ai dormi une longue nuit. Mais me v'là bien regaillardi. Vous n'auriez pas, au fond de vos besaces, quelques miettes à offrir à un quêteux qui meurt de faim?

Les trois autres agrandissent les yeux et aperçoivent un Messire René tout neuf, rajeuni de dix ans, de dix décennies, presque de leur âge.

— Voilà notre René rerené, bégaye un Gros comme le Poing qui cherche par tous les moyens à revenir de ses émotions.

Au même moment, le V des outardes traverse le ciel dans un éclatement de couââââ... couââââ...!

— Le printemps est arrivé! hurle le nain en applaudissant des pieds et des mains. Que la Folle sache que ses froidures ne nous ont point mordus.

L'ancêtre avait retrouvé sa jeunesse d'antan, mais n'avait rien perdu de son ancienne sagesse. S'il avait pu prévoir le mot malheureux du nain, il lui aurait sûrement cousu les lèvres. Mais les imprévoyants sont en plus imprévisibles, Messire René s'en souvint trop tard.

La Folle avait à peine entendu son nom qu'elle apparut,

appuyée sur l'orée du bois. Le nain crut même l'entendre hurler quelque chose dans une langue indéchiffrable. Que voulait-elle cette fois? N'allait-elle pas les laisser en paix?

— Mais qu'est-ce qu'on lui a fait, à la gueuse?

Messire René se préparait à répondre à l'étourdi qu'on l'avait appelée par son nom, voilà ce qu'on lui avait fait et dont il aurait mieux valu s'abstenir. Mais devant le désarroi du nain, il se contenta de répondre:

— Taisons-nous, ne l'interpellons pas surtout. Il est des êtres qu'il est préférable de ne pas déranger.

Trop tard. Quand l'avalanche est déclenchée... Elle leur lance maintenant des injures dans leur propre langue. Le nain croit même entendre qu'elle traite son frère jumeau de gros patapouf. Ça, il ne le prend pas, se réservant pour lui seul le droit de maltraiter ses amis.

— Ose répéter ce que tu viens de dire! sommant ainsi Margot l'Enragée de l'affronter dans un duel de mots.

Encore un coup, elle ose, au grand désespoir des trois autres compagnons, plus du pigeon-voyageur, qui comprennent que les jeux sont faits et qu'on ne s'en tirera pas avant de recevoir sur la tête...

— La foudre! que huche le cadet, attention!

Des pans du grand manteau noir sortent des lances qui viennent blesser les arbres, les poteaux, les pignons de granges isolées, et tranche en deux dans un seul éclair un pommier sauvage et solitaire au milieu d'un champ. Le ciel est bientôt strié de zigzags en feu qui allument les nuages, leur arrachant un grondement étourdissant, puis éclairent les visages de nos quatre compagnons affolés.

Gros comme le Poing se souvient des orages de son enfance qui s'en prenaient invariablement aux paratonnerres que son père avait installés sur le toit du poulailler, tuant chaque fois trois ou quatre poules pour bien rappeler au sieur Bonhomme que rien n'est à l'abri de la colère du ciel. Pourtant les orages du bon vieux temps, à la lueur de la foudre d'aujourd'hui, font figure de divertissement de basse-cour dans la mémoire du nain qui cherche où cacher sa peau toute neuve. L'idée qu'il est sorti endurci du déluge d'automne l'incite à montrer un visage courageux et tranquille qui ne trompe personne, surtout pas son frère Jean qui l'a vu naître dans la pâte à pain.

— Enfouis-toi au creux de ma poche, qu'il lui dit.

Puis le géant invite les autres à s'abriter sous ses manches. Il les gardera contre la foudre.

Ses frères sont tentés de protester, ne serait-ce que pour les apparences, mais un coup bien claqué du tonnerre les plonge tous trois tête première dans leurs abris respectifs.

— Ne bougez plus, dit le Fort. Cette fois c'est à moi que l'Enragée s'adresse.

Et le combat commence.

Un combat défensif pour Jean de l'Ours qui comprend, dès les premières lances, que la lutte est inégale et que même un géant n'est pas de taille. La foudre a déjà vaincu des chênes plus grands que lui, ce sont les bois qui le lui ont appris. Il ne pourra donc que gagner du temps et se faire le bouclier de ses compagnons qui, sans lui, seraient déjà retournés en cendre. Tenir le plus longtemps possible, le temps de laisser calmer l'orage et d'éloigner la foudre... tenir... subir le choc des lances... brûler jusqu'aux os qui se fêlent le long de la colonne... pourvu que le coeur tienne encore un peu, vieille branche, fils de tronc de chêne, fils du Bonhomme menuisier qui ne t'a pas fait immortel, mais t'a mis au monde pour combattre le mal et secourir les autres... t'a donné avec la vie le courage, la loyauté... l'endurance jusqu'au bout... tiens encore un instant, Jean de l'Ours... pense à tes amis et à tes frères qui, à l'heure où s'effondra ton tronc...

Et le tronc s'effondra, entraînant dans sa chute trois compagnons ébarrouis par le choc. Ils sortirent pourtant la tête de la poche ou des larges manches du géant en cherchant à mesurer l'étendu du dégât. Et c'est là qu'en même temps les trois héros aperçurent le corps inerte du quatrième, le plus grand, le seul qui en ce jour méritait de porter ce nom-là : Jean de l'Ours dit Fort comme Quatorze qui avait offert en sacrifice son corps de géant pour sauver ses frères.

Gros comme le Poing prend sa respiration qui ne passe pas. Son souffle est resté collé aux parois de sa trachée. Il agrandit les yeux, la bouche, dilate les narines, rien. Il n'a plus d'air dans les poumons, plus de sang dans les veines, plus d'idées dans la tête. Plus rien que des images qui lui trottent au fond des yeux, des visions de petits diables ricaneurs et dansants qui lui crient : Ton frère est mort, ton frère est mort! Veux-tu que nous le ressuscitions?... À ce moment-là, précisément ce moment-là, Gros comme le Poing a compris le sens de vendre son âme au diable.

Nous ne saurons jamais s'il l'a vendue ou non, car Jean de l'Ours bougea à l'instant où le nain se débattait dans l'eau bénite en cherchant une fois de plus à contenter Dieu et son père.

C'est Jour en Trop qui s'aperçut le premier de l'éveil du géant.

— Il a ouvert les yeux, qu'il crie. Il sourit. Il veut parler.

Et les trois compagnons gardent un religieux silence pour recueillir sur les lèvres du ressuscité les premières paroles de celui qui revient des enfers.

— Il fait chaud, qu'il dit.

Puis il ne dit plus rien, le regard ébloui par le soleil auquel il avait cru faire un dernier adieu. Ses frères doivent le secouer, le pincer et finalement le chatouiller pour le ramener tout à fait sur terre.

— Époussette ta mémoire des poussières d'outre-tombe, lui dit Messire René qui n'est pas encore revenu de l'ampleur du miracle. Souviens-toi de ta vie que tu n'as quittée qu'un instant, durant l'orage infernal arraché au manteau de la Dulle Griet, à l'heure du marché, lundi matin.

Marco Polo arrête sa course en haute voltige et plonge jusqu'au couvre-chef de l'orateur à qui il signale, dans son jargon, que c'est encore dimanche. Gros comme le Poing, avant de traduire pour ses amis l'affirmation saugrenue du pigeon, commence par la contester :

— Allons! l'emplumé, parlons sérieusement. C'était hier dimanche, il faut que ce soit aujourd'hui lundi.

— C'est logique, répond le pigeon-voyageur, mais ce n'est pas ce qui est.

Le nain et l'ancêtre se grattent la tête : un pigeon raisonneur qui s'adonne à la métaphysique ! Et plus, qui pourrait avoir raison. Car au même instant, on entend sonner les cloches de la cathédrale lointaine qui convoque les fidèles à la messe. Mais si c'est aujourd'hui dimanche, lundi n'est pas encore. Donc l'orage n'a pas eu lieu. Donc Jean de l'Ours fut épargné par la foudre. Donc... voilà pourquoi il est encore vivant.

D'instinct Gros comme le Poing lève les yeux qu'il plonge dans ceux de Figure de Proue qui a lui-même le regard tourné du côté de Jour en Trop qui, l'air distrait, effeuille une marguerite. Seul Jean de l'Ours ne semble s'étonner de rien. L'un de ses frères aurait fait reculer le temps pour lui ? Mille fois merci, petit, je te dois la vie. Le géant a déjà oublié qu'il vient lui-même de sauver la peau des trois autres.

— Arrêtons-nous un instant, qu'il propose à ses compagnons, pour remercier le créateur du ciel et de la terre, en ce dimanche, de nous avoir accordé une semaine de huit jours. Employons le huitième à lui rendre grâce.

Les trois frères échangent des regards complices qui laissent entendre : la foudre n'a pas blessé son corps, mais lui a drôlement illuminé le cerveau.

Messire René cette fois a pris les devants en imposant silence au nain gueulard qui se préparait encore à commenter sur les agirs de Margot la Folle. Une folle dont la petite troupe venait de déjouer le pire guet-apens. Mais on n'est jamais à l'abri de ses fléaux, ne la provoquons pas.

Gros comme le Poing a compris — il a compris, tu peux te taire, radoteux — il ne dira rien, n'ouvrira même pas la bouche, n'insinuera point devant la garce ni devant personne que c'est quand même le cadet qui l'a eue, un petit dernier, né un jour en sus, un jour en trop, et c'est lui, l'innocent, avec son air de sortir de rien et de nulle part, qui a triomphé de la...

— Elle est là!

Comment! Mais c'est injuste. Cette fois le nain n'a rien fait, ne l'a point appelée ni provoquée.

— Faudra bien finir par la chasser pour de bon de nos vies, la bougresse!

Et pour renforcer son dire et s'adonner à son goût de la redondance, il ajoute :

— Pour de bon et une fois pour toutes.

Jour en Trop pose alors la main sur l'épaule du nain inquiet et lui dit :

— C'est à cause de moi qu'elle est revenue. Elle ne me pardonne pas le huitième jour.

Messire René s'approche aussitôt du groupe dans l'espoir de prévoir avec ses frères d'où viendra le prochain coup ; mais il n'a pas le temps de l'appeler par son nom complet que le cyclone a déjà frappé.

— La sorcière...!

La sorcière de vent, telle qu'on la nommait en son temps, a surgi du manteau de l'Enragée Margot qui agite des bras plus longs que les branches tombantes d'un saule. L'air se met à tourbillonner autour de la troupe agrippée comme elle peut aux bretelles de Jean de l'Ours. Seul le nain, qui ne veut rien perdre du spectacle aussi grandiose qu'effrayant, cherche à grimper plus haut et finit par s'accrocher à la plume du chapeau gigantesque. Pour une fois, il n'a pas peur, sûr que la Folle ne le cherche pas personnellement ce jour-ci. Ce jour-ci... Et le nain se donne un coup de pied au bon endroit pour se punir de n'avoir pas compris plus tôt. Elle vient pour Jour en Trop! Et du haut de sa plume d'autruche, il cherche de sa voix fluette à percer le vent d'ouest-noroît-nord-nordet-est-sudet-sud-suroît pour atteindre les oreilles de Figure de Proue qui se balance au bout du ceinturon de Jean de l'Ours. La question et la réponse se croisent au niveau des épaules du géant :

— Jour en Trop...

— ...a disparu !

Il aurait fallu s'y attendre, les vents l'ont emporté. Seul le mauvais temps pouvait avoir raison de l'enfant né Hors du Temps.

— Où est-il ? Marco Polo, mon ami, mon frère, va le repérer, je me charge du reste.

Comment ? il n'en a pas la moindre idée. Mais le nain se dit qu'un danger qu'on peut identifier est déjà à moitié vaincu. Qu'on lui indique seulement le vent coupable... mais ses cris n'atteignent pas le pigeon-voyageur, ballotté lui-même par la bise enragée et railleuse. La chance du nain et de l'oiseau, au coeur de ce fléau, leur vient de leur taille si minuscule que les tourbillons n'ont aucune prise sur eux et se contentent de les bercer de droite à gauche, de haut en bas, et de leur infliger tout au plus le pire mal de mer de leur vie.

C'est au moment où le nain, du faîte de sa plume en mouvement, se prépare à rendre la moitié de ses tripes, qu'il rencontre en plein ciel un regard aussi surpris que le sien.

— Quelle est cette girouette ?

La girouette, choquée de s'entendre appeler par son sobriquet, fait un faux mouvement et dérape. Elle a raté un tour et a du mal à se réorienter. Gros comme le Poing la regarde boiter et chercher sa voie entre les vents affolés, quand une petite lumière s'allume dans son cerveau. Elle est un peu plus grosse que son pigeon et sûrement plus rapide ; mais le nain est lui-même rentré du déluge avec la cuisse plus ferme et la voix plus grave.

— Approche ! qu'il fait sur un ton qui ne badine pas.

Mais la girouette est en bois et n'a pas d'oreilles pour

ce genre de musique. Elle a d'ailleurs retrouvé son aplomb et vire de plus belle au gré des vents, ses seuls maîtres.

Aïe! aïe! que songe un Tom Pouce à la fois déçu et humilié. Ainsi celui qui a le don de soumettre la volonté d'un être vivant n'a pas forcément pouvoir sur les êtres de bois! Et une fois de plus, malgré sa situation périlleuse, il prend le temps d'enfouir cette nouvelle découverte dans la besace de son cerveau.

En ouvrant la porte de sa mémoire, il y a entrevu l'image de son père Bonhomme, penché sur son établi d'ébéniste, qui avait su jadis arracher un enfant à un tronc de chêne. Les arbres aussi sont vivants, qu'il avait répondu à Gros comme le Poing qui rêvassait sur les origines insondables de la vie. Et de père en fils en girouette, Gros comme le Poing se remémore sa première chevauchée à dos de coq au-dessus du clocher de l'atelier de son père qui jetait les hauts cris en maudissant sa femme Bonne-Femme qui avait mis au monde cet écervelé.

Sans trop se rappeler comment il avait réussi, enfant, à grimper sur le dos de la girouette, pour jouer, il répète les mêmes gestes, bien des années plus tard, mais cette fois pour venir au secours de son frère en détresse. Et sans savoir comment, il se trouve à califourchon sur le dos de la girouette, en plein ciel, au centre d'une tornade.

En bas, Figure de Proue et Jean de l'Ours l'entendent hucher ses: hop! dia! giddup! et voient la girouette tourner à dia, à hue, à rebours, à contre-courant des vents qui s'affolent, s'embrouillent les uns dans les autres et finissent par perdre complètement le nord. Face à ce tourbillon en débandade, Gros comme le Poing saisit tout à coup l'étendue de son nouveau pouvoir. Et comme d'habitude, il en abuse.

...Huhau! girouette! bâbord! et tourne! et cap au sudsuroît! Que les vents se fouettent les uns les autres et s'entremêlent comme une crinière ébouriffée!

L'étourdi aurait bien continué ainsi jusqu'au soir à s'amuser aux dépens de l'ordre des choses et sur le dos de la nature. Mais jetant soudain un oeil en bas, il n'aperçoit que deux compagnons et se souvient de la disparition du troisième... Mon Dieu! qu'il se dit, Jour en Trop qui est pris dans le ventre du tourbillon! Et enlaçant le cou de sa monture, il lui commande de s'arrêter net et d'obliger les vents à s'apaiser et livrer leur proie. La girouette, épuisée, a dû secrètement savoir gré à son maître de lui accorder enfin du repos. Elle s'arrête, laissant tous les vents en panne, en plein vol.

L'ancêtre et le géant, à leur émerveillement, voient des lambeaux de sudet et de noroît flotter un instant comme des ballons crevés, puis tomber inertes à leurs pieds. Le ciel est redevenu calme et plat, l'air n'a plus un seul courant, la dernière brise s'est soufflée elle-même comme une chandelle épuisée. Et en s'enfuyant vers des régions plus clémentes, un jeune zéphyr laisse tomber de sous son aile un Jour en Trop encore tout ébarroui de sortir vivant de sa plus périlleuse aventure dans le temps.

— Je n'avais jamais imaginé, qu'il dit en retrouvant son souffle perdu, que le temps pouvait se changer en fléau... Un monstre, cruel et goulu, qui cherchait à m'avaler tout rond... J'ai vraiment cru un instant que la bonne femme Margot voulait me ravir à mes frères, me balayer du ciel, m'effacer de la vie.

L'ancêtre vient caresser la nuque encore moite du cadet qui sort de sa première grande peur.

— Tu en es sorti sans une égratignure et sans un pli au front, petit. C'est fini.

Fini. Le héros du jour — nul autre que le nain Tom Pouce dit Gros comme le Poing — peut sauter en bas de sa girouette et rejoindre sa compagnie qui lui prépare une fête à la hauteur de ses ambitions. Mais quand le héros sort le pied de l'étrier et tente de revenir sur terre, il mesure dans un seul coup d'oeil la distance qui sépare ses envolées chevaleresques du solide plancher des vaches. Et la tête lui tourne. Ses frères, en grimpant sur les épaules les uns des autres, édifient la plus haute tour de Babel humaine à jamais tenter les dieux pour aller décrocher du ciel un Gros comme le Poing qui, après avoir héroïquement sauvé la vie de son frère, a généreusement fait dans sa culotte.

Le même soir, le soleil se coucha tout rouge.

— Il fera beau demain, prédit Jour en Trop qui, après sa victoire dans le ciel, reçut le titre de grand-maître du temps.

XII

DES MISÈRES DE LA GUERRE, DÉLIVREZ-NOUS, SEIGNEUR

Les oies sauvages et les hirondelles se disputaient la gloire d'annoncer le printemps. Mais l'honneur échut finalement aux bourgeons qui éclataient à la face du soleil qui, tel que prévu, s'était levé de fort bonne humeur. Jour en Trop l'avait bien dit : *Il fera beau demain*. À croire que la honte avait chassé la Dulle Griet de la vie de nos quatre héros, laissant libre et propre devant eux le chemin de l'aventure.

Ils avaient en effet, et à quel prix! triomphé des multiples intempéries que l'Enragée s'était plu à semer sur leur route, arrachant de son vaste devanteau la pluie, les froidures, la foudre et les vents, dans le funeste dessein d'écraser tout ce qui se dressait devant elle.

...Et pourquoi? se lamentait Gros comme le Poing. Qu'avons-nous fait à Dieu et aux hommes pour que la nature s'en prenne à mes frères et à moi?

L'ancêtre écoutait son puîné se débattre avec ses angoisses et expériences passées. De tous temps Margot la Folle avait pourchassé les aventuriers qui osaient passer sur sa route.

— Elle a plein son tablier et son manteau de fléaux atmosphériques et s'est donné pour mission d'en ensemencer le monde. Vous comprenez, mes frères, que le premier qui lui barre le chemin est le premier frappé et qu'elle se souviendra de lui.

En cueillant cette sombre sagesse sur les lèvres de leur aîné, les trois autres en avalèrent jusqu'à leur glotte. Puis ils se ressaisirent petit à petit, Jean de l'Ours en portant haut son courage, les deux cadets en s'abritant sous le courage de Jean de l'Ours.

— Mais soyez en paix, que poursuivit Messire René, conscient de son rôle de maître et instructeur de ses frères. La semeuse de fléaux ne passe jamais deux fois au même endroit. Elle sait depuis hier qu'aucune de ses intempéries n'aura jamais raison de nous. De ce côté-là, nous pouvons rester tranquilles.

Ses trois frères se préparaient déjà à célébrer cette victoire définitive sur la Dulle Griet, quand le prudent Figure de Proue vint inonder d'eau froide leur âme enflammée. Pas définitive, leur victoire, oh! non. Car le monde connaîtra d'autres fléaux que ceux du mauvais temps.

— Plus profonds que les gouffres des cyclones ou que les cratères des volcans sont les abîmes du coeur humain, qu'il dit avec l'accent d'une expérience vieille de quatre cents ans.

— Ça veut-i' dire... que s'en vint balbutier le nain incapable de terminer une pensée qui risquait de mal finir.

— Ça veut dire, d'enchaîner Messire René, que le monde sera toujours le théâtre de ses jeux lugubres et violents, et qu'aucun aventurier ne saura le traverser sans risquer chaque jour de tomber dans l'une ou l'autre de ses embuscades.

Jean de l'Ours et Jour en Trop recevaient avec respect les enseignements de leur aîné. Seul Gros comme le Poing continuait à se débattre entre ses chimères et la réalité, cherchant la faille dans l'argument, le talon d'Achille de l'Enragée Margot... Une solution, bien sûr, serait de rebrousser chemin, de rentrer au logis paternel où le potage est toujours chaud et le plumard douillet ; ou mieux, de rester sur place, bivouaquer à l'orée du monde, sans aller se jeter entre les pattes de l'ogresse.

— Rien ne presse d'avancer, qu'il risqua soudain en dressant le coin de l'oeil du côté des trois autres. C'est pas sûr qu'on trouve ailleurs climat plus doux et plus grande abondance de blés mûrs dans les champs. M'est avis que...

Son avis resta sur les tablettes. Car ses trois compagnons connaissaient assez le nain pour savoir qui serait le premier debout tout à l'heure quand sonneraient les cloches du village voisin ou de la ville lointaine. Aucun n'avait prévu cependant que l'appel viendrait de la sirène d'un phare, du côté de la mer...

* * *

Rarement se levait-on avant l'aube dans la petite troupe, hormis, comme il se devait, le chef, capitaine, maître-après-Dieu, dénommé Gros comme le Poing qui s'était oint lui-même de l'autorité suprême. Personne en dehors de lui n'était au courant de cette royauté qu'il exerçait d'ailleurs sans marcher sur les pieds de ses sujets, n'allant pas à la cheville du plus petit. Le Pouçot aurait répondu à cette jésuitade par un chapelet de *cependant... pourtant... c'est selon... dépendant que... je vous dirais... à la bonne heure!* Mais le matin où il vint donner du nez contre les îles flottantes, notre héros Gros comme le Poing n'eut pas le temps de répondre à qui que ce soit ni de s'enfarger dans des locutions conjonctives, et se contenta d'émettre un *chut!* retentissant. Le nain ne pouvait se permettre, cela va de soi, de chuchoter tout bas. D'une aussi petite gorge, il lui fallait tirer le maximum de son s'il voulait se faire entendre. C'est pourquoi il hucha ses *chut silence!* à tue-tête pour réveiller la compagnie.

Si l'on dit de Gros comme le Poing qu'il vint donner du nez contre les îles flottantes, c'est par figure de style, comme l'on parle du char de l'État qui vogue sur les nuages. Car il était pour le moins aussi difficile au nez d'un petit Pouçot de se cogner à des îles qu'au char des États que je connais de voguer plus haut que leur propre parquet. Pas plus qu'à la main de l'homme de mettre les pieds dans la forêt vierge.

— Silence! qu'il s'époumonne en secouant les puces de ses compagnons. Sortez de vos couettes sans attirer l'attention.

D'abord ses compagnons n'ont pas vu le duvet d'une couette depuis leur ancienne vie et doivent se contenter de s'arracher à la moiteur de la pelouse qui baigne dans la rosée du matin; puis ils cherchent en vain quelle est cette attention qu'ils ne doivent pas attirer, n'apercevant pas âme qui vive à largeur des quatre horizons. Tout au plus voient-ils flotter sur l'eau, au large, des flaques de terre, qu'en langage ordinaire on a coutume d'appeler des îles. Quoique celles-ci se distinguent par une certaine mouvance et font plutôt songer à des taches d'huile répandues sur l'océan.

— Voilà deux îles qui n'étaient point là hier soir, que fait Gros comme le Poing en plissant les yeux jusqu'à les faire complètement disparaître entre les joues et le front. Et j'ai pour mon dire que des îles qui se donnent la peine de déménager de nuit n'ont pas la conscience tranquille.

Jean de l'Ours et Jour en Trop en sont encore à se décrotter les paupières, et Figure de Proue à fouiller dans sa prodigieuse mémoire pour trouver d'autres exemples de ce phénomène, quand Gros comme le Poing, juché sur la plus haute branche du plus haut peuplier, leur annonce que les deux îles majeures baignent au milieu d'une cour de satellites, de petits îlots flottants et subalternes, que toutes ces terres sont habitées, qu'il y distingue des maisons, un phare, des mâts et une foule en mouvement.

...Messire René se frappe le front du plat de la main: l'Atlantide!... des retailles d'Atlantide détachées de l'Europe flottent et se déplacent, lambeaux de l'ancien monde échoué dans le nouveau!

Pendant que l'ancêtre philosophe sur le sort des civilisations livrées au caprice des dieux, Jean de l'Ours a déjà pris la mer. Il patauge, avance, bat l'écume de ses bras. De petites îles errantes et déchiquetées peuvent avoir besoin de lui si elles nourrissent de bons sentiments ; dans le cas contraire, ce sont ses frères et amis qui auront besoin de lui. Et il ouvre la mer de ses membres géants.

Gros comme le Poing le hèle de toute sa gorge... Jean de l'Ours! Attention! on ne sait jamais! On ne connaît ni la provenance ni les origines de ces terres flottantes. Puisqu'elles flottent, c'est dire qu'elles se sont détachées. De quel continent? Dans quel but? Que sait-on de leurs intentions? Et puis ce n'est pas bien d'aller fourrer son nez dans les affaires des autres. Reviens, Jean de l'Ours!

Messire René, à l'abri de ces jérémiades, poursuit sa savante rumination... Les Atlantes, s'il s'en trouve pour avoir survécu au cataclysme, ne sauraient être que des vestiges de temps primitifs et barbares, restés en panne sur le chemin de l'évolution. Et le fils de Jacques, fils de Charles, fils de Charles, fils d'Olivier, qui oublie qu'il vient lui-même de sauter quatre siècles d'histoire, hoche la tête dans la direction des rescapés d'une plus antique antiquité.

Mais Messire René se trompait. On finit par apprendre que les îles flottantes ne s'étaient pas décrochées des colonnes d'Hercule et ne promenaient pas un peuple d'Atlantes à la dérive. On finit par tout apprendre. Et l'on fut à deux cheveux de s'en repentir.

Les trois compagnons restés sur la terre ferme eurent beau crier à Jean de l'Ours de s'en revenir, le géant né d'un tronc de chêne savait faire le sourd-comme-une-bûche quand les circonstances l'exigeaient. Dès le premier coup d'oeil, il avait estimé que cette chose flottante était plus grande que lui et qu'il devrait tôt ou tard s'y colleter. Car il flairait qu'elle ne pouvait être innocente, trop de remous bouillonnaient le long de ses rives. À pied, à la nage, à la planche, il atteignit enfin l'île la plus proche, qui se trouvait à mi-chemin entre le nord et le sud, et mit pied à terre. Puis ses frères le perdirent de vue.

Gros comme le Poing courait ça et là sur la plage, s'arrêtait pour se hisser sur la pointe des pieds, grimper sur une roche, sur un buttereau, en dévaler pour s'approcher de nouveau du rivage, mettre les mains en visière au-dessus des yeux, en cornet autour de la bouche, les enfoncer dans ses poches, recommencer le manège de courir ça et là sur la plage... et merde!

— Elle est là!

La même Margot, mêmement enragée, tout aussi folle, agitant tablier et manteau aux quatre vents, et ricanant à la face de la troupe regroupée d'urgence autour de l'ancêtre qui risque :

— Si elle se montre, la garce, c'est que les nouvelles ne sont pas bonnes du côté de la mer. Ne bougeons d'ici, enfants, et prions le ciel d'épargner notre frère et ami Jean de l'Ours.

Gros comme le Poing ne bouge pas, mais sent son coeur lui cogner les côtes, les bronches, l'oesophage et la trachée.

...Vite, Tom Pouce, gratte-toi le crâne, va fureter au fond de ta jarnigoine, trouve. Commence par avertir ton frère que la Folle est à ses trousses, fais-lui porter un message... Marco Polo!

— Marco Polo, mon pigeon, mon compagnon, rends-toi dans l'île, l'îlot du centre où vient de débarquer notre infortuné et bien-aimé Jean. Déniche-le. Puis dis-lui de ma part que Margot est revenue. Il comprendra.

— Il comprendra quoi? que se permet le pigeon-messager qui n'en est pas à sa première mission diplomatique. Dois-je le sommer de rentrer au nom de la fidélité jurée, ou du péril que court sa compagnie restée seule à terre?

Le nain reconnaît que son serviteur fut à bonne école et qu'il commence même à grimper sur les épaules de son maître.

— Ramène-le au nom de tout ce qu'il a de plus sacré, qu'il dit.

Jean de l'Ours n'avait rien de plus sacré que son âme, l'amitié de ses frères et leur sécurité. Dans l'ordre inverse. Dès qu'il apprit que la Dulle Griet était revenue secouer son devanteau infect aux pieds de la troupe, il reprit la mer sans se donner la peine d'arracher ses bottes de sept lieues et aborda au rivage les jambières rondes comme des bouées.

— Il y a quelque chose de pourri dans ces îles, qu'il fait en accostant ses amis.

Et la compagnie, assise en cercle sur le sable, se met aussitôt à peser, soupeser, estimer, jauger, évaluer et se partager la situation qu'on finit par juger critique au plus haut degré. En effet, les nouvelles que rapporte le géant de son exploration ne sont point réjouissantes. Restons sans illusions.

— C'est la guerre, qu'il dit enfin sans ménagement.

Autant appeler tout de suite un chat un chat.

Deux îles majeures, l'Île-du-Nord et l'Île-du-Sud, se font mutuellement une guerre sans merci. Tout avait commencé dans des temps fort reculés, à l'époque des grandes pluies, selon le Nord, en l'an premier, au dire du Sud, par un débat jamais tranché sur une question de droit d'aînesse. L'Île-du-Nord, se réclamant de la période glaciaire, étandait ses prétentions sur toutes les espèces vivantes ou fossilisées de dragons cracheurs de feu ; tantis que l'Île-du-Sud, qui prétendait s'être détachée d'une branche ayant appartenue dans les temps primordiaux à la terre de l'Éden, revendiquait des droits exclusifs sur l'arbre du bien et du mal.

...Mangez-les vos fruits défendus! que s'égosillaient les uns.

...Vous pouvez vous les farcir vos dragons! de s'époumonner les autres.

Et ainsi de suite, depuis des siècles.

C'est plus tard, bien sûr, que nos aventuriers apprirent les origines, causes et multiples péripéties de la guerre sainte qui opposait le Nord et le Sud. Car de sa première expédition en éclaireur, le géant ne rapporta rien qui put éclairer ses amis, étant par nature peu inquiet de ce genre de détails. Jean de l'Ours était prêt à jeter sa gigantesque personne au milieu des belligérants et au plus fort du combat, sans jamais demander d'explications ni chercher à connaître les droits des uns ou des autres. La seule raison du plus faible suffisait à réveiller son sens de l'honneur caché au fond de ses maximes. Mais en nageant vers les îles, il avait fait escale sur une barre, à mi-chemin entre le Nord et le Sud, où s'élevait un vieux phare désaffecté.

— Désaffecté! à quoi peut servir un phare désaffecté? voulut savoir Gros comme le Poing.

Jean de l'Ours n'avait pas songé à s'en informer. Selon lui, cette tour ne servait plus à rien... sinon à contempler la vie qui se déroulait tout autour pour en faire ensuite des histoires à raconter aux descendants.

Et voilà le mot heureux qui réussit, plus que l'honneur, le devoir ou la générosité, à convaincre Gros comme le Poing de partir en guerre. Car ce petit froussard n'avait éprouvé au début aucune tentation d'exposer sa compagnie et lui-même aux affres d'une guerre qui ne le concernait pas. Ce n'est qu'à l'appât tendu innocemment par Jean de l'Ours qui faisait miroiter des histoires que le nain mordit. Des histoires de guerres épiques racontées par un gardien de phare désaffecté! Grands dieux!

— Allons-y! Qu'est-ce qui vous retarde? Vite, ouste! en route!

Et ce diable de Gros comme le Poing, oubliant jusqu'à la couleur et le mode de sa peur, prit les devants de sa compagnie et conduisit ses troupes au front.

Un front qui n'était qu'un îlot, voire une barre de sable se glissant entre l'Île-du-Nord et l'Île-du-Sud, une dune surmontée d'un phare de bois moisi. Car vous n'imaginez pas que le nain allait pousser le courage jusqu'à débarquer dans la zone des combats. Une guerre, d'ailleurs, comme tout autre spectacle, se visionne mieux à distance. Le Pouçot là-dessus avait des idées bien arrêtées: l'éloignement crée de plus justes perspectives et permet de mieux juger du bon droit de chacun. Et à l'instar de beaucoup de ses devanciers, notre capitaine Gros comme le Poing, fit sa guerre de loin.

Récapitulons.

Quand le nain eut compris que ses frères et lui partiraient au front, il avait cherché à s'enrôler dans l'armée de réserve. Le réserviste, en plus de protéger les arrières, demeure la recrue de choix qu'on garde pour les grands moments, quand tout est perdu. Alors surgit le héros qui cueille les lauriers et ramasse le butin. Le nain manifestait d'autant plus de talent pour ce type de combat qu'il soupçonnait la drôle de guerre des îles de vouloir se prolonger indéfiniment et, par conséquent, de ne jamais s'approcher du jour où l'on ferait appel à la réserve. Mais tout avait changé avec la découverte du phare et de son gardien conteur. Mieux que réserviste, Gros comme le Poing se découvrait la vocation de chroniqueur de guerre. Ce n'est qu'en voyant le gardien traîner sa jambe de bois et le dévisager de son oeil de verre, que le nain put mesurer le danger que courait le phare, coincé entre les deux îles belligérantes.

En cet instant-là, notre héros eut envie de pleurer.

Mais il n'en eut point le loisir. Car les événements se mirent à se bousculer à une telle allure et dans une telle rage, que nos quatre compagnons, plus le pigeon-voyageur, furent quasiment emportés dans le tourbillon. On se battait maintenant aux armes lourdes et meurtrières, à coups de fourches, marmites, pots de confitures fermentées qui éclataient au nez des curieux. La lutte s'était généralisée et n'épargnait personne. Même pas la veuve et l'orphelin. D'ailleurs les peuples en guerre ne connaissent bientôt plus que ça. Or les îles du Nord et du Sud guerroyaient depuis que le monde est monde.

...Mangez-les vos fruits du bien et du mal!

...Torchez-vous de la peau de vos dragons! Vous n'êtes

pas sortis de la période glaciaire, mais du temps de la crise, menteurs!

...Et vous d'une terre qui appartenait aux voisins qui vous l'ont donnée par charité, quêteux!

...Je vous en ferai, moi, des quêteux!

Et pan!... et bang!... et pouf!... et psss... souiiichchche...

Au matin du sixième jour, Messire René réunit sa petite troupe au dernier étage du phare et lui tint à peu près ce langage :

— Mes amis, mes enfants, l'heure est venue de prendre parti et de nous engager dans le combat. Il est indigne à des hommes de coeur de contempler du haut de leur tour une guerre fraticide sans tenter de mettre la paix entre les frères ennemis, fût-ce au prix de leur vie. Nous ne saurions plus longtemps nous soustraire à nos devoirs envers nos alliés.

— Mais qui sont nos alliés? se hâta d'interrompre Gros comme le Poing, ravi de trouver une si bonne excuse à leur neutralité. Messieurs, point d'alliés pour les neutres. Restons tranquillement et consciencieusement pacifiques.

Et le petit faiseur se félicita de son bon mot. Ainsi n'irait-on pas en guerre.

Qu'il crut.

— Pourquoi les îles flottent-elles comme des barques? que demanda soudain le cadet Jour en Trop, l'oeil collé à la lunette du gardien.

Et l'on apprit que ces peuples belliqueux avaient jadis connu l'exil, quelque part le long de leur histoire, du temps qu'ils étaient encore frères. Eh! oui, frères, sortis d'une même souche, du même ventre d'une terre fertile. Trop fertile, c'était une tentation. Et des voisins voraces avaient fini par leur tomber dessus. Oh! alors, quelle bouchée on en avait fait! Un morceau de lion! Et le lion vola leurs terres aux enfants du pays. Depuis, ils erraient de par le monde, traînant leurs racines comme des algues, cherchant une terre ferme et solide où les replanter.

Nos quatre héros se dévisagèrent pour la première fois depuis le début du récit épique que psalmodiait le chroniqueur des îles ; et chacun avala un sanglot de la taille de son émotion. Gros comme le Poing chercha si bien à camoufler le sien, qu'il l'avala tout de travers et s'engotta. Alors, pour se donner de la contenance, il laissa passer la première idée qui s'arrachait de ses reins et qui devait, comme nous allons voir, changer le cours de l'océan.

— Des racines flottantes comme des algues? qu'il dit. Qu'est-ce qui nous empêche de nous y accrocher, comme à la queue d'une comète, et d'aller nous-mêmes transplanter ces îles en terre meilleure ?

Les trois compagnons, le gardien, le pigeon bleu, tous regardent l'audacieux petit bonhomme droit dans les yeux, à la fois perplexes et fascinés. Puis petit à petit, on laisse à l'aîné le soin de peser les conséquences d'une telle initiative et de conclure :

— Il ne revient pas à des étrangers de se mêler de la guerre des autres.

Gros comme le Poing pianote sur l'allège de la fenêtre. C'est pourtant le même Messire René qui défendait tout à l'heure la thèse de la solidarité entre alliés. C'est lui qui évoquait la dignité de l'homme...

...La dignité de l'homme? Jamais ce ressuscité des temps anciens n'aurait pu exprimer en ces termes une notion qui n'avait pas cours à son époque. Quant aux devoirs vis-à-vis de ses alliés, ça n'impliquait pas tout de même la transplantation des peuples.

— L'histoire démontre, que se met à gloser l'ancien...

Gros comme le Poing comprend qu'il ne gagnera rien à combattre l'adversaire sur son propre terrain ; et l'histoire c'est le territoire de l'ancêtre. Mieux vaut s'armer d'idées nouvelles.

— En transplantant des îles, on ouvre la voie à la recolonisation, qu'il dit, et on offre aux peuples opprimés la paix et la sécurité en échange d'une terre désuète et ancestrale. La paix, la paix avant tout.

Tandis que les autres boivent ses paroles comme du petit lait, et que Messire René fixe la barre d'horizon, l'air soucieux, Gros comme le Poing profite du silence pour pousser son idée qui, en germant, en fait éclore de nouvelles. Et d'idée en idée, en moins d'une heure la compagnie avait tracé le plan d'une stratégie qui aurait fait rager Alexandre et Napoléon.

On commença par charger le pigeon-voyageur de missions de reconnaissance auprès des deux camps. Car avant de mettre à exécution le projet de recolonisation, il fallait tout tenter pour réconcilier les adversaires par les voies diplomatiques. Proposer, négocier, parlementer...

— Parlementer, je veux bien, que vint s'interposer le pigeon, principal intéressé. Mais mon maître a-t-il songé que lui seul parle et comprend la langue des animaux et saurait, par conséquent, se faire l'interprète entre les insulaires et le chargé de mission?

Gros comme le Poing fut au bord de l'apoplexie... Non, mais pour qui se prend cet emplumé? Le maître, se faire le serviteur de son valet! Lui, le stratège génial, commandant en chef de ses armées, réduit au rôle d'interprète des oiseaux! Et il maudit sa généreuse marraine qui l'avait accablé de ses dons.

Figure de Proue finit par jeter le poids de son autorité dans le débat et par faire triompher le bon sens. C'est le pigeon qui avait raison: un messager ne saurait à la fois livrer et interpréter les messages. Certaines décisions devaient se prendre en haut lieu. Et dans les circonstances, seul Gros comme le Poing était de taille à chevaucher dans les airs à dos d'oiseau.

Et voilà comment notre petit héros, après avoir tempêté et tapé du pied tout son saoul, s'en alla-t-en guerre.

Encore une fois, Tom Pouce fut forcé de faire la preuve que le courage ne consiste pas à n'avoir pas peur ; mais, malgré la peur, à partir au front. Et puis ce n'est jamais que la première gorgé qui coûte à celui qui se noie. Dans le feu de l'action, on n'a pas tellement le temps d'écouter son coeur, on le charge plutôt de pomper vers le cerveau de nouvelles énergies. C'est ainsi que ce nain froussard finissait toujours par se trouver au premier rang de l'aventure, quoi qu'il lui en coûtât.

Comme on devait s'y attendre, les négociations ne donnèrent rien, le haut commandement de l'une et l'autre îles refusant tout net de recevoir un émissaire de si petite taille voyageant en pigeon. À sa honte, Gros comme le Poing dut revenir à son quartier général du phare, abandonnant le Nord à sa colère contre le Sud, voleur de terre promise ; et le Sud fustigeant le Nord, usurpateur de droit d'aînesse.

— Fort bien, conclut Messire René ; puisque c'est comme ça...

— Puisque c'est comme ça, fulmina le nain mortifié dans son orgueil de fin négociateur, envoyons nos gros canons. À toi, Jean de l'Ours.

Le géant comprend qu'il part en mission de paix. Et il s'arme jusqu'aux dents. Il ajuste sa ceinture, pend à son cou ses bottes de sept lieues, enfonce son chapeau sur ses oreilles, et fait craquer ses articulations pour bien vérifier l'état de ses muscles et de ses os. Il embrasse chacun de ses frères, serre la main du gardien, cligne de l'oeil au pigeon, se signe des deux mains et plonge.

La mer en eut un tel hoquet, que ses vagues s'en vinrent ébranler les pilotis du phare, au grand dam du gardien qui se souviendrait des aventuriers de grands chemins et de leur zèle pour la paix. Mais pour l'instant, nos compagnons ont d'autres soucis que la collection de coquillages d'un gardien de phare ; et ils s'arrachent la lunette pour mieux suivre la progression du conquérant. Ils voient que les eaux se sont calmées et portent sans l'ombre d'un remous un nageur, géant parmi les hommes, mais sur l'océan immense, petit roseau égaré.

— Mais roseau pensant, se permet Gros comme le Poing qui n'avait pas oublié ses classiques.

L'ancien cligne des yeux d'étonnement devant les trouvailles du nain en se disant que, moins étourdi, ce rusé bonhomme aurait pu aller loin.

Durant ce temps, au large, le roseau pensant ne cherche pas à penser, ayant trop à faire à se souvenir des multiples recommandations de son frère qui, depuis leur enfance commune, a pensé pour lui. Gros comme le Poing l'a bien chargé d'éviter avant tout les boulets de la grosse Margot ; de s'approcher des îles par en dessous, en ne faisant surface que pour respirer ; de bien démêler les algues au fond de l'eau, en distinguant les vraies des fausses qui sont des racines mortes ; de s'emparer de celles du Nord — ou du Sud, pas des deux à la fois — et de les attacher à sa ceinture. Il se souvient aussi des réflexions de Messire René qui disait : Puisque la discorde repose sur un préjugé, tu n'as qu'à remettre de l'ordre dans les faits en remorquant les îles, comme un dragueur, transplantant le Nord au sud et le Sud au nord. Jean de l'Ours n'a pas saisi le sens de cet exposé, mais en a retenu le contenu : transplanter le Nord au sud et le Sud au nord.

Ce qu'il fait. De nuit.

À sa grande surprise, il s'aperçoit qu'une fois lancée, une île flottante se laisse draguer comme un navire, sans opposer de résistance. On a vu ainsi de fort petits remorqueurs tirer des paquebots gigantesques. Tout est une question de friction, comme disait Gros comme le Poing qui passait sa vie à calmer les frictions qu'il avait lui-même provoquées.

Soudain une clameur s'élève du rivage. De la tour de son phare, le gardien vient de crier à ses hôtes que c'est réussi : la position des îles est inversée. Et nos trois compagnons restés sur la terre ferme peuvent admirer l'oeuvre de leur frère. Il n'y a plus de doute, l'Île-du-Nord est bel et bien enracinée au sud de l'Île-du-Sud. Hourrah!...

Jean de l'Ours, avant de replonger pour rejoindre sa troupe, s'en écarquille les yeux et hoche la tête. Lui, le cancre qui n'a jamais su distinguer, sur les bancs d'école, un triangle isoscèle d'une racine carrée ou un participe passé d'un adjectif verbal, vient de refaire, par la seule force de sa volonté et de ses bras, un large pan de la géographie du monde.

Et on l'accueille comme le nouveau Christophe Colomb.

Pendant que Gros comme le Poing se tenait debout dans le plus petit hublot du phare, haranguant sa troupe sur l'art de gagner la guerre sans livrer une seule bataille, les deux îles se réveillèrent au petit jour pour constater que le monde était renversé et que le soleil désormais se levait à l'ouest. Car pour chacun de ces peuples, il était moins difficile d'admettre une révolution dans les astres, que le bouleversement de leur situation géographique. Jamais les nordistes ne conviendraient qu'ils pourraient se trouver soudain au sud des sudistes, ni les sudistes au nord des nordistes. Plutôt prêcher que le soleil avait changé son cours.

Gros comme le Poing s'en attrape la tête.

— Merde de merde de merde! qu'il fait en refusant d'admettre jusqu'où peut se rendre la bêtise humaine. Allons leur démontrer par *a* plus *b* que 2 plus 2 font 4.

Et voilà notre troupe qui abandonne le phare à son gardien et qui vogue gaiement à dos de géant vers les îles.

Nord ou Sud?

— Pargageons-nous-les. Mieux vaut deux délégations qu'une.

On joue à pile ou face: Gros comme le Poing et Jean de l'Ours ont hérité du Sud et saluent leurs compagnons qui partent à la nage vers le Nord. Messire René, avant de les quitter, prend le temps de recommander à ses frères un surplus de prudence plutôt qu'un excès de zèle. Et l'on se donne rendez-vous au même endroit, à la même heure, le jour suivant.

On apprendra plus tard la teneur des arguments des missions respectives : celle de l'ancêtre et du cadet s'appuyant davantage sur l'histoire et la raison pour démontrer les méfaits d'une guerre fraticide illimitée ; l'autre faisant reposer son argumentation sur la taille, la force et la réputation anthropophagique du géant. Puis de part et d'autre, on entreprend de démontrer au Nord et au Sud que le soleil se lève toujours à l'est et que, par conséquent, chaque camp doit reconnaître qu'au cours des temps sa position a changé.

Les îles finissent par céder. Non pas au nom de l'astronomie — chacune continuant de jurer que le soleil ne se couche pas sur ses terres — mais à cause des harengs qui depuis des millénaires suivent les morues, qui fuient les baleines, pourchassées par les icebergs, descendant forcément du nord. Ces insulaires inflexibles sur les traditions auraient plus facilement vu changer le cours du soleil que celui des harengs. Et à cause des harengs, l'Île-du-Nord et l'Île-du-Sud reconnaissent enfin qu'ils ont interchangé leur position.

Reconnaissent par conséquent qu'ils doivent faire face à leur nouveau destin.

C'est à ce moment-là que Figure de Proue fait appel à sa mémoire infaillible et à sa vaste connaissance du passé pour instruire les nouveaux peuples sur leurs racines profondes et les aider à retrouver leur identité propre. Il entreprend sous leurs yeux ébahis de remonter l'histoire à rebours.

— Au commencement, qu'il dit...

Il leur en dit tant et tant, que les insulaires finissent par rougir et se cacher la face. Car ils apprennent comment un jour il y eut un volcan primitif qui, dans une éruption soudaine, a vomi sa lave jusqu'aux parois de la voûte céleste ; comment cette lave, au contact des froids absolus, s'est durcie en une scorie infecte qui est retombée en plaques de terre plus ou moins grandes, plus ou moins biscornues, plus ou moins en équilibre sur les eaux; comment deux de ces morceaux de terre se sont distanciés l'un de l'autre, avec le temps, ballottés par des courants contraires; et comment tous deux finirent par se distinguer, se définir, se dénommer respectivement Île-du-Nord et Île-du-Sud.

Pauvres petites îles! Elles ont écouté, blêmes de confusion, l'histoire de leurs origines communes et assez burlesques: nées de la vomissure d'une montagne en éruption, d'une scorie puante et durcie, tombée en plaques de terre biscornues, emportées par des courants contraires et fortuits. Pour des îles qui traînaient leurs racines glorieuses de par le monde depuis le commencement des temps, cette révélation fut le coup de grâce. Et elles cherchèrent à noyer leur honte au plus profond des eaux.

Nos quatre héros contemplèrent leur désarroi et se prenaient de compassion pour les îles déconfites. Chacun cherchait à les remonter et les forcer à faire surface... Allons! nul n'est sorti de la cuisse de Jupiter, disait Messire René. Chaque ville est née d'un village; chaque royaume d'un domaine empiétant sur le domaine voisin. Le Nord découvrira bientôt les bienfaits du climat du sud, et le Sud les avantages des rigueurs du nord. Vous verrez!

...Qu'est-ce qu'une époque glaciaire quand on a la chance de sortir de la terre promise! renchérissait Gros comme le Poing devant les gens du Nord rendus au sud.

Puis se tournant vers le Sud flottant sur les eaux du Nord:

— Vous voudriez retourner là-bas traîner éternellement votre nostalgie des paradis perdus? Voyons donc! Rien n'est plus beau qu'une aurore boréale.

Et d'aurore boréale en arc-en-ciel en étoile du berger, l'ingénieux Tom Pouce amenait l'eau à la bouche des insulaires et, à son insu, de l'eau à leur moulin respectif. Car bientôt, la Nouvelle-Île-du-Nord se mit à lever le nez sur la misérable petite dune de sable qui se laissait balloter sur les mers australes; tandis que la Nouvelle-Île-du-Sud ricanait en jetant un oeil du côté du septentrion où un pauvre morceau de terre était la proie des eaux ténébreuses.

...Ça sort de l'époque glaciaire, ça? Peuh! Leurs dragons n'ont jamais craché le feu, mais un venin qui leur a durci le coeur et ramolli le cerveau!

...Ç'a des prétentions jusque sur le paradis terrestre, figurez-vous! Ha, ha! Un paradis de serpents et de pommes pourries qui leur ont empoisonné les reins! Mangez-les vos fruits défendus!

...Vous pouvez vous les farcir vos dragons!

Et ainsi recommença la guerre entre le Nouveau-Nord et le Nouveau-Sud.

Notre troupe eut juste le temps de replonger à la mer et de regagner le phare, puis la terre ferme.

— Merde! que s'égosilla le nain en quittant les îles. On ne connaîtra donc jamais la paix?

La réponse vint d'au-dessus de sa tête, déboulant l'octave dans un ricanement qui lui scia la racine des dents.

— La garce!

En personne, le manteau grand ouvert, le devanteau rempli à ras bords, Margot l'Enragée semait ses fléaux à tous vents. Les quatre compagnons la virent qui prenait le chemin des îles, enveloppant l'horizon de son ombre maléfique.

— Voilà, conclut Messire René le sage, quand l'image grotesque eut disparu du côté de la mer. Après les intempéries, la guerre. La mégère ne prend jamais de repos.

— Nous, si! fit Gros comme le Poing en donnant de grands coups de pieds à l'air du temps. Rentrons dans les terres, cherchons un coin de pays où règnent l'ordre et la paix.

Et pour lui-même, il marmonna entre les dents:

...Jamais je croirai que dans le huitième jour...

Cette image le ramena malgré lui à son enfance où il avait laissé un Bonhomme et une Bonne-Femme, penchés au-dessus d'un établi et d'un pétrin.

XIII

DE LA FAMINE, DE LA PERFIDIE ET DES ROIS FAINÉANTS, DÉLIVREZ-NOUS, SEIGNEUR

Dans le pétrin! Voilà où était né notre Tom Pouce: dans le pétrin! Et il se surprit à envier son frère sorti du bois. Son géant de frère qui, malgré sa grosse tête anguleuse et cobie, n'en impressionnait pas moins les passants qui se courbaient devant lui en levant leur chapeau. Personne n'aurait songé à faire la moindre révérence au passage d'un nain qui sentait la levure et la farine de blé. Son père avait raison: ce mal fichu ne parviendrait jamais à gagner tout seul son pain.

...Et merde et merde et merde!

Il leva la tête et n'aperçut aucun de ses compagnons, sans doute avachis dans l'herbe en train de refaire leurs forces sans se soucier de leurs origines ni de leur destinée. Pourquoi lui seul, Gros comme le Poing, devait-il traîner de par le monde ce trou au coeur qu'y avait laissé son ancêtre Adam en mordant dans la pomme? Le fruit défendu! Peuh!

Depuis qu'il était au monde qu'on lui avait interdit ceci et cela, et encore ceci, et toujours cela! Quand connaîtrait-il le jour où tout serait permis, y compris ce qui est défendu?

...Et merde et remerde!

Sa mère racontait avec tant d'accent et un tel trémolo

dans la voix sa naissance merveilleuse, pétri à même sa pâte, roulé et façonné entre ses doigts, un petit bonhomme appelé dès sa venue au monde par son nom propre inscrit sur sa peau et qui se promenait déjà dans les contes et livres d'images de son pays. Un prédestiné sorti du huitième jour!

Où se cachait-elle, aujourd'hui, sa fameuse prédestination? De quel bord se tenait l'avenir? Son avenir? Allait-il enfin, une bonne fois, goûter à la vraie pomme, celle du bien et du mal, celle qu'on interdisait à tous les fils d'Adam depuis la Chute, qu'on traitait de tache originelle et qui était peut-être la clef du bonheur?

Le bonheur!

Le mot le plus répandu et pourtant le plus indéfinissable. Prenez rien que son père Bonhomme et sa mère Bonne-Femme, et laissez tomber entre eux, au hasard, le mot bonheur. Chacun s'en emparera, l'arrachera des mains de l'autre, le tournera et retournera en écartelant ses consonnes et épluchant ses syllabes. Le bonheur de Bonne-Femme finira dans sa boîte à couture et sa huche à pain. Le bonheur de Bonhomme revolera de son rabot dans la sciure de bois.

Et Gros comme le Poing?

Il se tâte, sourit par en dedans, se pelotonne sur lui-même et glisse tout son être entre les lobes de son cerveau. Le bonheur, s'il se cache quelque part, il faut que ce soit au fond de son imaginaire. Là, comme des spécimens en étalage, sont rangés tous les modèles de bonheur: beauté, plaisirs, puissance, gloire, héroïsme, richesses, tendresse, talent, amitié, amour... Dans ses rêves, Gros comme le Poing est capable de tout, a une capacité de bonheur infinie.

Ou presque.

Pas infiniment infinie. Chaque fois il s'arrête, rassasié avant d'avoir touché le fond du coffre aux trésors. Et change de rêve. Recommence. Passe d'un plaisir à l'autre, de la puissance à la gloire à la beauté à l'amour... Et chaque fois, il découvre que le plus grand bonheur, il l'a connu dans la création d'un bonheur nouveau.

Il lève la tête et cette fois aperçoit ses trois compagnons assis dans un champ de trèfle en train d'effeuiller des marguerites.

...Tiens, tiens! qu'il se dit... me marie, me marie pas, me marie...

— Que diable faites-vous là, flandrins, à l'heure où crient nos plus grosses tripes? Debout, flancs mous! La vie est encore jeune et l'avenir est en avant. Je défie les matins calmes, les temps longs et les temps morts de nous emprisonner dans la morte saison. Allons, mes frères, à l'aventure!

Et se tapant dans les mains pour mieux les embrigader:

— Ouste! en route! J'ai faim. Tant pis pour le blé mort!

Messire René fronce des sourcils embroussaillés.

...Si le blanc-bec pouvait apprendre à cesser d'appeler les fléaux par leur nom, qu'il songe, chatouillé au plus vif de ces appréhensions. Qu'a-t-il besoin, à tout propos, de provoquer le destin!

Jean de l'Ours s'est redressé aux appels rugissants de son frère et aperçoit sur la courbe de l'horizon un profil mobile et sombre qui ne lui est pas étranger. Il ouvre la bouche pour en avertir ses compagnons, mais Marco Polo, qui voit encore plus loin que lui, est également plus rapide.

— La Dulle Griet! la Dulle Griet! qu'il jacasse, empruntant pour une fois son langage à la pie.

Gros comme le Poing à tout juste le temps de ravaler sa faim et ses rêves impossibles et d'attraper son cadet Jour en Trop par le mollet. Vite, ramassez vos jambes. Que chacun se trouve une sapinière ou une broussaile, et cachez-vous!

Messire René dresse l'oreille et cherche à comprendre la cause du tapage et du branle-bas, quand il entend cogner sur les pavés les lourds sabots de Margot la Folle qui s'en vient tout droit sur eux. L'ancêtre, bras étendus pour protéger ses frères, ne voit plus rien ni personne, sinon des oiseaux qui s'envolent des sapins, et des lièvres qui sortent effarouchés de la broussaile. Et à son tour, le vieux plie son échine de quatre siècles et disparaît sous la feuillée.

La Dulle Griet les a-t-elle vus? ou sentis? A-t-elle deviné leur présence trop enracinée dans l'existence pour ne pas laisser flotter derrière eux un relent de vie? Partout où s'aventuraient nos quatre héros, hélas! la terre gardait longtemps l'empreinte de leurs pistes. Il leur était bien difficile de passer inaperçus. Pour leur gloire et leur malheur.

Au grand péril de leur vie, à l'occasion.

Messire René devait les instruire plus tard sur la vraie nature de Margot la Folle, pas si folle que ça, mes frères, et qui savait parfaitement à qui elle avait affaire dans la personne de nos quatre compagnons.

Quatre compagnons qui pour l'heure se tiennent muets et immobiles sous les arbres et arbustes, implorant les trois cent soixante-cinq saints du calendrier — trois cent soixante-six pour Gros comme le Poing né en année bissextile — de chasser la semeuse de fléaux de leur champ de vision.

Mais les saints du calendrier ce jour-là doivent avoir l'oreille ailleurs. Car la semeuse choisit précisément la route de nos héros pour y répandre son blé en herbe.

...Pas possible, se dit le géant, du blé en herbe. Voilà qui eut fait grogner son père Bonhomme qui avait un tout autre sens de l'économie. Ne jamais manger du blé vert, qu'il répétait à ses fils, pas plus que semer toute sa semence dans le même champ. La Margot aura tôt fait d'épuiser la terre à cueillir ainsi le germe avant le fruit, qu'il songe.

Soudain, à leur ahurissement, les trois frères voient le jeune Jour en Trop se glisser hors de la brousse et ramper vers la Faucheuse... qui continue tranquillement d'arracher aux larges poches de son tablier des poignées d'épis verts qu'elle sème des deux côtés de la chaussée.

Messire René se bouche les yeux.

— Retenez-le! Ne laissez pas le petit l'approcher! Son blé est empoisonné.

Au mot *poison,* le géant et le nain s'attrapent le ventre. Puis sans réfléchir, Jean de l'Ours sort de sa sapinière et saute le fossé, tandis que le Pouçot, réfléchissant de toutes ses forces, n'en suit pas moins son frère. Car il a entendu l'ancêtre marmonner une phrase comme *Si vous tenez à sa vie*... Gros comme le Poing, qui tient d'abord et avant tout à la sienne, tient presque autant à celle de ses frères : à celle de Jean de l'Ours, son alter ego ; à la vie de son ancêtre, maître de la compagnie ; et soudain, en le voyant se jeter si inopinément dans la gueule du loup, à son cadet sans autre défense que sa totale innocence. On ne peut tout de même pas abandonner un enfant inconscient et sans expérience du mal dans les griffes d'une Folle enragée. On ne peut pas, merde !

Toutes ces réflexions, Gros comme le Poing ne les contrôlait même plus, elles l'assaillaient de partout, il n'en était plus le maître, pas plus le maître de son courage que de sa peur. Et c'est ainsi qu'il se trouva soudain aux pieds de la Dulle Griet, sans savoir comment il s'était rendu jusque-là.

Bien sûr, Jean de l'Ours l'y avait précédé. Quand le nain leva les yeux, il vit d'abord le géant, dressé de toute sa taille devant la Faucheuse. Puis regardant encore plus haut, il aperçut le bonnet de l'Enragée Margot qui dominait son frère de toute la tête. C'était la première fois que Jean de l'Ours se mesurait à quelqu'un de plus grand que lui. C'est pourquoi il n'hésita pas un instant à l'affronter. Avec d'autant plus de rage que la Folle avait déjà attiré le petit Hors du Temps à plonger les yeux dans son devanteau et se préparait à lui faire également planter les dents.

— Ne la touchez pas ! que crie de loin Figure de Proue qui s'amène aussi vite qu'il peut sur ses jambes rhumatisantes et rachitiques. Éloignez-vous d'elle !

...Facile à dire, éloignez-vous. Mais le cadet, lui, qui le sortira de là ? Et Gros comme le Poing se tord les mains, et se cogne le front, et se fouille les méninges. Et c'est là, derrière ses tempes, qu'une petite lampe s'allume. Il a réussi une fois à faire péter et danser la Mort. Vous vous souvenez du bourreau au-dessus du billot et à la porte de l'auberge ?

Il farfouille dans ses poches pour y trouver sa flûte... diable! où est-elle passée?... Éternue, mon vieux, éternue de toutes tes forces, va, pince-toi le nez, Tom Pouce, tu as le don, dépêche-toi... essaye, prends ton souffle, retiens-le et lâche-le!... Idiot!

Gros comme le Poing devait comprendre plus tard que n'éternue pas qui veut sur commande. En face du bourreau, dans sa jeunesse, il ne s'était pas tordu les méninges pour s'engouffrer un souffle dans les narines, il avait fait ça tout naturellement. Or voilà qu'en face de Margot l'Enragée, devant le plus grand danger et l'heure la plus grave de sa vie, il reste vide, incapable de la moindre inspiration.

Tous ces raisonnements, il les fit plus tard. Car pour l'instant, il dut se contenter d'assister, impuissant, à une scène où ses frères réussissaient à se tirer d'affaire sans lui.

À vrai dire, c'est le jeune Jour en Trop qui se tira d'affaire tout seul. Il était sorti de sa cachette et s'était approché de la route dans le but de cueillir quelques grains de ce blé tendre qui se doraient déjà au soleil. Parce qu'il avait faim. Parce qu'il avait aussi vu ses frères sortir la langue et se lécher les babines à la vue des épis répandus sur la chaussée. Comment pouvait-il savoir l'innocent, que ce blé venait des enfers?

Ce n'est qu'aux avertissements de l'ancêtre et au visage renfrogné du géant, que le cadet commença à soupçonner la Margot de leur vouloir du mal. Et il se souvint des leçons de choses sur les bons et mauvais champignons. Alors il comprit qu'il avait imprudemment entraîné toute sa compagnie sur une route dangereuse et qu'il fallait l'en soustraire.

Sans perdre une seconde — lui qui en avait tant à perdre! — il se glissa entre deux temps et disparut aux yeux de la semeuse de blé en herbe, à sa surprise et à son désagrément. Car elle se mit aussitôt à tourner la tête de tous côtés, reniflant l'air, battant le vent des deux bras. Puis les trois autres la virent tendre l'oreille vers l'est, ramasser son vaste tablier et partir à grandes enjambées vers l'horizon du soleil levant.

— Elle l'a flairé, risqua l'ancêtre qui seul avait quelque expérience et connaissance de ses agissements. C'est dire que notre frère se dirige de ce côté-là. Suivons-la si nous tenons à le retrouver.

On y tenait. Même au risque de mettre ses pas dans ceux de Margot l'Enragée. Et c'est ainsi qu'on aboutit au pied du mur d'un royaume que la Folle ne franchit pas, étant déjà passée par là pour y faire les ravages que nos quatre héros ne tardèrent pas à découvrir, à leur plus grande stupeur.

Le royaume du roi Pétaud.

Gros comme le Poing, à peine remis d'une des plus grandes frayeurs de sa vie, à peine tranquillisé sur le sort de Jour en Trop réapparu dans le temps, éclata de joie en apprenant que ses frères et lui venaient de franchir la porte du royaume le plus cocasse, le plus désordonné, le plus burlesque et drôle qu'il leur serait donné de connaître au cours de leurs multiples aventures.

— Qu'on va donc s'amuser! s'écrie Tom Pouce sans apercevoir le long de la route le délabrement des masures et la maigreur de leurs habitants. Enfin la cour du roi Pétaud! qu'il s'esclaffe.

Et il saute et danse et siffle, entraînant toute la compagnie dans le sillage de son humeur joyeuse. Il ne s'arrête que pour s'informer auprès des passants de la direction du palais royal et des formalités d'entrées à la cour. Il ne remarque même pas la grimace de stupeur qui couvre le visage de chaque sujet à la mention du roi Pétaud. Chacun se contente de lever un bras décharné pour indiquer la route aux voyageurs; puis se hâte d'enfouir sa tête sous son col de chemise usée jusqu'à la corde et de rentrer s'abriter dans sa cahute.

— Ce roi Pétaud est soit le plus pauvre, soit le plus ladre des seigneurs, que fait Messire René dégoûté devant tant d'indigence. Jamais je n'ai vu misère plus noire. Pourtant, j'ai connu...

Et le René de la Renaissance rentre en lui-même et ne dit plus rien.

Mais bientôt il lève la tête sous les appels joyeux d'un héraut en brillante livrée qui invite tout le monde, gens du royaume et sujets étrangers, à la fête qu'offre le roi à l'occasion des noces de son cheval préféré.

— Oyez! oyez! le roi Pétaud convie son peuple à la cour! Il y aura des tournois, des concours et des jeux! Venez fêter chez le roi! Oyez! oyez!...

...Le peuple ne mange pas, donnez-lui des jeux, rumine un Figure de Proue de plus en plus blasé. Nous connaissons la chanson.

Il croyait la connaître, le pauvre aïeul. Mais la chanson du roi Pétaud, personne ne l'avait encore entendue, car elle dépassait tout entendement.

Les quatre compagnons commencèrent par présenter aux portes du palais des lettres de créances qu'ils s'étaient écrites eux-mêmes sur de l'écorce de bouleau et scellées d'un cachet gluant et jaune échappé d'entre les pattes du pigeon-voyageur. Le portier ne fit aucune difficulté aux hôtes étrangers, se souciant autant de l'authenticité des laissez-passer que de son premier turban; il se contenta de vérifier, en passant la langue sur le sceau, pour la forme.

— Bon, qu'il dit, excellent. Donnez-vous la peine d'entrer, messieurs, le plus important tournoi est sur le point de commencer.

Gros comme le Poing ne perd pas une seconde. Il ne veut rien rater. Et il hèle ses frères de se hâter vers les gradins les plus élevés.

— Vite, qu'il crie à Jean de l'Ours embarrassé de sa large personne et qui craint toujours d'écraser les pieds de quelqu'un rien qu'en déplaçant les siens.

Le nain n'a pas ces problèmes-là, c'est pourquoi il réussit, en dépit de ses petites jambes, à atteindre les plus hauts degrés de l'amphithéâtre avant tout le monde — en grimpant sur la tête des autres, plus souvent qu'à son tour — et à s'y installer comme si ce royaume était le sien. Et que ça commence!

Ça commence, en effet.

Avec l'entrée en scène du roi.

— Le roi! Vive le roi! Notre roi Pétaud!

Tout le monde crie, hurle et braille comme à la foire.

— *C'est* la foire, risque Messire René. C'est même la foire la plus foireuse qu'on n'aura jamais vue. Le pays du désordre, de la discorde et du chaos.

Gros comme le Poing en a la lèvre pendante. Pour son premier roi, il aurait bien aimé un peu plus de majesté. Or voilà que se déroule sous ses yeux une cour de bouffons bariolés et bêlant qui soulève à bout de bras un trône percé où se dandine un roi de pique qui porte sa couronne sur l'oreille. Le nain voulait s'amuser, mais pas au dépens de ses illusions. Il se tourne vers Messire René :

— Du temps des rois, qu'il bredouille, c'était comme ça?

— Nous sommes chez le roi Pétaud, de répondre l'ancêtre. Et chaque siècle a eu le sien.

Le nain se hâte d'enfouir cette observation dans sa collection d'axiomes et de sentences que son aîné n'a pas cessé de semer depuis leur heureuse rencontre. Et le disciple se dit qu'en présence d'un tel maître, ses frères et lui finiront bien par distinguer le bien du mal, le beau du laid, le vrai du faux. Et il se croise les bras et attend la suite des événements avec patience et curiosité. Advienne que pourra!

Il ne pouvait cependant s'attendre à ce qui advint. Car au lieu de voir surgir dans l'arène des chevaliers en cotte de mailles, lance au poing, et montés sur des chevaux caparaçonnés, nos héros assistent à l'entrée en scène d'une espèce de grand-gueule hystérique et vulgaire qui se juche sur un baril renversé et, après cinq ou six saluts burlesques au trône, se met à débiter un discours sans queue ni tête, sans points ni virgules, sans logique et sans bon sens.

— Qu'est-ce qu'il dit? Qu'est-ce qu'il raconte? s'informe à tour de rôle chacun des compagnons en se grattant la tête et se décrottant les oreilles.

— Tout ça me paraît un tissu d'incohérences et une bolée de menteries, finit par avouer Gros comme le Poing en se tassant sur son gradin. Mensonges!

Il a dit ça en levant les yeux au ciel où passait par hasard Marco Polo qui venait d'inspecter les arcades les plus reculées du stade, repères des chauves-souris. Et c'est là que le pigeon avait appris que le tournoi était en réalité...

— Un concours de menteries, qu'il roucoule dans l'oreille de son maître.

— Comment tu dis? réplique Gros comme le Poing qui n'en croit pas ses ouïes.

— On raconte là-haut que celui-ci n'a aucune chance, qu'on attend un menteur réputé dans tout le pays pour son don incroyable de déformer les faits, tourner la réalité à l'envers, saccager la vérité et, à partir d'une cause de quatre sous, parvenir à produire un effet formidable. On l'appelle le roi des menteurs ou la vedette universelle de la menterie.

Les quatre compagnons ont écouté bouche bée le rapport du pigeon-messager. C'était donc ça! Tu parles d'un tournoi! Et Gros comme le Poing en éprouve malgré lui un picotement de jalousie.

— Des conteurs-menteurs, ça? Ça se voit que les sujets du roi Pétaud n'ont pas voyagé. S'ils veulent des menteries, des vraies...

Et se tournant vers son premier voisin, une voisine toute en plumes, chiffons, paillettes et pacotilles :

— Quelle est la récompense qu'on accorde au gagnant? qu'il lui demande.

La grosse Pétaude, membre de la classe supérieure dite des gras, darde un oeil méprisant sur Gros comme le Poing qu'elle cherche sur son gradin, puis lui jette en ricanant :

— La vie sauve.

— La... la quoi?...

Mais sa voisine ne se donne pas la peine de répéter.

D'ailleurs son attention est attirée du côté du baril renversé où se pavane un nouveau concurrent que la foule applaudit des mains et des pieds.

— Bravo, menteux! Hourrah! À toi! Vas-y! On veut du vrai bon mensonge solide!

Messire René fait signe à ses compagnons de se taire et de ne pas bouger. Étant donné la nature de la récompense, mieux vaut se tenir tranquille.

— Je crains, qu'il fait, que ce roi Pétaud ne soit un tyran cruel en plus d'un potentat burlesque. Nous filerons à la première occasion.

Hélas!

L'occasion a tardé un peu trop, juste assez longtemps pour rendre nos amis nerveux. Et nous savons d'expérience que la nervosité fut toujours néfaste à Gros comme le Poing, tombé sur la tête en roulant en bas d'un réchaud le jour de sa naissance. C'est ainsi qu'au lieu de rester tranquille sur ses fesses, comme le lui avait recommandé son ancêtre, et ne pas ouvrir la bouche, il s'entendit crier :

— Menteur!

...au dernier participant qui venait de s'afficher comme le premier menteur du monde.

Le public, ravi, se tourne d'emblée vers le sommet des gradins et y cherche le nouveau champion qui vient de lancer ce mot superbe.

— Au baril! qu'on hurle des quatre coins. Place au jeune menteur! À nous l'étranger!

Le jeune menteur étranger vient de se recroqueviller sur lui-même et de rentrer sa minuscule personne au fond de sa conscience affolée. On le cherche des yeux, on fouille l'estrade, où est-il? qui est-ce? qu'il se montre!

Et il se montre. Il n'a pas le choix. C'est la grosse voisine en plumes et paillettes qui l'a reconnu et qui vient de le soulever à bout de bras. Son mépris s'est changé en extase en reconnaissant sous l'écorce trompeuse du petit bout d'homme un cerveau supérieur et un esprit génial. Et voilà la foule en délire qui s'arrache aux degrés du stade et saute au-devant de la nouvelle vedette en manquant vingt fois de l'écraser.

— Je veux le voir!

— Laissez-moi l'approcher!

— J'étais là avant vous!

— Sortez de ma vue!

— Pousse pas, mal élevé!

— Je me pâme!

— Je vais m'évanouir!

— À moi!

— À nous!

— Au baril!

Rendu au baril, ce qui reste de Gros comme le Poing fait peine à voir. Ébouriffé, chiffonné, déchiré sur toutes ses coutures, il cherche son souffle au fond d'une poitrine écrasée contre celle d'une vieille dame de la cour qui n'a pas pu résister à l'enthousiasme général et qui a sauté en bas de l'estrade royale.

— Mon héros, mon bijou, mon joujou...

...Bijou, caillou, chou, genou, hibou, joujou, pou! complète Gros comme le Poing en reprenant ses sens et retrouvant sa respiration. Avec la grammaire, les mots lui reviennent; et avec les mots, les idées. Ce sont des menteries qu'il leur faut? Qu'à cela ne tienne! Là-dessus, notre petit diable est passé maître. Je vais leur en donner plein la vue et les oreilles, qu'il se dit. Mais d'abord que je me présente.

— Majesté, altesses, excellences... qu'il articule avec toute l'onction d'une langue universelle et sans laisser trahir le moindre accent d'origine. Je viens d'un pays d'outre-mer et d'outre-horizon où j'ai quitté un père ébéniste et une mère boulangère en compagnie d'un frère jumeau qui est un géant.

Premier éclat de rire et premiers applaudissements.

Gros comme le Poing, surpris, regarde autour et cherche ce qu'il a pu dire de drôle ou d'insolite, puis se remet et poursuit son exposé.

— Je suis né de la pâte à pain pétrie par ma mère qui

m'avait mis à gonfler sur le réchaud...

Tonnerre de cris, de hourrah et d'encore! qui force le nain à se ressaisir et à repenser son plan. Sa vie, sa propre réalité serait donc plus menteuse que le mensonge? La vérité dans toute sa nudité est décidément plus invraisemblable, à la cour d'un roi Pétaud, que l'invention pure et simple.

Gros comme le Poing a compris et se lance.

— Attendez, messieurs-dames, car mes origines dans le pétrin ne sont rien à côté de celles de mon frère le géant sorti du bois; rien comparé au réveil de mon ancêtre qui a dormi les quatre derniers siècles de sa première vie; du menu-fretin auprès de mon frère cadet né hors du temps, un jour en trop, et qui en a gardé la faculté de se retirer à l'intérieur du temps et de disparaître de notre vue...

Les applaudissements et les rires ont cessé. Un silence a envahi la place. Le roi Pétaud et toute sa pétaudière demeurent sidérés sous le charme et l'émerveillement. Jamais ils n'ont entendu pareilles inventions, si splendides mensonges. Ils sont là, buvant les paroles du conteur qui est rendu à son voyage dans les nuages et sa chute dans une goutte d'eau; puis à la visite d'un pays où tous les citoyens marchent la tête en bas à force de se grimper sur les épaules les uns des autres; enfn, au récit de leurs luttes successives avec Margot l'Enragée qui les a accablés d'abord des pires intempéries, puis du fléau de la guerre, et plus récemment qui les menaçait de famine et d'empoisonnement. La foule n'y tient plus et éclate en sanglots.

— Les frères! les compagnons!

On réclame toute la compagnie. Car de pareils mensonges sont des chefs-d'oeuvre; de pareils menteurs, des génies. Et voilà nos quatre héros portés en triomphe — sauf pour Jean de l'Ours qui aide à porter ses porteurs —jusqu'aux marches du palais où on leur annonce qu'ils sont les heureux gagnants du tournoi et auront par conséquent la vie sauve.

— Et les perdants? que demande innocemment Jour en Trop.

Toutes les têtes se détournent. Un vieillard, plus ratatiné que reinette séchée au soleil, laisse glisser entre ses brèches :

— Pour ce qu'ils ont à perdre...

Les quatre compagnons échangent des regards chargés d'appréhension. Puis Messire René finit par chuchoter aux autres du coin de la bouche, tout en ayant l'air de bayer aux corneilles :

— Faut trouver rapidement un moyen de sortir d'ici. En attendant, tenez-vous sur vos gardes.

Pour une fois, c'est Gros comme le Poing qui montre le plus de courage. Ou est-ce plutôt de l'inconscience? Il est pris d'une folle curiosité, subitement avide de connaître jusqu'où les menera le mensonge, à quel moment la réalité basculera dans l'invention, disons les choses comme elles sont, il a senti le parfum des Muses et en est resté pâmé. Et s'appuyant sur n'importe quel prétexte :

— On ne peut pas laisser mourir des innocents à notre place, qu'il fait en s'engottant dans sa pomme d'Adam.

Jean de l'Ours et Jour en Trop, au mot *innocents*, se rangent aussitôt du côté de Gros comme le Poing, le héros du jour. Messire René comprend que ses propres arguments, appuyés sur la prudence et le bon sens, ne feront pas le poids contre les généreuses envolées du jeune inspiré. Car déjà le nain parle aussi de sauver les miséreux de leur misère, les prisonniers de leur prison, les affamés de la famine.

— Donnons à manger à ceux qui ont faim! qu'il pérore, sans se douter le moins du monde du nombre de ventres creux que compte le royaume.

Gros comme le Poing avait oublié que Margot l'Enragée était passée récemment par là. Mais l'ancêtre trouva plus sage de ne pas le lui rappeler, de peur de le pousser dans de nouvelles folies. Il se contenta de prévenir ses frères des dangers des rêves illusoires et de les mettre en garde contre la tentation de refaire le monde à chaque matin dans leur bol de soupe.

Gros comme le Poing trouva l'image très belle et en félicita l'aïeul, mais ne la prit pas au sérieux. À quoi finirait par ressembler le monde, au contraire, si chaque matin, il ne surgissait un rêveur pour le réinventer et le remodeler au gré de sa fantaisie? Si son père et sa mère n'avaient rêvé du huitième jour, dans quelles limbes flotteraient aujourd'hui son frère et lui? Et sans eux, que seraient devenus la figure de proue congelée dans les glaces du nord, et l'enfant arraché à la fête qu'ils avaient eux-mêmes inventée?

La figure de proue et l'enfant né du jour en trop clignèrent des yeux d'éblouissement devant une évidence aussi aveuglante, conscients au-delà de tout soupçon qu'ils devaient la vie à ceux qui la devaient à ceux qui avaient refusé que l'impossible soit. Et souriant à Gros comme le Poing, ils s'inclinèrent.

Si notre héros de Tom Pouce avait pu prévoir toutes les conséquences de ses transes et de sa verve, il aurait peut-être glosé sur le mode mineur. Mais depuis quand Gros comme le Poing jouait-il sa vie sur les bémols?

On était à peine sorti de la première épreuve, qu'on dut faire face à de nouveaux défis, autrement plus risqués. Car le tournoi des menteurs était un jeu, mortel pour le perdant, mais relevant tout de même de la fête et du divertissement. Si l'on condamnait à mort pour jouer, aux jours fériés, à quelle extrémité serait réduit le peuple les jours ouvrables?

La réponse leur sauta aux yeux, le lendemain de la fête, au moment où trois domestiques chargés de leur petit déjeuner leur tombèrent littéralement aux pieds, évanouis ou morts d'inanition. Les compagnons se hatèrent de porter secours au premier, puis au second, puis à l'autre, puis à tous les autres, car ils eurent tôt fait de découvrir des cadavres partout. On mourait comme des mouches au royaume du roi Pétaud. D'épuisement et de faim.

— Que se passe-t-il? s'ahurissait le nain qui s'était cru la veille tombé en terre d'inspiration.

Or voilà qu'il découvrait que les Muses avaient la dent creuse.

— Autant appeler les choses par leur nom, que conclut le sage Figure de Proue. Nous sommes tombés en pays de famine et de désordre. Le roi et sa cour sont les seuls gras du royaume. Tous les autres, ses sujets, font peine à voir.

Gros comme le Poing grince des dents. Cette situation est inadmissible, totalement inacceptable. Faut faire quelque chose.

— Faut faire quelque chose, répète Jour en Trop prêt à l'impossible.

— Quelque chose, bégaye Jean de l'Ours prêt à tout.

Tout, n'importe quoi, les braves se disaient prêts à labourer le pays, abattre les forêts, vider les mers et océans. Ils ne se doutaient pas que leurs propositions seraient prises au mot. Car c'était là un autre trait de caractère qu'ils ignoraient du roi Pétaud: il était ouvert à toutes les suggestions, sûr au départ qu'aucune n'aboutirait, et qu'il pourrait se vautrer toujours de plus en plus dans sa fainéantise et dans sa cupidité.

Quand donc nos quatre compagnons, précédés de Marco Polo parti en éclaireur, s'amenèrent au palais, ils furent tout surpris de l'accueil courtois qui les attendait. Ce furent des courbettes, suivies de révérences, accompagnées de «*Donnez-vous la peine,*» «*Si ces messieurs veulent bien entrer: Sa Majesté les attend,*» tout cela agrémenté de sourires gracieux et complaisants.

...Trop beau pour être vrai, songe Gros comme le Poing.

...Qui tout me donne tout me nie, récite tout bas Messire René.

Les deux autres s'abstiennent de penser, ayant assez à

faire à ne pas glisser sur le marbre du plancher ni s'enfarger dans les motifs du tapis.

On finit par atteindre la première marche du trône sans autre encombre qu'un cri guttural du pigeon-voyageur qui, aveuglé par les lustres, est venu donner du bec contre un miroir déformant. Gros comme le Poing s'empresse de l'excuser auprès de Sa Majesté, plaidant pour leur mascotte avec qui il s'entretient régulièrement dans sa langue, qui est doué d'un instinct qui dépasse la raison et est détenteur d'un secret enroulé sur sa patte gauche et destiné un jour à révolutionner la terre.

La cour s'étouffe devant la nouvelle saillie de l'inventeur et incite le roi à le nommer sur le champ son premier ministre.

— C'est génial! qu'on hurle de toute part, parfaitement génial!

Le roi lui-même a peine à sortir de son hoquet et se laisse taper dans le dos par les vingt-huit valets affectés à cette charge.

Nos héros se consultent du regard et se disent que le temps est sans doute propice pour déposer au pied du trône leurs doléances sur la misère du peuple et leur projet d'y remédier.

À l'étonnement de nos quatre compagnons, le roi accueille leur plaidoirie avec attention et courtoisie. Il va même jusqu'à leur confier, la voix tremblante, que leurs soucis rejoignent les siens et que ses ministres ont déjà lancé des centaines d'études et de commissions d'enquêtes avant d'entreprendre les réformes agraires, sociales, économiques et administratives tant souhaitées par le peuple.

— Pauvre peuple! se lamente le roi, la famine est en train de le décimer.

Et la cour, baignant dans les larmes et la graisse, accueille les soupirs de son roi dans une kyrielle de rots qui fait grimacer de dégoût Gros comme le Poing. Il n'en reprend pas moins son souffle pour exposer à l'assemblée les plans mis au point par sa compagnie pour tenter de sortir le peuple de sa misère.

Le roi, les ministres, la cour s'arrêtent de mastiquer et de farfouiller dans leurs bonbonnières. Une douairière potelée se trompe même de boîte et engouffre par mégarde deux dés à coudre et une pelote à épingles... grand bien lui fasse! Puis on se calme, ravale ses craintes et se dit que les plans des nouveaux venus ressembleront à tous les autres, qu'on en a vu des meilleurs, et que depuis que le monde est monde et Pétaud roi de la Pétaudière, la société s'est toujours partagée en deux classes: les maigres et les gras. Ce n'est pas, au dire du Ministre de la Justice, le simple passage d'une comète qui va changer ça. Restez tranquilles.

Les quatre héros se regardent, font mine de n'avoir pas compris, ignorent les sourires, hochements de tête, gloussements au creux de la main, et décident de poursuivre le débat. Mais Messire René vient à peine de mentionner l'ampleur des richesses naturelles inexploitées et qui pourrissent dans les forêts et les champs, que son discours est interrompu par l'entrée en scène d'un curieux personnage, un courtisan sans âge ni visage, enveloppé d'un grand manteau gris, et le nez chaussé de lunettes noires, se glissant comme sur des patins entre les rangs des dames et seigneurs de la cour. Il commence par deux ou trois révérences au trône, pas davantage, juste ce qu'il faut pour signaler au roi sa présence, pas trop pour lui faire croire à une servile soumission; puis dans une pirouette dont seul ce coquin est capable, il réussit à s'adresser à chacun en tournant le dos à tout le monde.

Quand, une heure plus tard, nos compagnons l'entendent mettre le point final à sa proposition, ils comprennent que celui-là est leur véritable ennemi et vient de les embarquer sur un bien vilain bateau. Seul Jean de l'Ours n'a pas saisi et presse Gros comme le Poing de l'éclairer.

— Il vient de nous envoyer aux galères, répond le nain.

Le nain exagérait, pas tout à fait aux galères. Ou pas uniquement. En réalité, le plan du sournois personnage était d'expédier les quatre dangereux réformateurs aux quatre coins du royaume avec la mission de rapporter à la cour, au bout d'un an, des échantillons de graines, plantes, pierres et poissons qui, reproduits en serre ou en usine, relanceraient l'économie et rendraient au pays sa prospérité d'antan.

— Après quoi le peuple mangera du pain blanc, de conclure l'homme au manteau gris et aux lunettes noires.

...Et nous les jaunes pissenlits par la racine, marmonne tout bas Gros comme le Poing. Faut sortir de ce pétrin-là. Le Tartuffe nous a eu à notre propre jeu ; cherchons à l'avoir au sien. Et pour gagner du temps :

— Par où commencerons-nous ? qu'il demande, l'air pressé de partir.

— Mais de partout à la fois, répond l'autre la bouche onctueuse à en donner la nausée. Vous êtes quatre hardis chevaliers. Or notre pays cache précisément quatre grandes sources de richesses : la terre, la mer, la forêt, le sous-sol. Partagez-vous la tâche, et le peuple en connaîtra plus tôt la fin de sa misère.

Se séparer en plus ?

Merde et merde et merde !

Jean de l'Ours tourne vers son jumeau de grands yeux suppliants ; Jour en Trop regarde l'ancêtre en souriant, l'air de lui dire : *Nous te faisons confiance*. Mais ni l'ancien ni le petit diable ne réussissent à dénicher au fond de leur mémoire ou de leur imagination la moindre idée capable de détourner le glaive qui leur pend sur la tête.

Tout à coup le petit Jour en Trop s'approche du trône, salue, puis s'adresse révérencieusement au roi :

— Avec tout notre respect, Sire, pouvons-nous demander que Votre Majesté nous indique d'ores et déjà la qualité et le montant de notre récompense quand dans un an nous aurons rendu la prospérité au pays ?

Le roi, le Tartuffe, les ministres, la cour, tous ont la respiration coupée. Quant à ça, le nain, l'ancêtre le géant aussi.

Seul Jour en Trop reste calme, attendant la réponse et la promesse du roi.

Le silence aurait pu durer toujours, tant les gorges de tout le monde étaient nouées d'un véritable noeud gordien. Entre le roi menteur et l'enfant qui découvre que le roi est nu, l'impasse est totale, le contact impossible. Et le silence les enveloppe comme un linceul. Il aurait pu durer toujours si...

— Bonjourrr!...

Toutes les têtes se lèvent.

Elle est là, la fée, la princesse, la fille unique du roi. Et comme toutes les princesses des contes, elle est la beauté même. Une beauté sans commune mesure avec l'élégance, la sveltesse, la pâleur, les appas, la régularité des traits, non, rien de tout ça. LA BEAUTÉ, toute en majuscules. Même l'ancêtre, pourtant sorti d'une époque qui a fait naître Anne Boleyn et Diane de Poitiers, n'a rien vu de pareil et reste pantelant comme un poulain en rut. Alors figurez-vous les trois autres qui n'ont jamais rien vu du tout!

Jean de l'Ours pouffe sans pouvoir contrôler ses émotions. Il se tord, se dandine sur un pied et sur l'autre, transpire des gouttes grosses comme des cerises de France et se cache la figure dans les mains. Jour en Trop ne bouge bas, émerveillé comme un ange dans une nativité de Giotto, figé pour l'éternité. Et Gros comme le Poing... ah! Gros comme le Poing! Rien, Gros comme le Poing, rien, sauf un cri.

— Sire!

Le roi, la princesse, les courtisans, ses frères, tous dévisagent le nain qui vient de rompre le silence éternel.

— Sire, qu'il reprend sans même entendre le son de sa voix, si telle est notre récompense, ne retardez pas d'un jour notre départ. Offrez la main de votre fille à celui d'entre nous qui, dans un an, rapportera de son expédition la richesse qui rendra sa prospérité au royaume et le bonheur au peuple.

Curieusement, c'est le personnage en gris qui fait signe au roi d'accepter, avec un sourire où le monarque bouffon peut lire qu'il n'aura jamais à récompenser le succès d'une expédition dont l'échec est assuré. C'est à la mort que s'en vont ces aventuriers par les mers ténébreuses, les forêts profondes, les déserts arides et les mines souterraines d'où jamais personne n'est revenu. Voilà la chance du Tartuffe de se débarrasser d'un seul coup de quatre rivaux dont il a flairé d'abord la force du corps, de l'âme et de l'esprit, et qu'il soupçonne maintenant capables aussi d'amour.

L'amour!

Plus tard nos héros comprendront devant quelle épreuve le destin les a conduits. Pour la première fois, ils acceptent de se séparer. Pour la première fois, ils sont en rivalité les uns avec les autres. Chacun doit désormais courir l'aventure seul, sans le secours ni l'appui de sa compagnie, sans l'amitié de ses frères. Gros comme le Poing se surprend même à regarder comme un chien de faïence Jean de l'Ours qui contemple, les yeux pleins de larmes, leur princesse bien-aimée.

L'amour!... ah!

Et le lendemain matin, nos quatre héros partent vers les quatre points cardinaux, sans se retourner ni se dire adieu.

Un an!

Trois cent soixante-cinq jours durant lesquels la cour du roi Pétaud se vautrait dans ses orgies et sa fainéantise, sans daigner lever une seule fois les yeux vers l'un ou l'autre des quatre horizons.

Cinquante-deux semaines où là-bas, par-delà le ruisseau de Clara-Galante, un Bonhomme et une Bonne-Femme se rendaient chaque matin à leur atelier ou cuisine, ignorant le sort de leur lointaine progéniture.

Douze mois de durs travaux herculéens pour nos héros, de lutte avec les éléments, d'apaisement des volcans en éruption, d'assainissement des eaux, de domination sur les grands faunes de la forêt, d'exploration des galeries souterraines dans le ventre de la terre.

Un an de soupirs et d'acharnement, de peur et de courage, d'espoir et de découragement. Mais chaque soir, nos quatre héros s'endormaient en rêvant à la Beauté à peine entrevue un jour à la cour d'un roi cruel et fou. Mais ce rêve suffisait à leur redonner force et vaillance pour recommencer le lendemain le ménage des écuries du roi Augias. Quatre petits Hercule qui n'ont qu'une folie en tête et une blessure au coeur : l'Amour.

Et au bout de douze mois, ils rentrent, débarquant des quatre points cardinaux, et se présentant en même temps devant le roi Pétaud. C'est alors seulement, au milieu de la cour où un an plus tôt leur était apparue la vision, que nos compagnons se souviennent des uns des autres. Là, au pied du trône, Gros comme le Poing lève la tête et aperçoit son gros lourdaud de frère Jean de l'Ours qui lui sourit timidement, les pieds en dedans ; Jour en Trop cligne de l'oeil à Messire René qui le regarde avec tendresse, puis les quatre compagnons éclatent soudain d'un rire formidable en recevant sur la tête chacun son gluant message de Marco Polo qui ne finit pas de roucouler des mots de bienvenue.

— Merde! qu'ils s'exclament dans un joyeux canon.

Ce court instant de retrouvailles, le temps d'un sourire, d'un clin d'oeil, d'un *merde!...* a suffi pour ressouder la compagnie et faire trembler Cupidon qui se cachait au fond du coeur de chacun. Mais l'amour est tenace, vorace et jaloux. Bientôt nos héros voient réapparaître la princesse, la fille unique du roi qui a promis sa main au gagnant du pari.

— C'est moi, Sire, s'empresse d'affirmer le nain en laissant tomber dans le giron de Sa Majesté une poignée de grains de blé qu'il a réussi à faire surgir du désert au bout d'un an.

— Moi, Monseigneur, grogne le géant qui dépose au pied du trône un tronc de chêne plus grand que lui et qu'il a dessouché au coeur d'une forêt sauvage.

— Votre serviteur, Majesté, que vient affirmer sans hésiter l'ancêtre, en sortant de sa besace une espèce rare de poisson qui répand dans la cour une forte odeur d'iode et de saumure.

Le petit dernier ne dit rien, se contentant de retourner ses poches d'où s'échappe une demi-douzaine de pièces d'or qui viennent rouler sur les dalles en marbre du palais, aux yeux ronds des courtisans rassemblés.

Le roi Pétaud n'en croit pas ses yeux et jette du côté du personnage au manteau gris et lunettes noires un regard courroucé... Ainsi ces quatre petits drôles ont réussi. Ils sont sortis vivants des pires épreuves, de la déportation dans les lieux réputés les plus inhabitables du royaume. Comment les traîtres se sont-ils échappés de leur exil?

Le Tartuffe se mord les lèvres et fuit les yeux du roi. C'est la première fois que ses victimes lui échappent. De quelle force mystérieuse sont doués ces être exceptionnels? Quelle est la source de leur courage, de leur endurance, de leur ingéniosité? Il examine chacun des valeureux chevaliers, suit leurs regards qui sont tous dirigés sur le visage de la princesse. Tout à coup il se cogne le front du plat de la main. Il a compris.

Puis le traître se ravise. L'amour est une arme à double tranchant. Un sentiment assez violent pour transformer un nain en Hercule sera assez fort pour changer Hercule en mouton bêlant aux pieds d'une ingrate. Et le Tartuffe pousse la princesse au milieu de la compagnie des frères rivaux.

— Messieurs, qu'il dit, le roi n'a qu'une parole. Aussi ne peut-il la donner qu'à un seul d'entre vous. Que le plus méritant des quatre obtienne des trois autres la reconnaissance de sa supériorité; et le roi lui accordera aussitôt le prix de sa victoire. Même, dans sa magnanimité, notre souverain s'engage à laisser aux perdants la vie sauve et le droit de quitter le royaume en emportant avec eux tous leurs biens. Il vous reste, Messires, à couronner vous-mêmes le vainqueur.

Et l'odieux personnage en gris étouffe un ricanement

qui réveille la méfiance endormie de Figure de Proue. Mais un seul regard langoureux de la fille du roi la rendort aussitôt.

Les quatre compagnons sont là, bavant et buvant chaque soupir qui s'arrache des lèvres de la fille du roi, cherchant à capter son regard, à blesser son coeur, à l'emporter loin des yeux de ses rivaux. Mais d'abord forcer les autres à reconnaître ses avantages, sortir vainqueur de la suprême épreuve. Qui, de ceux qui ont vaincu la mer, le désert, la forêt ou les mines souterraines, est le plus digne et le plus nécessaire à la patrie? Les frères lèvent la tête en même temps et leurs yeux se rencontrent. En un éclair, les quatre ont vu que, seul, chacun n'est rien: que l'or est du vil métal sans les fruits de la terre, qui a besoin des cours d'eau, qui prennent leur source dans la forêt.

Messire René, le sage au long passé et à la vaste expérience, finit par prendre la parole et par demander à ses frères de l'écouter sans passion ni parti-pris.

— Nous voilà tombés dans le plus dangereux piège que jamais ne tendit à l'homme le destin cruel et aveugle. Tâchons de nous en tirer sans torts irréparables et blessures irréversibles.

Les trois autres sont saisis du ton grave de leur ancêtre et, durant un instant, recouvrent la raison et leur innocence perdue. Messire René a eu le temps de mesurer son avantage et en profite pour développer son argumentation.

— Jamais auparavant aucun d'entre nous n'avait cherché seul à vaincre la nature ou triompher des embûches du monde.

— Jamais, font en écho les trois autres.

— Jamais avant de mettre les pieds en cette terre maudite, poursuit l'ancêtre.

— Terre maudite, répètent ses frères.

Mais en maudissant le pays, chacun a levé le poing au ciel et, ce faisant, s'est trouvé à le planter presque sous le nez de la dame de son coeur qui lui sourit, pleine de reproche. Aussitôt la belle argumentation de Messire René s'effondre comme un château de cartes, entraînant dans sa chute Messire René lui-même. Et voilà nos quatre héros plus bas que jamais, aplatis sur le sol, vautrés, rampants, le nez écrasé contre le marbre qui leur renvoie quatre figures méconnaissables. Gros comme le Poing, au fond de sa misère, ne trouve qu'une seule consolation : il est sûr que jamais il ne connaîtra misère plus grande. Et sans honte, sans retenue, il ouvre toutes grandes les écluses de son âme et pleure comme un veau.

Les larmes de Tom Pouce coulent sur les dalles et rejoignent celles de Jean de l'Ours qui serpentent comme le ruisseau laissé au pays lointain de leur enfance. Alors les deux frères, nés du pétrin et du bois, se toisent, baissent les yeux et se remémorent les aventures entreprises au sortir du berceau — une huche et un établi, songe Gros comme le Poing qui ne peut retenir son sourire en coin — des aventures qui leur ont fait découvrir deux frères complémentaires, puis fouiller le monde, ses mystères et ses trésors... Des trésors... Trouveront-ils jamais plus grand trésor? Et celui-ci vaut-il le prix de tant d'exploits périlleux?

Gros comme le Poing était parti pour pleurer longtemps sur sa vie et sa destinée, bien parti pour rester ainsi prostré, plein de complaisance pour son malheur... quand il entend, juste au-dessus de sa tête, roucouler quelque chose comme : « *Mon message à la patte gauche... patte gauche... patte gauche.* » Il lève un oeil et croise celui de Marco Polo, son fidèle compagnon de la onzième heure.

— Tu dis? qu'il trouve la force de demander au pigeon.

— Je dis que tu es en train de montrer tes fesses au monde, répond l'oiseau sans se démentir ni perdre une maille de sa phrase.

Surpris, Gros comme le Poing se ramasse les pieds, saute sur ses jambes et s'aperçoit qu'il est debout. Jean de l'Ours, en voyant son frère en position verticale, s'essuie le visage et cherche à se redresser. Instinctivement, Jour en Trop rampe vers le géant et s'accroche à ses cheveilles, puis à ses genoux, à ses hanches. Figure de Proue les regarde se relever, les uns après les autres, et juge qu'il est grand temps de récupérer ses troupes et de retrouver son rôle de guide de la compagnie. Et reprenant le fil de la phrase laissée en terre maudite, il enchaîne :

— Ce royaume maudit cache suffisamment de ressources pour se transformer en terre d'Éden si nous unissons nos forces et partageons les fruits de nos découvertes.

Les trois autres sèchent d'un coup de manche leurs yeux et leurs museaux et écoutent attentivement les propositions de leur savant aîné.

Et voilà comment nos quatre héros finirent par se lancer tête première, pendant un an, dans la plus grande entreprise de leur vie : l'entreprise de retourner à l'endroit un pays qui depuis le début des temps vivait à l'envers.

Est-ce Messire René qui conçut l'idée ? Ou Gros comme le Poing ? Ou même Jour en Trop qui, à force de poser les bonnes questions, obligeait les autres à trouver les réponses ? Peut-être Jean de l'Ours, qui sans dire un mot, avait tout de suite roulé ses manches et s'était attaqué à l'oeuvre. Disons que l'idée était née du cerveau, de l'imagination, de l'âme et du coeur des quatre compagnons à la fois, quatre compagnons qui ne se doutaient pas jusqu'où pouvaient les mener leurs dons réunis.

Ils commencèrent par se retirer de la cour. Là, à l'abri des indiscrétions, ils comparèrent les fruits de leurs expériences aux confins du royaume, leurs découvertes au fond des mers, du désert, de la forêt vierge et des mines du roi Pétaud.

— Jetons toutes ces richesses dans un grand chapeau, brassons-les et voyons quel lapin va en surgir, proposa Gros comme le Poing.

— Tricotons plutôt ces fils les uns dans les autres, vint suggérer Messire René, et voyons quelle image nous renverra la tapisserie.

Et l'on se mit à tricoter des images, dessiner des plans, brasser des idées, tourner et retourner entre ses mains les quatre éléments de la nature susceptibles d'apporter la prospérité au pays. Tout en causant, on traçait sur le sable des lignes géométriques qui s'emboîtaient les unes dans les autres et qui finirent par arracher un cri à Gros comme le Poing :

— Eurêka! Regardez, mes frères! Suivez les lignes, la courbe, le cercle!

Et les trois compagnons intrigués se penchent sur le dessin pour suivre le nain qui s'y déplace comme une baguette sur un tableau noir.

— Primo, des bûcherons sortent les arbres de la forêt et les vendent aux charpentiers pour, secundo, construire des bateaux qu'ils filent aux pêcheurs qui vendent leur poisson, tertio, aux agriculteurs pour en engraisser leurs terres arides qui, quarto, offrent moyennant paiement leur blé aux boulangers qui vendent leur pain aux mineurs, quinto, qui avec l'or arraché au ventre de la terre font marcher tout le système. Et voilà pour sexto.

Les trois en agrandissent des yeux éblouis. Seul Jean de l'Ours demande à son frère d'épousseter son plan des primo, tertio et sexto, qui lui embrouillent la vue, et de lui répéter tout cela à l'envers pour qu'il se le rentre mieux dans la tête. Comme du temps qu'il apprenait l'alphabet et la table de douze à l'envers comme à l'endroit pour mieux les retenir.

— C'est simple, reprend le nain sur le ton magistral de celui qui vient de découvrir la formule $E= mc_2$ et qui entreprend de l'expliquer la tête en bas. Des mineurs produisent l'or qui achète du pain qui sort du blé qui a poussé dans un désert engraissé par le poisson pourri des mers lointaines qu'ont fouillées des pêcheurs munis de barques construites avec le bois qu'arrachent de la forêt des bûcherons qui paieront les arbres de la couronne avec l'or du roi qui s'en ira l'enfouir de nouveau dans les mines que les mineurs dénicheront pour acheter du pain qui sort du blé qui vient de la terre... Tu comprends maintenant, gros lourdaud?

Non, mais ça n'a aucune importance: le lourdaud fait confiance au génie de son diablotin de frère et sait qui, à la fin, sera celui qui mènera les bûcherons à la forêt.

Quant à l'ancêtre et au cadet, ils commencent après la douzième explication à saisir que si deux plus deux font quatre, il n'y aucune raison pourquoi l'or du roi ne pourrait, en roulant des champs de blé jusqu'à la forêt, refaire l'économie du pays et donner du travail, et par conséquent du pain, à tous les sujets du royaume.

— Tope là, fait Messire René qui n'avait pourtant pas l'enthousiasme facile. Mettons-nous à l'oeuvre. Dans un an, si les dieux sont avec nous, la Pétaudière du roi Pétaud sera devenue un royaume de justice où les gras auront perdu leur graisse excessive et les maigres regarni leurs os.

Les dieux ont dû entendre la prière de l'ancien, car les réformes entreprises par les compagnons portèrent fruit. Tout le pays fut mis sur pied: bûchant, bâtissant, fendant les eaux, bêchant, plantant, pétrissant la pâte; et pour finir, mastiquant joyeusement le pain acheté avec l'or du roi. Le roi lui-même n'en revenait pas, ne songeant même pas à s'informer d'où sortait l'or qui faisait marcher si parfaitement la machine.

Et nos héros furent portés en triomphe par le peuple qui avait retrouvé la joie. Une joie trop forte pour se laisser distraire par un personnage à lunettes noires, enveloppé dans son grand manteau gris et qui ruminait, seul dans son coin.

Puis un matin, nos quatre compagnons se rassemblent et se tiennent mutuellement ce discours... chacun dans ses mots, son accent, son degré de logique ou d'entendement.

Celui de Gros comme le Poing ressemble à peu près à ceci :

...Nous sommes venus, frères, nous avons vu, nous avons vaincu : vaincu la famine et la misère des pauvres ; triomphé de la fainéantise, de l'égoïsme et de la cupidité des nantis. À nous la récompense, celle que nous promise la parole sacrée du roi.

Longue minute de silence par respect pour la parole du roi.

...Mais, mes frères, chacun de nous a grandi durant ces années d'épreuves et de combat, et a compris, entre autres choses, que l'amour ne s'achète pas.

C'est le sage René qui vient de prendre la relève du discours et qui instruit maintenant ses frères sur la futilité des rivalités amoureuses.

— À chacun de tenter sa chance, car la princesse n'en aimera qu'un seul d'entre nous. L'un après l'autre, tâchons en toute loyauté et justice de nous faire aimer.

— Et que le meilleur gagne! s'écrie Gros comme le Poing qui a grand hâte d'en finir et de sortir gagnant.

— Mais d'abord, jurons-nous fidélité, amitié, fraternité quoi qu'il arrive et qui que ce soit qui l'emporte, de reprendre le sage ancêtre. Jurons de nous soumettre au verdict de l'amour.

Cinq bras se posent les uns sur les autres, car Gros comme le Poing a juré des deux mains pour ne pas être en reste.

— Nous jurons, font en choeur les quatre frères.

Voilà qui est fait. Marco Polo est choisi comme témoin, appelé à veiller à la stricte application des règles. Chacun se présentera devant la princesse et formulera sa demande dans ses propres mots, libre de faire valoir ses avantages comme il l'entend et d'exprimer à sa manière la profondeur de ses sentiments.

— Qui parlera en premier? demande Jour en Trop.

— Que le sort décide, répond Messire René.

Et le sort choisit le tout dernier.

Il est le plus jeune, le plus innocent, le plus ignorant des choses de la vie, mais il détient un atout dont les trois autres sont dépourvus: la beauté parfaite. Perfection à en éblouir le soleil, à séduire la lune, à faire pleurer les roches. Et il éblouit, séduit, fait pleurer la princesse. Jamais hors de son miroir, la belle n'a aperçu plus grande beauté. Et elle tombe amoureuse de Jour en Trop avant même qu'il n'achève sa demande. Elle ne désire connaître qu'un détail sur sa personne: son lignage.

— Mon lignage? balbutie le petit né Hors du Temps. Mais je n'en ai aucun. Je suis né de nulle part, d'un jour en trop.

Né de personne? fait la princesse dans une moue profonde. Fils de rien?

Mais comment la première dame de la cour pourrait-elle s'allier à un enfant naturel? Jamais le roi n'accepterait pareil mariage morganatique.

— Personne? répète l'amoureuse déçue. Mais vous devez bien trouver chez vos ancêtres un petit quartier de noblesse, une goutte de sang bleu, un seul aïeul conquérant de terres voisines qui finit par arrondir son domaine à même les domaines d'autrui?

— Rien, se plaint Jour en Trop qui ne sait pas mentir. Je suis né en pleine fête populaire, un jour de carnaval, d'une géante légendaire qui est rentrée aussitôt après ma naissance dans la mémoire du peuple et les livres d'images. Je n'ai aucune lignée, aucun ancêtre.

La princesse regarde avec nostalgie l'enfant merveilleux et se contente de soupirer entre deux sanglots:

— Comme j'aurais pu l'aimer!

Vient après, désigné par le sort, Messire René qui se redresse l'échine, se lisse les moustaches et s'étire le cou hors d'une fraise blanche comme lait et fraîchement empesée.

— Belle dame aux beaux atours, commence le vieux galant nourri de romans courtois et chevaleresques, qui beauté a trop plus qu'humaine, qui chante à voix de sirène, corps féminin qui tant est tendre...

...Hey! hey! s'objecte Gros comme le Poing. En voilà un qui ne joue pas franc jeu. Qu'est-ce que c'est que cette chanson?

Mais le René des temps jadis est lancé et ne compte point perdre son avantage. Il dépose aux pieds de sa belle rondeaux, envois et ritournelles qui jaillissent à flots de son infaillible mémoire et qui amènent la fille du roi à rougir de honte et de plaisir. Gros comme le Point est outré.

...Ah! ça alors! Et le pire, c'est que la princesse semble y prendre goût. Calme-toi, Tom Pouce, ton tour viendra. Et tes poèmes, tu iras pas les chercher chez les anciens, tu les composeras de ton cru. Car si l'autre a la mémoire, toi tu as le génie.

Mais pour l'instant, Messire René se fout du génie de son cadet, et enchaîne quatrains sur madrigaux qui éblouissent si bien la dame qu'elle laisse distraitement tomber sa question :

— Votre lignage, Messire?

Son lignage? Qu'à cela ne tienne! Si quelqu'un peut se vanter de son arbre, c'est bien celui qui prend sa souche directement dans les temps anciens. Il peut retracer ses ancêtres jusqu'à la première croisade sans épuiser son intarissable mémoire. Et il se met à défricher pour le plaisir de sa belle une lignée de maréchaux, croisés et bâtisseurs de cathédrales qui sont bien partis pour refaire l'histoire du monde.

...C'est ça, l'encourage Gros comme le Poing, mets-lui en plein la vue, dégoûte-la de ton infatué personnage.

Mais au lieu de se dégoûter, la dame s'émerveille et veut en connaître davantage.

— Racontez-moi les miens! qu'elle s'écrie soudain.

— Les vôtres?...

— Si, mes nobles aïeux. Décrivez-moi mon arbre royal.

— ...Royal?

— Allez! votre mémoire ne saurait faillir. Racontez-moi mon passé.

Hélas!

— Je vous en prie.

— Mais...

— Ne me contrariez pas. Je veux tout savoir. Rien de moins et rien de plus que la vérité.

— Ouf!...

Gros comme le Poing s'approche, intrigué. Le vent commence à tourner.

Et Messire René, qui se le doit à lui-même, le doit à ses frères à qui il a juré loyauté, et le doit à son amour qui n'exige pas moins de lui, finit par avouer à la fille du roi de quelle basse extraction sort la lignée des Pétaud. Un ancêtre brigand, une aïeule fille de joie, une autre vendeuse de poisson pourri aux Halles de Paris, toute une ascendance d'escrocs, de pirates, de filous et faux prêtres qui ont volé leurs terres à de braves gens et bâti leur royaume sur les domaines d'autrui.

La princesse déconfite se bouche les oreilles et se cache le visage derrière sa toison d'or. Jamais elle ne se remettra de pareille honte. Et elle fait signe de la main au soupirant de s'en aller soupirer ailleurs.

Gros comme le Poing ne se réjouit pas, comme on aurait pu s'y attendre, de la tournure des événements. D'abord parce qu'il aimait tendrement son aîné et ne prenait pas plaisir à le voir souffrir; ensuite parce qu'il aimait de toutes ses forces la princesse et partageait son humiliation et son dépit. Mais après quelques jours, il la vit retrouver ses rougeurs et son entrain, et jugea que son tour était venu de faire sa demande.

Voilà donc le nain qui s'amène.

Il a eu le temps d'apprendre, en observant les stratégies des autres, les écueils à éviter et la direction à suivre. À tout prix, faire oublier à la princesse la question du lignage. D'ailleurs, au premier abord, Gros comme le Poing comprend que la dame n'est pas plus anxieuse que lui de toucher à cette question, encore plus néfaste pour elle que pour les autres. Et il décide de jouer la double carte de sa brillante intelligence et de sa flamboyante personnalité.

Et ça marche.

La princesse semble avoir compris que l'amour ne saurait reposer sur l'ascendance, les liens familiaux, la hiérarchie sociale; mais sur le seul mérite de la personne. Or voilà un nain qui, en dépit de ses lacunes évidentes et qui se passent de commentaires, sait amuser, puis éblouir, puis toucher la fille du roi. Il a tant de tours dans son sac, une telle réserve de bons mots, de saillies, d'entourloupettes, une telle capacité d'invention, que la vie en sa compagnie se transformera chaque jour en premier jour de la création.

— Pas le premier, qu'il corrige en clignant de l'oeil, le huitième! Je suis un enfant du huitième jour de la création, le jour de toutes les audaces et de tous les possibles. Demandez-moi la lune, les étoiles et leurs planètes.

...Oh! oh! pense Jean de l'Ours, le petit s'aventure dans plus gros que lui.

Mais rien ce jour-là n'est plus gros que le coeur de Gros comme le Poing. Il plane si haut que même les planètes sont à sa portée. Et la fille du roi, vaincue, décide en faveur du petit diablotin.

La noce est fixée au lendemain: le roi a consenti; les frères se sont résignés avec sagesse et loyauté; la table est mise pour le banquet des fiançailles. Gros comme le Poing, au comble du bonheur, est superbe et magnanime. Il s'entoure de ses trois compagnons, face à sa bien-aimée, sans négliger de jeter des miettes de gâteau à son fidèle Marco Polo perché sur le dossier de son siège ouvragé.

Soudain il se dresse de toute sa taille, lève sa coupe des

deux mains et propose un toast à l'amour. Il y met une telle verve, une telle inspiration, passant de l'amour de sa belle à l'amitié de ses frères qu'il n'oubliera jamais et à qui il souhaite un bonheur égal au sien, un bonheur qui ne finira jamais...

...S'il ne finit pas bientôt, Jean de l'Ours va se mettre à chialer, il en a déjà la gorge serrée, et pour faire passer le motton, il décide d'avaler n'importe quoi, la première viande qui lui tombe sous la main, une côte de boeuf qu'il se met rageusement à poivrer... et les grains de poivre revolent jusqu'aux narines de Gros comme le Poing qui ne peut retenir son éternuement au moment précis où, genou en terre, il va faire officiellement sa demande.

La fille du roi a pété!

Le jour de ses fiançailles, en présence de son promis et de toute la cour, la fiancée a pété. Jamais elle ne s'en remettra. Et elle disparaît derrière les épaisses tentures dorées qui reflètent la lumière du crépuscule.

L'amoureux est sur le point de s'effondrer. Son huitième jour a éclaté en mille miettes. Ça c'est pas juste! Et merde et merde et merde! Voilà un don que sa coquine de marraine aurait bien pu garder au fond de sa marmite cobie! Et remerde! Ça sert à quoi d'être surdoué? Ça sert à quoi d'être né le huitième jour? Il n'héritera donc jamais d'un bonheur infini et éternel? Jamais il ne s'en consolera.

Et il enfouit sa misère au creux de son oreiller et décide d'attendre la mort.

Il attend durant trois jours, puis ouvre un oeil, dresse l'oreille, frémit des deux narines. Une odeur de volaille aux fruits et amandes se faufile dans l'escalier et s'approche. Puis des pas feutrés. C'est Jean de l'Ours entouré de ses frères qui apporte à manger au moribond. Les narines distinguent maintenant les fruits qui sont des reines-claudes et la volaille qui est une oie.

Et voilà comment le malade fut arraché à son lit et le défunt à sa tombe.

La princesse de même survécut à sa honte et accepta, au

bout de huit jours, de recevoir le quatrième et dernier prétendant : le géant.

Après tant de déconfitures, la première dame du royaume se fait plus humble et, à l'exemple du héros de la fable, craint d'être réduite un jour à se contenter d'un limaçon. C'est pourquoi en apercevant Jean de l'Ours, elle est si anxieuse, qu'elle ne remarqua ni sa tête bosselée ni ses pieds en dedans. Ne lui apparaissent que sa haute stature et son corps superbement membré ; et elle soupire après le reste qui ne lui apparaît pas.

Et voilà comment Jean de l'Ours a triomphé des trois autres.

On aurait pu croire le combat fini, faute de combattants. Croire que l'histoire de Jean de l'Ours se terminait là, dans le triomphe de l'amour sur l'amitié, l'aventure et le destin. Ses trois frères en tout cas l'ont cru. Le géant lui-même a dû le penser un moment. Mais voilà. Jean de l'Ours avait hérité de maximes, en plus d'un coeur loyal et généreux. Et tous ces dons réunis vont lui jouer, comme à ses frères, un vilain tour. Car Jean de l'Ours, en rencontrant dans les jardins du palais un jardinier qui pleure sa princesse bien-aimée, refusera de lutter, fût-ce au nom de l'amour, contre plus faible, plus malheureux et plus petit que lui. Et sans rien avouer à ses compagnons d'aventure, il sort en cachette du lit, au matin de ses noces, et se dirige vers la porte sur la pointe des pieds. Jour en Trop l'a vu, puis a réveillé Messire René qui a réveillé Gros comme le Poing qui a secoué les punaises de sa paillasse à coups de pieds.

— Fuyons cette terre maudite tandis qu'il est encore temps. Le personnage au manteau gris m'a visité en songe cette nuit. J'ai comme l'impression qu'il est en train de reprendre le pays en main, le coquin. Partons.

En repassant la frontière, avant le lever du soleil, nos quatre héros s'aperçurent en effet que les bûcherons ne vendaient plus leur bois aux charpentiers, mais construisaient eux-mêmes les barques qu'ils écoulaient directement aux pêcheurs; que les agriculteurs ne vendaient plus leur blé aux boulangers, mais fabriquaient leur propre pain qu'ils fournissaient aux mineurs; que les mineurs...

— Ah! de s'écrier Figure de Proue, il aurait bien fallu s'y attendre. Je ne leur accorde pas quatre saisons, à ces intrigants, avant que le désordre ne réapparaisse et que la famine n'assaille de nouveau le royaume du roi Pétaud.

Gros comme le Poing jette à son aîné son oeil à pic et son sourire en coin. Cette fois le radoteux ne saurait accuser le nain d'avoir appelé le fléau par son petit nom. Si Margot l'Enragée devait surgir...

Elle surgit.

— Je l'avais prévu, répète Gros comme le Poing à l'intention de l'ancêtre; il ne fallait pas l'appeler, la bougresse.

L'étourdi eut été moins prompt à se gausser du vieux s'il avait pu deviner le nom de l'ultime fléau de la Faucheuse, celui qu'elle réservait en propre à ses quatre plus redoutables ennemis.

L'apparition de la Dulle Griet à l'orée du royaume eut l'avantage de distraire nos héros de leur blessure au coeur et de souder la compagnie que le roi Pétaud avait failli faire éclater.

— Merde! s'écrie Gros comme le Poing en voyant foncer sur eux Margot la Folle.

— Et remerde! répondent ses compagnons qui se souviennent soudain du cri de ralliement.

Et sans se retourner, nos quatre héros s'éloignent à la course de la Pétaudière, fuyant le visage hideux de leur ennemie qui, en ricanant et agitant son devanteau, les pousse exactement dans l'enfer qu'ils auraient dû et voulu éviter.

XIV
DE LA PESTE ET DE TOUS LES FLÉAUX DU MONDE, DÉLIVREZ-NOUS, SEIGNEUR

À l'instant où le dernier des quatre frères posait les pieds à l'intérieur des murs, on entendit grincer le portail sur ses gonds. La ville venait de s'enfermer dans son malheur.

— La peste! s'écria Messire René qui avait survécu à l'effroyable épidémie de son temps, mais qui avait perdu un tel nombre d'ancêtres dans la peste noire du XIVe siècle que sa propre existence tenait à un fil. Sortons d'ici; ce fléau est le pire de tous et n'épargne personne.

Trop tard. On avait fermé les portes et proclamé l'état de siège. Nos héros cette fois étaient bel et bien coincés.

...Mon Dieu! mon Dieu! mon Dieu! soupira Gros comme le Poing pour faire écho au ricanement de Margot l'Enragée dont l'ombre couvrait déjà la moitié nord de la ville.

— Réfugions-nous dans le quartier sud, s'empressa de proposer Figure de Proue.

Hélas!

Ils avaient beau glisser comme des fantômes du nord à l'est au sud, l'ombre noire les poursuivait et finit par obscurcir la ville entière.

Partout ce n'était plus que portes closes, rats noyés dans

les ruisseaux, civières portant les mourants, charrettes charroyant les morts, cris, gémissements, puis un silence effroyable. La ville après quelques jours était plus que décimée ; la population entière ne résisterait pas un an.

Au début, nos compagnons s'efforçaient de détourner la tête et de fermer les yeux au passage des brancards ou des chariots. Mais devant le spectacle d'une mère pestiférée cherchant à allaiter un nourisson mort, Jour en Trop tourna de l'oeil et Gros comme le Poing rendit sa gorge. Messire René jugea qu'il était temps de réunir ses frères et de les préparer au pire.

— La mort, qu'il commence en douceur et baissant la voix d'un double bémol...

— Non! coupe Gros comme le Poing en se bouchant les oreilles. Pas ça, non, non et non! Nous avons à peine vécu. Nos aventures viennent tout juste de commencer. Et puis... je ne la supporte pas, j'y suis allergique.

Et se détournant de la vie, il s'en va bouder dans son coin.

Messire René reprend son discours, depuis le début, rassemble de nouveau la compagnie et cherche à faire comprendre aux jeunes aventuriers qu'ils ne pourront pas toujours sortir gagnants, que le Destin reste malgré tout le plus fort et que la Dulle Griet...

— Assez! tempête le nain qui s'obstine dans son refus. On est bien venu à bout du bourreau, et qui n'était pas si facile, si vous vous souvenez. Or à nous quatre, on ne lui a point fait de quartier.

Il dit ça le poing en l'air, comme si ce seul poing-là avait réussi à expédier le bourreau dans l'autre monde.

Figure de Proue sent que sa tâche ne sera pas de tout repos ; que s'il n'est déjà pas facile de préparer à la mort les moribonds, que dire des bien portants! D'autant plus que ses bien portants de frères avaient de la santé en réserve et de la vie à revendre. Comment diable leur faire comprendre que nul homme n'est immortel?

Tout à coup son attention est attirée du côté du parvis

de la cathédrale où se déroule un spectacle inusité. Quelques vieillards se traînent sur les marches et font de grands gestes vers le clocher, incapables de proférer le moindre son. L'ancêtre voit alors ses frères, piqués par la curiosité, s'approcher du parvis et lever la tête vers les cloches qui ont commencé à sonner. Que se passe-t-il?

— On ne sait pas, répond le nain qui en a oublié jusqu'à sa peur, mais ç'a tout l'air d'être extraordinaire. Apparemment qu'un enfant serait emprisonné dans le clocher. C'est Jour en Trop qui l'a vu.

Petit à petit, la nouvelle se répand par la ville qu'une mère désespérée, avant d'aller mourir, a enchaîné son enfant au battant du gros bourdon pour qu'il attire la pitié des passants qui finiraient bien par entendre sonner. Les premiers qui ont eu pitié furent Jean de l'Ours, Jour en Trop et Gros comme le Poing.

— Il va finir par s'assommer contre la cloche, s'écrie le nain.

— Il risque de se détacher et tomber de la tour, ajoute le cadet.

Et Jean de l'Ours :

— Tu crois, Gros comme le Poing, que le clocher résistera si je grimpe?

— Il est en bois, et passablement vermoulu. Mais il supporte bien les cloches.

Messire René a rejoint ses frères.

— Tu es trop lourd, Jean de l'Ours. Envoyons plutôt le nain.

Gros comme le Poing s'étouffe dans sa salive.

— Va pour grimper; mais comment redescendre en emportant sur mes épaules un enfant trois fois plus gros que moi?

...Pour que le nain fasse allusion à sa taille, faut qu'il soit drôlement ému, songe l'ancêtre. Et il se prépare à se proposer lui-même, quand il est devancé par Jour en Trop.

— Et moi? Parce que je suis le tout dernier, on a tendance à m'oublier.

— Mais non, mais non.

— J'irai, moi.

— Laissez-moi monter.

— Je crois que cette tâche dangereuse me revient.

— Poussez-vous, c'est moi qui grimpe.

C'est maintenant la bousculade entre les frères qui finissent par prendre d'assaut le clocher, le clocher vermoulu, le pauvre clocher qui tout à l'heure semblait rechigner devant le poids d'un géant, et qui supporte tout à coup la charge de quatre hardis compagnons qui montent trois marches à la fois. Sans réfléchir, sans entendre craquer le bois pourri, sans se demander comment ils vont réussir à se sortir de là, nos héros ont atteint la cage où, en se débattant, un enfant a mis en branle toutes les cloches de la cathédrale.

Nos héros, un quart d'heure plus tard, n'en sauront pas davantage sur leur exploit, sinon que l'un d'entre eux a détaché le malheureux, l'a passé dans les bras du second, qui l'a filé à l'autre, qui a continué la chaîne, une chaîne qui a ramené l'enfant sain et sauf sur le parvis où une foule de plus en plus nombreuse s'était rassemblée.

Et ce fut l'accueil triomphal.

— Attention! cria le pigeon-voyageur à la troupe. La tour...

Et la tour s'effondra, dans un vacarme de cloches et de gros bourdons qui vinrent rouler jusqu'aux pieds de quatre héros et un rescapé qui venaient de l'échapper de justesse.

On avait échappé à l'effrondrement d'une tour. Restait la peste. Une peste qui se lisait sur tous les visages tournés vers eux, sur tous les bras tendus vers l'orphelin, l'un des rares enfants que l'Enragée Margot n'avait pas remarqué en passant.

Messire René, qui seul connaissait toutes les astuces de la Folle, vit l'urgence de dérober l'enfant à ses yeux, de le cacher loin des pestiférés et des lieux de contagion. Éviter les rats, les puces, les punaises; l'arroser de désinfectant; l'enfouir dans le sable.

— Il va crever de peur et d'ennui, se plaignit Gros comme le Poing.

— Pas en ta compagnie, lui rétorqua l'ancêtre. Et puis on fait ce qu'on peut avec les moyens qu'on a.

On fit tant et si bien, qu'au bout de huit jours, nos quatre compagnons avaient réussi à sauver l'enfant, sa nourrice, que Marco Polo avait dénichée dans une caverne au flanc de la montagne, et une douzaine d'errants affolés qui n'osaient plus rentrer nulle part. On désinfectait à grand renfort de créosol et de benzène, on brûlait les cadavres, on badigeonnait les bâtiments à la chaux, on enterrait les morts, soignait les malades, isolait les bien portants.

On s'essoufflait.

— La vaurienne vient de passer par ici, criait Gros comme le Poing, à moi, frères!

Et les trois frères accouraient au secours.

— Elle sort de cette maison, allons-y!

Et l'on se rendait en toute hâte sur les lieux.

— Je l'ai aperçue à l'est!

On courait à l'est.

— Au nord!

On filait vers le nord.

— Par ici!

— Par là!

— Vite, plus vite!

— Ouf!

Messire René finit par s'arrêter, s'asseoir sur la margelle du puits, s'éponger le front, et soupirer:

— Mes compagnons, mes frères, résignons-nous. Nous ne viendrons pas à bout de la mégère. Cette fois, elle est vraiment la plus forte. Je crains hélas! que la ville y passe.

Les trois autres laissent tomber la tête sur leur poitrine, prêts à pleurer: Jean de l'Ours, à pleurer sur la ville; Jour en Trop, sur la ville et l'enfant; Gros comme le Poing, sur la ville, l'enfant et lui-même. Et encore une fois, le nain, qui ne sait plus où donner de la tête, lance la première idée qui lui passe par l'esprit, par désespoir, par révolte, par dépit.

— Au moins, mes frères, vendons chèrement notre peau. Ne laissons pas la Margot l'emporter sans combat.

En exprimant l'idée, Gros comme le Poing l'a conçue plus clairement, commence même à la trouver intéressante.

— Si au lieu de combattre le fléau, on l'attaquait à sa source?

Les trois autres s'arrêtent de respirer... Au fond, pas si bête. S'en prendre directement à la semeuse de peste, détruire le mal à la racine. Mais comment?

— Je me battrai, dit Jean de l'Ours, elle est plus grande que moi.

— Je lui parlerai, fait Messire René, elle a peut-être un point faible.

— Si elle a un point faible, tendons-lui un piège, propose Gros comme le Poing.

Jour en Trop n'ajoute rien, faisant confiance à ses aînés.

Et les voilà qui s'arment pour l'ultime rencontre avec la semeuse de fléaux.

Jean de l'Ours avait reçu en héritage, avec la vie, la force, le courage, et un sens de l'honneur qui n'avait plus tellement cours à son époque. Il ne savait pas plus se mentir à lui-même que mentir aux autres. Après une lutte à bras-le-corps de douze heures, il comprit qu'il ne sortirait point gagnant du combat; mais par fidélité à sa troisième maxime, il achèverait l'oeuvre commencée, dût-il y laisser sa peau.

Aussi, au soir du premier jour, Jean le Fort comme Quatorze avait déjà reçu assez de coups pour laisser présager une bien funeste issue de la rencontre. Il fallait le soustraire à ce duel inégal.

— Viens-t-en, Jean de l'Ours! Laisse tomber!

Impossible. Il luttait contre plus grand que lui; il venait

au secours des plus faibles ; il devait poursuivre l'oeuvre commencée.

Oh! merde alors! songea le nain. En quoi s'était-il embarqué ?... T'aurais pas pu tourner dix fois la langue dans ta bouche avant de semer tes idées brillantes, petit finaud? Et le Tom Pouce se bourra de coups de poings en inondant la Folle d'obscénités.

— J'y vais, se résout soudain Figure de Proue en prenant une profonde inspiration et en recommandant aux plus jeunes de ne pas bouger de leur lieu d'observation. Prenez soin de votre frère.

Ce qu'ils firent, en l'obligeant à se laisser choir dans une charrette que Jour en Trop poussa à l'ombre d'un chêne, tandis que Gros comme le Poing, qui s'était baigné dans la benzine, s'attaquait aux tumeurs ganglionnaires à mesure qu'elles se montraient.

— T'en fais pas, mon géant, mon ami, on va te les percer tes bubons infects. Elle t'aura pas, la Folle.

Pendant que le nain cherchait à endormir la douleur du pestiféré en le berçant de paroles affectueuses, l'ancêtre tenait un tout autre langage à l'enragée semeuse du pire fléau de tous les temps.

— Tu prends vraiment plaisir aux souffrances des pauvres et des innocents? Passe encore de t'en prendre à ceux qui ont mérité la colère des dieux. Mais tu fais tout le contraire. C'est connu depuis toujours que tu te plais à épargner les méchants. Pourquoi ne pas te nourrir des fléaux, puisqu'il te faut des victimes? Attaque-toi à tes semblables, débarrasse le monde de ses parasites malfaisants. Mais n'arrache pas le nourrisson au sein de sa mère ; n'achève pas le vieillard dans des souffrances superflues ; n'ajoute pas à la misère des miséreux. Aie la décence de laisser en paix au moins les victimes de la foudre, de la famine et de la guerre. Tu n'as pas honte de toujours t'en prendre à plus faible que toi ?

Non, elle n'a pas honte. La Dulle Griet ne connaît pas ce

sentiment-là. À vrai dire, la mégère ne connaît pas de sentiments du tout. Pas de vergogne, pas d'humanité, pas de compassion. Et elle lance de par les buttes qui le renvoient en écho un ricanement qui vise les poumons et les glandes de Messire René. Au tour du vieux de rire.

— Cette fois tu ne m'auras pas, marâtre. Tu ne m'as pas épargné, il y a quatre siècles, et j'en suis sorti. Sorti immunisé. Tu ne m'auras pas deux fois.

La Folle jette sur l'ancêtre indemne un regard furieux, puis se détourne et s'en va secouer son devanteau dans le quartier le plus pauvre et le plus insalubre de la ville.

— C'est mon tour, dit enfin le nain qui parle à voix basse pour la première fois de sa vie. Autant risquer le tout pour le tout.

Puis pour se donner du courage et divertir la compagnie :

— On raconte d'ailleurs que la peste n'a aucune emprise sur le diable et les diablotins.

Et sans se retourner, Gros comme le Poing, qui passait pour le moins brave des quatre héros, part à la course sur les trace de Margot l'Enragée. En route, il échafaude plan sur plan dans sa tête, mais les expédie tous l'un après l'autre, convaincu que le moment venu, son intuition primera sur sa raison raisonnante.

— Tiens! mais si ce n'est pas mon bon pigeon-voyageur! D'où sors-tu?

— Du trou d'un tronc d'arbre où je m'en fus causer avec un vieux hibou.

— Un hibou, à cette heure! C'est bien le moment de faire la causette! Tu ne pourrais pas plutôt m'aider à tendre un piège à la Folle? Tu sais que la ville entière est en péril, et nous aussi par le même occasion.

Le pigeon ne répond pas, mais fait un superbe plongeon, puis un looping, et s'en vient passer entre les jambes du nain qu'il emporte du coup sur son dos. Gros comme le Poing a le temps de crier : *Giddup! hue! huhau!* en souvenir de sa jeunesse orageuse, avant de se laisser emporter dans les airs.

— Elle est juste en dessous, roucoule le pigeon. Elle se promène dans les ruelles les plus sales et les plus misérables.

— La garce! Approchons-nous pour mieux chercher la faille sous son bonnet.

Il dit cela pour faire une image, sans se douter que l'oiseau était du genre à le prendre au mot. Or le bonnet de Margot l'Enragée avait précisément deux larges fentes pour laisser passer les oreilles. Des oreilles immenses qui prenaient plaisir à entendre les râles et gémissements sur son passage. Des oreilles profondes comme des tanières de blaireaux ou de renards... Renard, le cousin...

— Je me demande, dit Gros comme le Poing, quel tour il inventerait, celui-là, dans les circonstances...

Marco Polo vise le grand canal de l'oreille.

— Il se cacherait là-dedans. Allons-y!

Et sans attendre de réponse, il atterrit sur le pavillon et pousse le nain à s'enfoncer dans le conduit.

Aïe! aïe! s'écrie notre héros affolé quand il comprend dans quelle aventure il vient de s'embarquer. Jamais il ne se tirera de ce pas-là. Il lui fallait aussi s'en aller demander conseil à un oiseau! Il n'aurait pas pu rester tranquillement chez lui, au pays de ses pères, à continuer la bonne vieille lignée paternelle et ancestrale ? Il lui fallait donc à tout risque se hasarder sur les chemins les plus dangereux et les plus inconfortables?

— Ah! pour être inconfortable, ça...

Il ne peut achever sa phrase. Son réduit vient de s'obscurcir totalement, l'ouverture du tunnel se ferme.

— Que se passe-t-il? Hey! Qui a bouché l'entrée?

De plus en plus bouchée, l'entrée. Car Margot, en sentant vibrer ses tympans, s'est attrapé les oreilles à deux mains. Et voilà notre Gros comme le Poing emprisonné dans la tête même de la semeuse de fléaux.

Il commence, comme on se l'imagine, par s'affoler et appeler au secours. Il crie après ses compagnons, son frère, sa mère Bonne-Femme. Il hurle, tape du pied, mène dans sa cage la pire tempête que ne connut la Dulle Griet pourtant habituée à les semer sans discernement. Mais jamais hardi chevalier, croisé sur sa route, ne s'est encore hasardé jusque-là. Pour la première fois, la semeuse de fléaux rencontre un fléau qu'elle n'a pas engendré. Et elle manque d'en perdre la raison. Elle danse sur un pied, puis sur l'autre, hurle, s'attrape les oreilles, tremble de tous ses membres. Avec Gros comme le Poing, Margot l'Enragée connaît son premier mal de tête.

Puis elle se met à tousser; quelque chose l'engotte, lui bloque le gosier, lui glisse le long de l'oesophage, lui tombe dru dans l'estomac. Tout à coup, elle se serre le ventre de ses bras en faucille et déchire le ciel d'un horrible hurlement.

Pendant ce temps-là, les trois frères restés à l'écart, assourdis par les cris de la mégère, commençaient à s'inquiéter du sort de leur compagnon. On n'arrivait pas à imaginer que le nain à lui seul fût venu à bout de l'ogresse. Et pourtant, on l'entendait bel et bien hurler, la garce. Quelqu'un était en train de lui servir une raclée. Par quel miracle, quel subterfuge notre héros Gros comme le Poing avait-il pu triompher d'une géante de sa taille?

— Le petit a plusieurs tours dans son sac, insinua l'ancêtre, mais tout de même...

— Il est courageux malgré tout, risqua Jean de l'Ours en tremblant pour son frère.

— Il a le coup de pied rapide, notre Tom Pouce, se réjouit Jour en Trop. Si seulement il le lui a donné au bon endroit...

Il ne se trompait que de l'endroit, le petit Hors du Temps. Les coups de pied, Gros comme le Poing était en train de les assener proprement, mais à l'envers.

...Merde, merde, merde! qu'il crache avec dégoût, en pataugeant dedans jusqu'à la ceinture. Quelle glissade j'ai fait! Et comment m'en vais-je sortir de ces égouts infects? Oh! la la! J'avais bien affaire aussi à m'embarquer dans pareille aventure! Mettre le nez dans l'oreille d'autrui! Me voilà bien avancé. Dans la merde jusqu'au cou! Oh! la la! la la!

Et tout en se lamentant et gémissant sur son sort, Gros comme le Poing se débat et s'agrippe aux parois des tripes de la Dulle Griet, pliée en deux de douleur. Le lieu est sombre et insonorisé, de sorte que l'explorateur des profondeurs n'entend pas les cris de sa victime et ne peut se douter, par conséquent, du succès de sa mission. Pour une fois qu'il est vraiment en train de réussir un exploit, ce héros qui d'ordinaire ne doute de rien, ne se doute pas aujourd'hui de l'énormité de son aventure dans le ventre même de la Mort.

Quand il l'apprendra, il en sera déjà sorti. Et voici comment.

Personne n'a oublié le troisième don qu'il avait réclamé en héritage de sa marraine Clara-Galante. Gros comme le Poing moins que personne. Sauf que, depuis sa mésaventure aux pieds de sa bien-aimée, le surdoué avait appris à se méfier de ses dons et hésitait à se servir de celui-là en particulier. Il finit pourtant par se dire qu'il lui faudrait bien trouver une issue à la situation dans laquelle il s'empêtrait de plus en plus; qu'il ne pouvait tout de même pas vivre le reste de ses jours dans ce genre d'emmerdements; et qu'il devait au plus tôt trouver une porte de sortie. Et c'est en remuant ciel et terre au fond des entrailles de Margot l'Enragée, que Gros comme le Poing joua de tout son charme et de tous ses dons.

C'est le dernier qui réussit. Car à l'instant même où il éternua, la Folle largua de par le monde, dans un jet de bruit et de fureur, un large pet qui tomba sur ses pattes et qui n'était nul autre que notre héros Tom Pouce dit Gros comme le Poing.

Pour une aventure, celle-là!...

Bien sûr, quand il la racontera à ses frères, il l'allongera. Comme si un voyage dans le ventre de la Faucheuse n'était pas déjà un exploit assez important, qu'il lui fallait en rajouter.

— Celui-là s'arrangera, dira alors Messire René, pour prolonger la durée de l'éternité et se soustraire au banc des accusés du dernier jugement...

En attendant le jugement dernier, toutefois, Gros comme le Poing et ses trois frères étaient bel et bien revenus sur terre, face à la semeuse de fléaux qui, purgée de son mal, sortait de cette aventure plus méchante que jamais.

— Il faudra bien en venir à bout! s'entêta le nain qui était venu si proche de réussir.

— Il le faut! répétèrent les trois autres rendus aussi obstinés que lui.

— C'est qu'on a tout essayé! se plaignit Jean de l'Ours.

— Et moi? s'en vint dire sur un ton de reproche le tout dernier. Vous ne m'avez pas essayé.

C'est vrai. Il restait Jour en Trop. Il était leur dernier espoir. Mince, et pourtant ultime espoir.

— Tu n'as rien remarqué de singulier chez elle, Tom Pouce, quand tu lui fouillais les tripes? demande l'ancêtre.

...Si, si fait, il a remarqué qu'elle n'avait pas de coeur, et des entrailles pourries.

— Et quoi encore?

...Un cerveau énorme, rempli de petits casiers...

— Une mémoire universelle, dit tristement Figure de Proue.

— Oh! oui, et j'ai constaté autre chose, ajoute Gros comme le Poing, perplexe. À la place du coeur, j'ai vu un vase à deux ampoules communiquantes... je crois bien que c'était un sablier.

Jour en Trop lève la tête et sourit.

— Un sablier à la place du coeur, tu dis?... Si vous voulez m'aider, je crois qu'à nous quatre nous avons encore une chance de la vaincre.

Les trois compagnons se mettent aussitôt au service du cadet, prêts à lui obéir aveuglement. À lui de commander.

Il commande alors à Gros comme le Poing d'appeler le pigeon. Dans son ultime effort pour triompher de la Dulle Griet, la compagnie aura besoin de tous ses éléments. Et l'enfant né un jour en trop se met à distribuer les tâches.

...Marco Polo appellera la mégère par ses noms multiples, l'obligeant à se répandre partout à la fois et à secouer son tablier aux quatre coins du monde. Gros comme le Poing, durant ce temps-là, jouera de sa flûte enchantée et la fera danser à en perdre le souffle. C'est alors que Messire René, immunisé et ne craignant rien, viendra tout bonnement la saluer et prétendre engager conversation. Il lui parlera entre autre de ses pieds fatigués et lui proposera de les reposer en dansant quelque temps sur les mains et la tête. Quand Jean de l'Ours l'apercevra le cul en l'air, il lui attrapera les chevilles et la tiendra ferme dans cette position jusqu'à ce que le petit Hors du Temps achève l'oeuvre de leur vie.

— Chacun a compris?

— Compris!

— Vous savez tous ce que vous avez à faire?

— Nous le savons!

— Allons-y! Et puis merde!

— Merde! crient les trois autres en choeur, tandis que Marco Polo laisse choir sur le nez de son maître son message de chance.

Tout se passa comme prévu. Un seul instant, Messire René crut leur victoire compromise: quand il entendit sortir de la flûte de Gros comme le Poing une danse macabre qui faillit éveiller les soupçons de Margot l'Enragée. Mais l'ancêtre fustigea si bien du regard l'imprudent musicien, que le petit drôle glissa aussitôt dans une farandole endiablée. C'est alors que Messire René avait trompé la vigilance de la Folle en l'incitant à danser sur ses mains, que Jean de l'Ours l'avait entravée et retenue sur sa tête, et que s'était amené le jeune Jour en Trop, grand-maître du temps.

— Ne bougez pas, personne, qu'il commande à ses frères. Laissez-lui renverser complètement son sablier. Elle est en train de parcourir les heures à l'envers. C'est notre seule chance de la chasser hors du temps.

Les trois autres, et même le pigeon qui avait pourtant voyagé jusqu'aux confins du monde, en restèrent bouche bée et les yeux ronds comme des billes.

— Décidément, le petit...

Le reste fut un jeu d'enfant. Jour en Trop étira la peau du temps qui se fendit, laissant béante une ouverture juste assez large pour y pousser, à coup de botte de sept lieues, la bougresse de Margot l'Enragée qui plongea dans le vide infini en lâchant un hurlement d'enfer.

Un bruit d'avalanche remonta jusqu'aux oreilles des quatre compagnons et du pigeon-voyageur. Et chacun comprit qu'en dégringolant de l'autre côté du temps, la Dulle Griet avait laissé échapper ses fléaux qui se bousculaient comme les pierres d'un rocher frappé par la foudre.

— Pourvu qu'aucun ne rebondisse jusqu'à nous, risqua Gros comme le Poing.

L'ancêtre, pour une fois, montra un visage tranquille et souriant.

— Non, répondit-il à ses frères. Cette fois, grâce à Jour en Trop et à vous tous, elle a disparu et nous laissera en paix. Pour un temps. La peste ne fait sa randonnée dans le monde qu'à chaque siècle ou deux, rarement plus souvent. Elle prendra sûrement cent ans à se remettre de son pied au cul.

C'était bien la première fois que l'ancêtre parlait si librement.

...Il faut qu'il soit bien ému et content, se dit Gros comme le Poing.

Ils étaient tous plus que contents et drôlement émus en voyant surgir des maisons et des trous de la terre les rescapés du plus grand fléau du siècle.

— Courons accueillir l'enfant sauvé du clocher, proposa Jour en Trop.

— Oh! oui, ajouta Jean de l'Ours, et gardons-le avec nous.

— Maintenant que nous avons triomphé de la Faucheuse, de poursuivre Gros comme le Poing...

Il n'eut pas le temps d'achever sa pensée. Messire René venait de lever le bras droit pour leur imposer silence, les yeux fixes, l'oreille aux aguets.

— Que se passe-t-il?

— Chut! écoutez.

On tendit l'oreille. Un bruit de roues sortait de fort loin, à peine perceptible. Et les trois frères ne comprirent pas en quoi des roues écrasant les cailloux de la route pouvaient bouleverser à ce point l'âme de leur aîné.

— C'est rien qu'une charrette, Messire, s'écria joyeusement Gros comme le Poing.

— C'est La Charrette, répondit l'autre dans un murmure qui roulait les *r* de la *charrette* à en faire grincer ses essieux.

Puis se composant un visage pour ne pas les troubler davantage :

— Allons! mes frères. Nous avons encore un bon bout de chemin à parcourir, ne nous attardons pas.

— Et l'enfant? risqua le cadet attendri.

— Laissons-le à sa nourrice. Les aventures qui nous attendent sont trop dangereuses pour un nouveau-né. Plus tard, il apprendra qu'il nous doit la vie et qu'il est en quelque sorte notre progéniture. Peut-être alors...

Messire René se tut. Et tous gardèrent silence en souvenir d'un enfant qu'ils avaient presque mis au monde et qui aurait pu être leur héritier.

XV

SI LA TERRE EST UNE BOULE, OÙ EST LE BOUT DU MONDE?

Et la vie reprit son cours dès le lendemain.

Gros comme le Poing s'aperçut toutefois que Messire René s'attrapait souvent les oreilles. Avait-il mal? ou cherchait-il seulement à se soustraire aux bruits insalubres du monde?

— Pas insalubres, non, mais angoissants, répondit l'ancêtre qui jugeait dépassée l'époque des jeux de cache-cache avec le Destin.

Gros comme le Poing éclata de rire. Pour lui, le temps des jeux n'était jamais fini. Et puisque Destin il y avait, eh! bien, contre le Destin on jouerait sa vie!

Il se mordit la langue, sa langue fourchue de petit diable qui dépassait toujours sa pensée... Il serait peut-être temps d'entreprendre ta révolution intérieure, mon grand, qu'il se dit, et d'accorder désormais une part plus importante à la raison. Toute ta vie, tu t'es fié à tes instincts et à ton intuition. Remarque que ces dons ne t'ont pas trop mal servi. En tout cas, tu es toujours là, gai, bien portant, allègre, astucieux, ingénieux, beau, jeune, grand... Là, Tom Pouce, tu charges un peu. Va pour allègre et bien portant.

Notre héros fut tiré de sa contemplation de lui-même par un appel venu de l'orée du bois. C'est Jean de l'Ours qui criait à son frère de s'amener en vitesse auprès de leur aîné qui venait de faire une chute.

— Une chute? De quelle hauteur est-il tombé?

— De la sienne. Il s'est effondré, comme ça, pour rien.

Le nain s'approche aussitôt de Messire René et se met à le dévêtir et le cajoler.

— Ce n'est rien, voyons! Un petit étourdissement. Trop de lumière. Et puis ça manque d'air ici.

— Manque d'air? fait un Jour en Trop étonné. Mais on est dehors.

Jean de l'Ours, qui n'a pas l'habitude de remettre en question les affirmations de son brillant jumeau, entreprend de pomper de l'air tout neuf de ses poumons et d'en inonder le visage du malade. Les trois frères, chacun à sa manière et selon ses dons, font si bien qu'au bout de trois jours, Figure de Proue se dresse sur ses coudes, ouvre tout grands les yeux et demande à boire.

— À boire! répète le nain d'une voix si criarde que toute la forêt se sent invitée.

Petit à petit, et le vin aidant, l'ancêtre retrouve ses forces et tente de tranquilliser sa compagnie.

— Paix, enfants, qu'il leur dit, seyez sans crainte ni effarement. Point ne vous est destiné le trouble qui sur l'heure m'assaillit.

...Le revoilà atteint de sa langue ancienne, que songe Gros comme le Poing. Que j'aime donc pas ça! et que ça me paraît de mauvais augure! S'adressant alors aux deux autres:

— Faut le purger. Jour en Trop, va nous cueillir de l'herbe à dindon et du thé des bois.

Avec les forces, le malade a retrouvé sa mémoire infaillible et sa sagesse redondante. Et il recommence à instruire ses compagnons sur la pluie et le beau temps, les bons et mauvais champignons, le cours des eaux, des planètes et de l'histoire. Cette fois, le nain est convaincu que le radoteux est bien guéri et qu'on peut reprendre la route.

— Si on a l'intention de prouver que la terre est ronde, qu'il lance en étourdi...

De nouveau, l'ancêtre se renfrogne.

— Vous, peut-être. Vous êtes jeunes malgré tout.

Chacun proteste dans son style personnel, l'un en se tordant les pieds, l'autre les mains, le nain toute sa personne.

— Pas si jeunes que ça. De toute façon, devant l'aventure, on a tous le même âge, y ayant mis le pied le même jour. Parlons d'autre chose.

Et l'on se tait.

— Fort bien, finit par dire Messire René pour rompre le silence trop lourd. Je vous avouerai donc tout.

— À la bonne heure!

— C'est pas trop tôt!

— Allons-y!

Et voilà comment Messire René dit Figure de Proue raconta à ses trois frères intrigués puis ahuris l'histoire de la Charrette de la Mort. Il conclut de sa voix grave et rauque :

— Ne vous étonnez donc pas de me voir me boucher les oreilles de temps en temps. J'essaye de faire taire le bruit de ses roues qui m'étourdit.

C'était donc ça!

Ainsi faudrait-il compter à l'avenir avec ce nouveau visage de l'ennemi! Décidément, l'adversaire avait la peau coriace. À quoi ça leur a servi d'abattre le bourreau encagoulé et de chasser du temps Margot la Folle, si la sombre Charrette venait à son tour leur barrer la route? Aïe, aïe!

...Bon! que se dit le nain. Admettons que la Charrette existe, qu'elle nous ait repérés et qu'elle ait décidé de nous faire monter à bord. Encore faut-il qu'elle nous rattrape : rattrape Jean de l'Ours chaussé de bottes de sept lieues ; rattrape Jour en Trop plus rapide que le temps ; rattrape pour la deuxième fois un René qui la connaît sous toutes ses coutures ; et moi... le plus mal pris c'est moi. Mais j'ai tout de même mon pigeon qui saura bien m'emporter dans les nuages. Ah! non, cette fois prenons l'offensive, ne nous laissons ni abattre ni déconforter par l'adversité. Ne pas nous distraire, c'est tout.

Et pour partir tout de suite du bon pied, Gros comme le Poing propose à ses amis de noyer le grincement des essieux de la Charrette dans un bruit encore plus assourdissant.

— De la musique! de la musique, mes frères! Lançons-nous dans un hourvari de sons nouveaux qui chasseront à jamais de nos oreilles le bruit des roues sur les cailloux du chemin.

— Si vous voulez des sons nouveaux, s'en vint roucouler Marco Polo, je connais des marais non loin d'ici qui pourront vous en fournir à satiété.

— Des marais sonores? s'enquirent les compagnons intrigués.

— Ils portent le nom de Tintamarre, précisa le pigeon.

Ça alors!

Eh! bien, tant mieux! Et la petite troupe, guidée par le pigeon-voyageur, se dirigea vers Tintamarre.

En approchant des marais, on n'entendit d'abord que les canards qui se criaient les uns aux autres de se mettre à l'abri, que des intrus venaient d'arriver.

Ça c'est nous autres, traduisit Gros comme le Poing, le seul à comprendre le langage des animaux.

Puis s'adressant au pigeon :

— C'est ça que t'appelles des marais sonores? Comme musique, ça me paraît un peu nasillard et discordant.

— Écoutez!

Et on écoute.

— Qu'est-ce que c'est?

Des bruits étranges sortent des foins sauvages et salés, des murmures, des rumeurs, des éclats de voix. Un peu à l'écart, montent des clapotis et crépitements, puis une détonation.

— Vous avez entendu?

On entend maintenant le cliquetis d'armes qui s'entre-choquent, le sifflement des balles, le grondement des canons. On entend, mais on ne voit rien.

— On a dû se battre un jour dans les marais de Tintamarre.

— Sûrement.

Soudain, juste sous leurs pieds, nos compagnons voient bouger les foins qui larguent des barborygmes dissonants. Ça chuchotte, bruisse, crisse, bourdonne et craque. Puis les sons s'amplifient, les marais résonnent de clameurs de plus en plus fortes et fracassantes. On ne sait plus si Tintamarre baigne dans le tohu-bohu, la bacchanale ou le charivari. Une chose est sûre : on est tombé en pleine cacophonie.

— Je ne le supporte plus, gémit Messire René en se bouchant les oreilles. Rendez-moi plutôt le grincement des roues.

Les trois autres s'affolent et refusent de céder. Puis Gros comme le Poing propose d'attraper les sons rebelles et de les harmoniser... Va, Jour en Trop, cours, saisis-les au vol, redresse-les, coupe la queue des triples croches... Non, Jean de l'Ours, ne les avale pas toutes rondes, t'auras des gargouilles au ventre.

Les marais de Tintamarre ne sont plus qu'un vaste terrain de chasse aux notes, timbres et accords, où quatre hardis compagnons luttent avec les sons pour enterrer le bruit de la Charrette.

— Passe-moi une plainte, crie le nain à Jour en Trop.

— Prête-moi ton grondement, Jean de l'Ours.

— Tiens, j'ai trois voix en trop, je les échange contre un long soupir et deux explosions.

Et d'explosion en soupir en plainte, les musiciens remontent la gamme, créent des harmoniques, mélangent les sons, brisent les rythmes, réinventent des mélodies, et finissent par rendre aux marais de Tintamarre la symphonie primitive que le temps, les vents et les guerres ont désarticulée.

Rendus au soir, les quatre héros se laissent tomber dans

les foins sauvages et s'endorment au son de la musique qu'ils ont recréée à même les bruits cacaphoniques de la nature et de l'histoire.

...Au moins cette nuit, songe Gros comme le Poing, ni le vieux ni personne n'entendra le grincement de la Charrette.

Et la nuit se prolongea sur huit jours.

Au bout de huit jours, nos héros se réveillèrent en pleine forme, conscients d'avoir rogné le bout des ailes du destin. Avec de pareilles mélodies dans les oreilles, on se sentait capable de reprendre la route de l'aventure, de rouler sa bosse côte à côte avec la Charrette, s'il fallait, sans daigner entendre le bruit de ses roues.

— Allons, vieux frères! ce n'est pas demain la veille! s'exclamait un Gros comme le Poing tout ragaillardi, sans même se demander : La veille de quoi?

En fait, on était à la veille de la Toussaint ; et ce jour-là avait nom au pays de *jour des tours.*

Les tours! Voilà un mot qui ne devait pas laisser froids et indifférents des héros qui, sans jour des tours, contes et croyances populaires, n'auraient sans doute jamais vu de jours du tout.

— Ça c'est mon jour! s'écrie soudain Gros comme le Poing qui vient de concevoir une autre de ses idées brillantes et audacieuses et qu'il est prêt à la partager avec toute la compagnie. Si on jouait un tour à la Charrette, histoire de s'amuser...

Messire René s'étouffe et perd l'équilibre. Voilà une idée qui vient de lui garroter le gosier... Vraiment, le Pouçot, tu ne pourrais pas inventer jeu plus rigolo?

Le nain demande pardon à l'ancêtre, il n'avait pas pensé à mal, il cherchait seulement à distraire la troupe de ses peurs et angoisses... À son dire, le meilleur moyen d'oublier la Charrette est de la tromper et se moquer d'elle.

Figure de Proue se prépare alors à distinguer, au bénéfice de ses frères, entre la mort universelle et anonyme, destinée à tous, et la mort personnelle qui vise chacun... quand il fixe l'horizon d'un air égaré et commande le silence à la troupe.

— Détournez-vous, elle n'a vu que moi.

Mais ses compagnons cette fois refusent d'obéir. Ce genre de galère est pour tout le monde ou personne. Ce n'est qu'une charrette après tout. Noire, tirée par six chevaux, mais avec un cocher comme dans toutes les charrettes.

— Même pas une charrette, mais un carrosse, corrige Gros comme le Poing. Vous avez déjà vu des carrosses. C'est pas plus malin qu'un fiacre, un coupé, un boghei. Si chaque fois qu'il passe une voiture noire sur la route, nous prenons le mors aux dents...

Mais le nain eut beau s'amuser à faire de l'esprit, lui qui aurait pu se contenter d'en avoir, il sentait son humour tourner au vinaigre. Car en apercevant au passage du coche le visage du cocher, notre héros crut se souvenir d'avoir déjà vu ce personnage quelque part... Mais non, Gros comme le Poing, tu deviens gâteux, ne commence pas à donner dans ces travers-là, tu ne connais pas cet homme, tu n'as jamais vu ce visage, tu es complètement ignorant de ces choses, change de sujet et parle de la pluie et du beau temps.

Mais en voulant parler d'autre chose, le nain s'entendit demander :

— À quoi ressemblait le bourreau que nous avons connu dans notre jeunesse ?

Les trois autres ne se rappelaient plus très bien de son visage, d'ailleurs on lui avait fort peu vu le visage, il était plutôt grand, et portait cagoule.

— Et puis nous l'avons tué, de conclure Jean de l'Ours qui cherchait à tranquilliser son frère.

Le temps passa.

Et un matin, alors que la troupe avait retrouvé son entrain et sa bonne humeur, Marco Polo rebroussa chemin pour venir lancer de nouveau ses avertissements à ses maîtres, comme devant chaque obstacle ou danger de la route. Ce matin-là, cependant, il emprunta le cri à cinq syllabes du geai bleu :

— Foutez l'camp, messires! Foutez l'camp, nigauds!

Gros comme le Poing en eut la bouche arrondie devant de pareilles libertés de la part d'un oiseau. Et il se préparait à lui servir une leçon de politesse et de linguistique, quand il vit approcher une masse noire tirée par six chevaux. La troupe eut juste le temps de plonger dans le fossé.

Souisssse...!

Puis on ne vit plus rien.

Deux minutes plus tard, on entendit sonner le glas au clocher du village voisin.

Quelqu'un est mort? s'enquit Messire René d'un paysan qui revenait du marché.

— Pauvre malheureux! fit le passant, un tout jeune homme qui a reçu une cheminée sur la tête.

Les quatre héros se mirent à contempler la pointe de leurs chaussures, comme si de leurs orteils devait surgir la réponse à leur plus grave problème métaphysique.

— Je suis sûr, reprit Gros comme le Poing, que sa figure ne m'est pas totalement inconnue.

Petit à petit, on se remit à causer, chacun fouillant dans ses souvenirs pour y dénicher un visage oublié qui pouvait s'apparenter à celui du cocher.

— Tu te souviens du vieux Mathias, Jean de l'Ours? et de Clovis, le maréchal-ferrant? et du petit Syrien, le colporteur?

On passa en revue tous les vieillards du pays de l'enfance, disparus depuis longtemps du monde, mais qui surgissent soudain dans leur mémoire commune, prouvant ainsi que nos héros n'avaient pas rêvé leur vie. Soudain, Gros comme le Poing se frappa le front de ses deux paumes :

— Martial! qu'il s'écria. C'est lui tout craché.

— Mais il est mort, répondit Jean de l'Ours, perturbé.

...Bien sûr qu'il était mort, mort centenaire. Il s'était

éteint comme ça, sans laisser de traces, sinon l'écho de ses petits rires étouffés et de ses joyeuses plaisanteries. On racontait qu'il était parti avec le doigt dans le nez, en disant à tout le monde *au revoir* au lieu d'*adieu*. Drôle de bonhomme, le vieux!

Avec la mémoire des bonnes années du temps jadis, nos compagnons retrouvèrent la sérénité et le goût de reprendre la route. Un cocher qui a nom Martial, ou Mathias, ou Clovis ne peut pas être bien redoutable.

— Je serais même tenté de m'entretenir avec lui, se mit à plaisanter Gros comme le Poing. Causer de certaines idées qui me hantent depuis toujours et qui, depuis un certain temps...

Depuis un certain temps, le nain revoyait souvent sa mère en songe, son père, à l'occasion, et de plus en plus sa marraine Clara-Galante. Et chaque fois, l'un ou l'autre s'en venait lui taper sur l'épaule pour attirer son attention et lui confier... Lui confier quoi? Il se réveillait toujours avant le temps et en criant: Merde! je ne saurai donc jamais?

— Je serais tenté, qu'il reprit cette fois pour lui tout seul, d'arrêter le coche au passage et de héler le vieux.

Il n'eut pas à se donner tant de peine: le coche s'arrêta de lui-même. À la surprise de tous. À l'effarement de Gros comme le Poing qui fut pris soudain de tremblote et de bégaiement. Il essayait de dire au cocher de laisser faire, de passer son chemin, qu'on n'avait besoin de rien, merci. Mais les mots trébuchaient les uns sur les autres, écrasant les voyelles sous les consonnes, faisant revoler les accents et les points sur les «*i*».

Le cocher parut en avoir pitié. Il pencha la tête hors de la portière et, s'adressant à tous les quatre à la fois et à chacun en particulier, il leur proposa de venir reposer leurs vieilles jambes dans sa voiture.

C'est le «vieilles jambes» qui sauva la troupe. Comment osait-on s'adresser à de nobles aventuriers en ces termes? Je vous en ferai, moi, des vieilles jambes! s'emporta Gros comme le Poing. Et sa colère le distraya de sa curiosité et l'empêcha de faire des bêtises. Ce jour-là, la Charrette reçut un chien de sa chienne.

Mais Messire René, qui s'y connaissait en la matière, jugea qu'il était temps de réunir la troupe et de la mettre au courant de certaines réalités de la vie, dont l'une s'appelait la mort.

Voilà. Le mot était lâché. Et par nul autre que l'ancêtre Figure de Proue. Il n'aurait pas fallu. Pas fallu la nommer. C'est de l'imprudence, de l'inconscience. Faut point appeler le malheur, voyons!

...C'est de la sagesse, au contraire. Faut savoir regarder la vie en face.

...La vie, d'accord. Pas le reste.

...Le reste, c'est son envers, sa prolongation.

...Qu'est-ce que t'en sais?

...Justement il le sait, il a payé pour le savoir.

Gros comme le Poing se tait. Il doit reconnaître que Messire René, avec ses deux vies, est plus savant que lui, et plus sage par tempérament. Mais le nain détient pourtant sur tous un avantage, un atout réel: plus que tout être au monde, il tient à la vie. C'est le moment ou jamais d'en faire la preuve. Et prenant une respiration qui lui gonfle la poitrine comme un ballon:

— Écoutez, qu'il dit à ses frères sur un ton qu'il réservait d'ordinaire aux jours de baptême, de confirmation ou de première communion, je crois qu'il est temps de prendre nos vies en mains, si on ne veut pas risquer de nous la laisser prendre par d'autres.

...Bons préliminaires, qu'il se dit, bravo, mon grand, continue.

— On a rencontré la Charrette, d'accord, autant appeler la Charrette une charrette, même si à mes yeux elle a plutôt l'air d'un fiacre, mais tant pis! On a donc aperçu la Charrette. Et puis après? Est-ce que je suis condamné à mourir noyé parce que j'ai déjà vu la mer?

Figure de Proue secoue les poux de sa crinière et les puces de son échine. Vraiment, le nain pourrait chercher ses exemples ailleurs, par délicatesse. Mais Gros comme le Poing, en train de sauver le monde, a trop à faire à échafauder sa brillante argumentation pour songer à ménager les susceptibilités. Et il poursuit.

— Depuis que le monde est monde que les générations se succèdent, me direz-vous, que la nature se renouvelle à chaque saison, et que si le grain ne meurt... Nous sommes tous d'accord: il faut que le grain meure en terre. Mais le grain ne peut pas se défendre, lui, parce qu'il ne sait pas qu'il est grain.

Jean de l'Ours a la figure sillonnée de larmes. Depuis des années qu'il n'a entendu son frère parler avec tant d'éloquence et de conviction. Tous ces grains qui meurent en terre le font mourir de pitié et de tendresse pour la nature innocente qui ne sait pas qu'elle meurt chaque saison. Le géant est bouleversé, voudrait venir au secours des plantes et des arbres, sauver chaque fleur, chaque chenille, chaque brin d'herbe, empêcher les brindilles de se détacher des branches et les branches du tronc, refaire la création comme au premier jour.

— Le huitième jour! voilà, nous sommes les enfants du huitième jour! s'exclame un Gros comme le Poing transfiguré. Nous n'avons aucune raison de renoncer à cet héritage-là, aucune raison de nous soumettre à l'inéluctable ni de nous contenter des possibles. Il faut que l'impossible soit!

Il l'avait dit, crié, expiré de son coeur et de ses reins comme une pomme pourrie qui lui aurait engotté l'âme depuis le début des temps. Il ne reviendrait pas là-dessus. Il avait décidé au fond de lui-même de vendre si cher sa peau et de la vendre si tard, qu'une pelure neuve aurait eu le temps de se former en dessous de la première pour lui permettre de recommencer sa vie.

— En attendant, qu'il lança pour ramener ses compagnons sur le plancher des vaches, commençons par nourrir notre vieille carcasse des fruits de la terre en perdition. J'ai faim.

Et l'on se mit en quête de la place du marché en entrant au village.

C'était un village repeint et retouché qui gardait, sous ses allures de vieille dame, des vestiges de son ancienne élégance. Elle avait dû en connaître des aventures, cette dame-là, afficher une histoire affriolante, vivre une destinée comparable à nulle autre! Sa gloire passée transparaissait encore, en dépit du mince ruisseau quasiment tari qui traversait le bourg de l'est à l'ouest, et de ses buttes si bien rabotées par les vents qu'il n'en restait que des champs vallonnés.

— Le temps est passé par ici, ça se voit aux murs décrépis et aux poutres vermoulues, dit Figure de Proue.

— Faudrait l'empêcher de faire ses dégâts, d'ajouter Jour en Trop en fronçant les sourcils.

Et Jean de l'Ours serra les poings, prêt à s'attaquer à plus grand et plus fort que lui.

Le nain se contenta de sourire avec nostalgie, au souvenir du village natal qui avait dû aussi prendre un coup de vieux. Et levant les yeux vers le clocher pour voir sonner l'angélus de midi, il resta déçu de ne rien entendre... Il faut que le temps ait fait de drôles de ravages en ce pays pour ne plus sonner les heures.

— Je serais bien tenté, qu'il risque, de monter là-haut et de les ébranler, leurs cloches.

Et sans attendre le consentement de la troupe, le voilà qui part en courant à travers la place, monte les marches du parvis, entre dans l'église qui a dû s'appeler une cathédrale en son temps, et grimpe dans le clocher.

— Hé, frères! qu'il crie aux autres de là-haut.

Mais ses frères, ébarrouis par tant d'audace, ne parviennent ni à le voir ni à l'entendre. Ils savent par déduction que Gros comme le Poing doit se trouver dans la tour, et que l'on est mieux de l'y rejoindre au plus vite si l'on veut éviter plus grand malheur.

Voilà comment nos quatre héros ont vu passer la Charrette juste en dessous de leurs yeux, au plein centre du parvis, à l'heure où ils s'en venaient eux-mêmes sonner les cloches du village.

— Arrêtez, s'écrie Messire René. Faites taire le gros bourdon. N'attirez pas le regard du cocher sur la tour, il risque de nous apercevoir.

— J'ai comme l'impression qu'il nous a vus déjà, répond Gros comme le Poing. Regardez-le tirer sur les rênes pour refréner ses chevaux. Il ouvre la portière et descend.

— Il lève la tête, ajoute Jean de l'Ours.

— Vous croyez que c'est nous qu'il cherche? demande inquiet Jour en Trop.

— Le voilà qui cause avec le bedeau. À la place du pauvre homme, je me méfierais.

Gros comme le Poing se trompait. Le bedeau n'avait rien à craindre. Ce n'était pas son propre glas que le cocher lui commandait de sonner, mais celui de...

— Non!

On ne laissera pas l'homme approcher. D'instinct, nos quatre héros se sont emparés de toutes les cordes et les tiennent bien enroulées autour de leurs poignets, autour de la taille pour Gros comme le Poing. Le bedeau ne sonnera pas le tocsin ce jour-là. Et pour en être sûr, et le faire comprendre sans équivoque à celui qui se promène en bas sur le parvis en fumant tranquillement sa pipe, le nain entraîne ses trois compagnons à sonner à toute volée le carillon de noces, de baptême, de fête, de joyeux carnaval!

— Il voulait des cloches? eh! bien, voilà! que s'époumonne Tom Pouce en battant la mesure, tandis que tout le village, rassemblé sur la place, se met à danser autour d'un carrosse noir garé là par hasard.

— On l'a eu! s'éponge Jean de l'Ours qui, à lui seul, a réussi en une heure à sonner l'office, l'angélus, matines, nones, vêpres et le couvre-feu.

Et nos quatre compagnons se jettent dans les bras les uns des autres.

— Attention! crie Marco Polo qui n'a cessé de faire le guet, camouflé entre les innombrables pigeons juchés sur les épaules des saints patrons de la paroisse.

— Il s'amène! s'affole Gros comme le Poing. Sauve qui peut!

Puis il se ravise.

— Suivez-moi! qu'il huche aux autres.

Car il vient d'avoir une idée. Si un pigeon a pu réussir à se fondre dans la dentelle du pignon fleuri d'une cathédrale, pourquoi pas quatre compagnons, chevaliers sans peur et sans reproche?

— Vite, mes amis, mes frères; accrochez-vous là, ouvrez la gueule, tirez la langue, grimacez de tout le corps puis ne bougez pas. Et merde!

— Merde! répondent les trois autres juste avant de figer de terreur, suspendus au-dessus du vide, les pieds enroulés autour des gouttières.

Le cocher passe tout droit, ayant à peine jeté un oeil aux trois gargouilles qui décorent le fronton de la cathédrale, et au curieux diablotin qui grimace là-haut, juché sur son chapiteau. Il passe, perplexe, ayant l'air de se demander où diable ces mortels-là sont allés se fourrer.

Et il s'en va.

...Il est vraiment parti?

...Pas vraiment. Le carrosse est toujours là, sur la place.

...Vous êtes sûrs que c'est celui-là?

...Il y a des formes, des couleurs et des sons qui ne trompent pas.

...Faudrait pourtant le faire bouger.

...Faudrait.

...Ou nous faufiler hors du village sans qu'il nous voie.

...C'est trop risqué, il nous distinguerait dans la foule.

...Mais pourquoi diable s'en prendre à nous? Pourquoi pas à l'un de ceux-là?

...Parce que ceux-là ne passent pas leur temps comme nous à le provoquer.

— D'accord, j'ai compris, reconnaît Gros comme le Poing; à l'avenir, je ne lèverai plus le petit doigt.

...Pas le petit doigt, songe Messire René, mais le bras tout entier.

L'ancêtre est encore en dessous de la vérité: le nain vient de lever la tête, les yeux et les deux bras au ciel.

— Hey! qu'il crie à son pigeon. Que fais-tu là? Qui t'a permis de te coiffer de mon bonnet? Pour qui te prends-tu?

— Pour mon maître. Et ça marche. J'ai déjà réussi à tromper les chevaux qui hennissent et piaffent.

— Ma parole, il a raison! Le coche s'ébranle. Dépêchons-nous. Profitons de l'erreur sur la personne. Sortons d'ici.

Et il entraîne les trois autres hors de l'église, les pousse en bas des marches, les mène dans la première ruelle sombre et tortueuse, tandis que Marco Polo, faisant tinter les clochettes du bonnet multicolore, attire la Charrette loin de leur vue.

— Par ici! hurle Gros comme le Poing à ses frères. Prenez à gauche! Tout droit! Bifurquez! Un cul de sac, demi-tour! Prenons par là! Vers la porte, cherchons la porte!...

Hélas!

— Elle est bloquée.

— Ah! non! il s'est mis exactement en travers.

— Il n'y a pas d'autres sorties?

— Mais non.

— Le salaud!

Et les quatre compagnons s'asseyent sur la bordure du trottoir pour tenter de reprendre souffle et espoir.

— Combien de temps pensez-vous qu'elle pourrait rester plantée là? demande enfin Gros comme le Poing.

C'est l'ancêtre qui répond:

— Elle a tout son temps et elle le sait.

La salope!

Jour en Trop essaye de réconforter ses frères.

— Qu'est-ce qui nous presse? On n'est pas bien ici?

...Si, si fait, on est bien. On peut boire, manger et dormir; manger, dormir et boire; dormir, boire et manger... Mais avec cette Charrette qui bloque la sortie!... Tu trouves que c'est une vie, ça?

— Tu en as une autre à proposer?

— Faut la trouver. La seule vue du sombre équipage nous barrant la route finirait par nous couper le sommeil et l'appétit. Il faut l'éloigner de là.

...L'éloigner de là... ou passer par-dessus.

Le nain lance à tous son oeil à pic, puis son sourire en coin.

— Mes amis, mes compagnons, mes frères, fait-il en grimpant toute la gamme, veuillez prêter l'oreille à ma proposition.

Jean de l'Ours se hâte de la prêter sans marchander; Jour en Trop avec intérêt et curiosité; Messire René en se la faisant tirer, car lui seul sait que les propositions de cet audacieux personnage se sont révélées jusqu'à ce jour des armes à double tranchant.

Gros comme le Poing se rebiffe.

...Qui les a sortis sans dommages du danger encouru dans la cathédrale tout à l'heure?

Le nain, bien sûr... Mais qui avait d'abord fait encourir à ses frères ce danger-là?

...Heu-eu-eu...

Et le nain garde sa minute de silence, en signe de componction, avant de replonger dans ses extravagances. Car il est prêt à se repentir de ses fautes, demander pardon pour les péchés de sa vie passée, voire accomplir sa pénitence, mais jamais avec la ferme résolution de ne plus recommencer. À quoi serviraient les expériences sans la perspective de les répéter? La vie, au fond, était un nombre infini de variations sur un même thème.

— Mes amis, mes frères, qu'il reprend, je crois avoir trouvé son talon d'Achille, à notre cocher maudit.

Cette fois, toutes les oreilles se tendent à se rompre. Et notre héros peut exposer à ses frères le plan le plus audacieux et grandiose jamais conçu de ce côté-ci du cosmos.

— L'aventure du grand risque, qu'il dit, du tout pour le tout.

Les trois autres se taisent, ne devinant rien, mais soupçonnant le pire.

Le pire!...

Non, s'ils avaient pu flairer dans quelle direction les conduisait celui qui avait vu le jour dans le pétrin, ils auraient imaginé pis encore.

— C'est simple, qu'il leur dit, la meilleure façon de nous soustraire à la vue du cocher est de grimper sur le toit de son coche. Aussi longtemps qu'on sera au-dessus, on ne sera point en dedans.

Et il claque ses mains l'une contre l'autre, sûr que cette fois il a trouvé.

Il a trouvé. Pour trouvé, ça c'est trouvé. Reste à savoir comment, une fois là-haut...

Mais ce n'est pas le moment de couper les cheveux en quatre, Messire, ni de songer au lendemain. Au point où on en est, gagnons une manche à la fois, vivons au jour la journée.

La première journée fut plutôt drôle et gaie. Car de leur perchoir, nos héros pouvaient voir les chevaux s'affoler et le cocher faire tourner en rond son carrosse. La Charrette avait senti un étrange courant d'air balayer la place, le parvis et les ruelles, et commençait à flairer un vide dans le village. Ses essieux se mirent à grincer, ses portières à battre au vent.

...Ces coquins de petits bonshommes lui auraient donc échappé? Par quel trou, quelle ouverture seraient-ils passés? Dans quelle pâte furent pétris ces mortels?

Et sans prendre la peine d'éteindre sa pipe ni d'enfoncer son haut de forme sur le front, le cocher fit claquer son fouet, et huhau!... lâcha la bride à ses six chevaux. Des chevaux en furie, partis à grand galop.

— Hue! dia! huchait Gros comme le Poing, juché sur la plume de Jean de l'Ours qui se tenait debout sur la marche-arrière du fourgon, tandis que les deux autres, assis sur le toit, regardaient filer le paysage à droite et à gauche.

Une cavalcade du diable!

— Elle nous a sentis et nous poursuit comme un âne sa carotte! riait le nain.

— À cette vitesse-là, elle aura bientôt atteint le bout du monde, d'ajouter le géant, aveuglé par la poussière.

— Depuis tout le temps que je désirais le connaître, celui-là!

— Connaître quoi?

— Le bout du monde, mon frère! N'a-t-on pas quitté la maison paternelle, un bon matin, pour partir à la quête du monde et de ses planètes?

— ...Et une fois qu'on l'aura atteint... où irons-nous après?

— Après?... Mais après, grand nigaud, il en restera toujours à découvrir. Tu sais bien que le monde n'a pas de fin.

Mais non, ça Jean de l'Ours ne le savait pas. Il fait cependant confiance à son frère... Car celui-là sait toujours où il va, trouve des solutions à tout, réussit à tout coup à sortir ses compagnons de l'impasse ou du pétrin.

Gros comme le Poing écoute son gros patapouf de jumeau faire son éloge et commence à se sentir nerveux. Il regarde le monde se dérouler de chaque côté de la Charrette à une vitesse qui augmente en progression géométrique, et tout d'un coup, il se bouche les yeux de ses deux mains. Il veut crier mais ne peut pas.

...La garce les emporte, malgré eux et malgré elle! Elle ignore qu'elle les emmène, mais elle les emmène! Dans quel cul de sac a-t-il mis le pied cette fois? Le sien et celui de ses frères! Et sans réfléchir davantage, convaincu encore un coup qu'il ne doit se fier qu'à son instinct, il leur crie :

— Sautez!

...Quoi?... comment?... sauter?

— Le moyen de sauter d'un carrosse qui file à toute vitesse sur une route cahoteuse et tordue!... rechigne Messire René qui vient aussi de mesurer la profondeur de l'abîme qui les cerne de toutes parts.

— Faut sauter! répète le nain qui a retrouvé ses esprits et du coup le sens de ses responsabilités vis-à-vis de sa compagnie. Ne balancez pas! Sautez!

Le ton est sans réplique. Et le premier à obéir au commandement de Gros comme le Poing est son frère le plus fidèle, le plus loyal, celui qui lui a obéi dès le premier jour, quand dans l'atelier de leur père, il lui avait donné ordre de venir au monde.

Après Jean de l'Ours, c'est Jour en Trop qui fait le grand saut, un saut qui ressemble plutôt à un envol et qui sème sur la route un deuxième compagnon à une distance de plusieurs lieues du premier.

Gros comme le Poing se rend compte que s'il veut rattraper un jour ses frères, il ne doit pas retarder sa chute, il doit donner un grand coup tout de suite... tout de suite... aïe, aïe!...

— Vas-y, petit, hâte-toi! de l'encourager le vieux, confortablement assis sur ses fesses et qui a décidé de n'en pas bouger.

Le nain lève la tête et rencontre le regard de l'ancêtre qui lui fait des adieux émus et touchants.

— Non! pas ça! L'aîné d'abord.

— Je reste; je suis trop vieux; je me romprais tous les os.

— Des os, ça se raccommode. On trouvera bien un rabouteux.

— Va, petit, tu perds ton temps, saute et ne te retourne pas.

— Nooooonnn!!

Et dans une soudaine montée d'adrénaline qui lui a raidi les muscles et durci les os, le nain a poussé le vieux en bas du coche à l'instant précis où Marco Polo happait son maître au collet et l'emportait dans les airs.

La Charrette a dû se sentir allégée soudain et comprendre de quel lest on venait de la délester. Car elle s'est arrêtée, puis a fait demi-tour.

Voilà qu'elle rebrousse chemin.

Le sombre équipage avance au pas, flairant chaque brin d'herbe, chaque caillou de la route. De temps en temps, le cocher penche la tête hors de la portière et fouille les ornières et les fossés.

...Marco Polo, mon ami fidèle, aide-moi, lui chuchote à l'oreille Gros comme le Poing qui n'ose plus regarder en bas.

Mais il a beau détourner les yeux, il suit la scène comme si elle se déroulait à l'intérieur de son cerveau. La Charrette occupe maintenant toute la largeur du sentier où sont tombés ses frères, l'un après l'autre. Elle finira inévitablement par les récupérer. Ils sont sur sa route.

...Mon pigeon bleu, mon frère...

Pour la première fois, le pigeon-voyageur est en panne, planté là dans les airs, juste au-dessus du coche qui semble s'être arrêté.

— Mon Dieu, c'est l'ancêtre! Il vient de recueillir notre Figure de Proue.

Et Gros comme le Poing se bouche les yeux des deux mains.

Puis le pigeon reprend son vol, emmène son maître un plus haut d'où le nain accablé doit assister à la montée en Charrette du cadet Jour en Trop.

Gros comme le Poing veut se jeter de sa monture, mais son pigeon-voyageur l'entraîne toujours plus haut dans les airs.

— Arrête, Marco Polo!

Mais Marco Polo a beau figer ses ailes, il glisse encore

de plusieurs lieues, emporté par une brise légère qui lui enfle les plumes.

Gros comme le Poing n'a plus de voix dans la gorge, plus de sang dans les veines. Il a perdu ses forces, ses sens, sa raison. Il n'est plus que mémoire. Oh! là, par ailleurs, il est servi! Tout son corps bouillonne de souvenirs, sa vie entière passe, et repasse, et l'envahit, et le chavire... Je ne suis plus qu'un potage, qu'il se dit, où flottent comme des petits pois tous les dits et gestes de ma vie...

L'image du potage le plonge dans les années folles de sa prime jeunesse, l'époque des grandes expéditions, des plus audacieuses et périlleuses tentatives. Il ne doutait de rien en ce temps-là. Il était parti, armé d'une besace et d'un bourdon, à la quête et conquête du monde. Un monde qui était un disque ou un globe, on n'était pas sûr, mais éternellement à la merci des étoiles qui se bousculent dans le firmament à la manière des petits pois dans un potage...

...Marco Polo, dit soudain Gros comme le Poing en lui caressant les ailes, car son sang a recommencé à circuler dans ses veines et son cerveau se réveille... Marco Polo, crois-tu pouvoir voler en marche arrière?

Le pigeon pour la première fois de sa vie embrouille ses ailes l'une dans l'autre et perd son rythme... Voler à reculons? c'est bien ce qu'on lui demande? Dans quelle galère il s'est embarqué le jour où il s'est laissé gentiment adouber et enrégimenter par les hommes!

Et après des efforts inouis pour battre des ailes à l'envers et à contre-temps, le pigeon-voyageur, premier de sa race et de toute l'espèce, réussit à voler en marche arrière.

— Brrrravo! s'exclame un Gros comme le Poing transporté jusqu'au septième ciel. Et maintenant rattrape le noir carrosse qui écrase les cailloux de la route juste en dessous. J'ai un mot à dire au cocher.

— Maître... vous ne pensez pas que...

— Fais ce que je te dis, pigeon! C'est notre dernière chance. Rattrapons-le à reculons.

L'oiseau plonge queue première. Gros comme le Poing

se bouche les yeux. Car il vient d'apercevoir Jean de l'Ours qui tente d'échapper à la Charrette avec ses bottes de sept lieues. Le nain ferme les yeux, mais se laisse quand même emporter par le pigeon jusqu'au noir fourgon.

L'oiseau se pose sur le brancard qui lie l'équipage à la Charrette, et laisse à son maître de prendre l'initiative de la suite.

Déjà les chevaux ont rattrapé le géant; déjà le cocher l'invite poliment à monter rejoindre ses compagnons. Gros comme le Poing ne bouge pas, attendant son heure. Car maintenant le nain sait ce qu'il lui reste à faire. Jean de l'Ours a posé sa botte sur le marchepied, le talon bien en vue, pendu en bas de la dernière marche.

...Le talon! Le Talon d'Achille, se répète Gros comme le Poing, en jouant avec ces cinq syllabes comme avec des dragées entre la langue et le palais... Achille, le demi-dieu, le presque immortel, vulnérable au talon... Sans cette petite faille, cette unique faille, Achille rentrait tout vivant dans l'éternité.

Gros comme le Poing continue de muser avec le talon de son frère... le Talon d'Achille... la faille dans l'invulnérabilité!

— À nous deux! qu'il crie dans un élan d'inspiration, à nous deux, cocher!

Car Gros comme le Poing vient de sentir les syllabes se déplacer sur sa langue, les mots échanger leur position et créer de nouvelles images, inventer de nouvelles idées.

...Les immortels entrent dans la mort par une toute petite faille, un talon, un genou, une blessure grande comme une feuille de tilleul entre deux omoplates... Les dieux sont vulnérables à un endroit, un tout petit endroit par où se faufile le Destin... Si, à l'envers des immortels, les mortels étaient vulnérables, l'espace d'un talon, à l'immortalité?

— Marco Polo! qu'il s'écrie, attends-moi à l'extérieur du coche. Je rentre.

— Ne faites pas ça, maître...

— Ne crains rien, mon pigeon bleu, je reviendrai.

— On ne revient pas de là.

— On revient si l'on est invulnérable au talon.

Et sans se retourner, vidant ses poumons du dernier filet d'air vicié, il pose le pied gauche sur le marchepied en s'aidant de tout son corps, et entre.

Gros comme le Poing ne perd pas de temps à saluer ou pleurer ses frères, tous trois prostrés au fond du coche. Il va directement au-devant du cocher qui l'accueille, deux doigts à la tempe, la pipe au bec.

— Bonjour! que fait le nain en accentuant exagérément les deux syllabes. Je ne dérange pas, au moins? Vous ne m'attendiez pas si tôt.

— Je t'attendais, répond l'autre. Tôt ou tard, c'est tout comme.

— Je me figure qu'ils sont plutôt rares ceux qui arrivent avant l'heure.

— Plutôt rares. Mais l'heure n'a aucune importance. Ce qui importe, c'est la manière.

— Je comprends, fait le nain en hochant la tête, vous voulez dire le style. Vous avez raison. Chacun devrait avoir la décence et la dignité de partir comme il est venu, de rester jusqu'au bout fidèle à lui-même et à sa destinée.

Le cocher ouvre un oeil, sourit et enlève sa pipe. Il paraît s'amuser des divagations du petit. C'est la première fois que l'un des passagers de la Charrette prend le temps de causer avec le cocher. Il n'a pas tort, car c'est la plus sûre façon de ne pas sentir les cahots de la route durant le voyage.

Et la conversation continue. On cause du temps qu'il a fait, de la comète de Halley, de la terre qui est ronde, de l'univers qui ressemble, vu d'en haut, à un potage plein de lentilles et de petits pois qui se bousculent les uns sur les autres.

— On a une vue superbe d'ici, laisse tomber Gros comme le Poing en passant la tête par la portière.

— Attention! ne vous approchez pas trop du vide.

— Je suppose que ça ne m'avancerait pas à grand chose.

— À vrai dire, non.

Les deux se taisent, mais n'arrêtent pas de se lorgner, en souriant. Tout à coup, Gros comme le Poing se dresse sur ses jambes, enfonce un peu plus son bonnet et regarde le cocher droit dans les yeux :

— Je ne vous proposerai pas un marché, qu'il dit, ce serait du temps perdu.

— Du temps perdu, fait l'autre en replantant sa pipe au coin de sa bouche.

— Et comme il n'y a plus de temps à perdre...

— ...comme tu dis...

— ...autant proposer autre chose.

Le cocher lève un sourcil.

— J'aurais le goût, reprend le nain, de suivre votre idée sur le style, la manière.

— Propose toujours.

Le nain s'appuie sur sa jambe gauche, puis sur l'autre, puis :

— Offrez-nous des fins dignes de nos vies.

— C'est-à-dire...

— Par exemple, une mort en plein soleil à l'heure du midi, sur le billot de la place publique, pour le cadet Jour en Trop. Ç'aura de l'allure et du style.

— Pourquoi pas?

— Pour l'ancêtre Messire René, une noyade dans les mers glaciales du Grand Nord. Ce sera grandiose.

— Hm-hm!

— Le géant Jean de l'Ours pendu raide et court du plus haut chêne de la forêt.

— Bien.

— Enfin... pour celui qui reste...

— ...?

— Disons que je consens à rentrer dans la cage aux fauves.

Le cocher dresse cette fois les deux sourcils, n'en croyant pas ses oreilles.

— Tu n'y vas pas de main morte, petit. J'en ai connu de plus grands qui furent moins courageux.

— Bah!... pour ce que j'ai à perdre!...

— Tout de même.

— N'en parlons plus. On ne vit ce jour qu'une fois. Donnons-lui du panache!

— Tut-tut...

Le coche est sur le bord de s'attendrir, mais il a trop à faire ce jour-là et s'attaque immédiatement aux préparatifs. Il dresse le billot au centre de la place et appelle le bourreau ; il frète un vieux bâtiment qui traîne en cale sèche ; il choisit un chêne énorme dans une clairière et y pend une corde entrelacée d'un noeud coulant ; il pousse dans une cage au grillage serré une demi-douzaine de fauves qui réveillent l'écho de grognements et rugissements comme les montagnes n'en ont pas souvent entendu.

...Ils n'en feront qu'une bouchée, qu'il se dit ; le petit ne sentira rien.

— Bien ; c'est l'heure. Finissons-en. Parés?

— Paré ou pas, j'y vas! s'écrie Gros comme le Poing en clignant de l'oeil de loin au pays de son enfance qui avait dans le temps abrité ses jeux, ses rêves, ses premiers pas vers l'aventure.

Et sans plus, il aide lui-même la Charrette à traîner ses frères vers le billot, le chêne, les eaux glacées du nord. Puis il entre de pied ferme dans la cage aux bêtes féroces et fait claquer la porte derrière lui, au grand étonnement de la Charrette.

Un étonnement qui la figea durant plusieurs instants. Instants de distraction, de diversion. Mais un seul instant suffit pour trouver le Talon d'Achille d'un cocher. Pas seulement la vie peut être vulnérable, mais aussi la mort.

Durant sa longue conversation en Charrette, Gros comme

le Poing avait eu le temps de découvrir l'envers du talon de chacun de ses frères. Et voilà comment il trouva l'ultime moyen de déjouer la Mort.

Récapitulons.

Sur l'ordre du cocher, et encouragé par Gros comme le Poing, Jour en Trop s'était laissé mener au billot de la place publique, sans dire un mot, d'une tristesse qui n'était pas sans beauté ni grandeur. Il avait posé la tête sur la bûche, au moment venu, et attendu que sonne le premier coup de midi.

Le premier coup sonna.

Puis le dernier.

Mais entre les deux, rien. Le temps avait sombré, un instant, l'instant dont profita Jour en Trop né Hors du Temps pour retourner chez lui. Il disparut, ne laissant qu'une brise parfumée derrière lui, et une foule de curieux qui se demandait par où il était passé.

Gros comme le Poing eut juste le temps de lui envoyer la main et de lui crier :

— Merde! À la prochaine, l'ami!

...et de voir le clin d'oeil ébloui que lui retournait son compagnon d'une vie.

Le cocher arriva en courant, dégagea son haut de forme de son front et interrogea le nain : Que s'était-il passé? Où était le cadet?

Gros comme le Poing haussa les épaules et fit une moue qui lui dessinait un croissant renversé autour du menton.

...Il en restait quand même trois autres, se dit le cocher, sa journée n'était pas complètement gâchée. Et il fit embarquer Messire René dans le vieux bâtiment qu'il poussa vigoureusement à la mer.

Et la mer grossit, figea, durcit sous la froidure, et

endormit l'ancêtre qui se tenait debout à la proue, cherchant à lire sa destinée dans les étoiles et dans la queue de la comète de Halley. Messire René retournait à sa figure de proue pour un autre demi-millénaire.

— Merde! lui cria Gros comme le Poing en captant son dernier regard amusé, tu auras un nouveau siècle à raconter à nos descendants, radoteux!

Et les larmes du nain gelèrent le long de ses joues.

— Ah! non! tempêta le cocher qui faisait rouler sa Charrette jusqu'au bord de l'eau. Un autre qui m'a échappé! Ça ne se passera pas de même avec le prochain. Je me charge de le pendre, celui-là, haut et court, et on verra bien qui aura le dernier mot cette fois.

Gros comme le Poing fit signe à Jean de l'Ours de se laisser conduire sans résistance, de ne pas avoir peur, qu'il avait tout prévu, qu'il avait découvert sa faille au talon, un talon d'Achille, par où passerait l'immortalité.

Et l'on pendit Jean de l'Ours du haut du plus vieux chêne de la forêt, un chêne qui était son arrière-grand-père qui reconnut son descendant et le laissa tout doucement choir à ses pieds sur la mousse, lui donnant même une branche en héritage. Le géant se releva de sa chute sans autre dommage qu'un bleu aux fesses, et se mit aussitôt à chercher partout son frère pour lui raconter la plus extraordinaire aventure de sa vie.

Mais son frère était invisible, Jean de l'Ours avait beau fouiller les broussailles et buissons.

— Gros comme le Poing! je suis là, je suis revenu! Où es-tu, mon frère?

Le cocher se tourna vers Jean de l'Ours en lançant un effroyable ricanement... Il en avait perdu trois? Tant pis! Il tenait le dernier, qui valait tous les autres. Celui-là ne lui glisserait pas entre les doigts. Il l'avait déjà poussé dans la cage où l'attendaient, affamées, six des plus féroces bêtes de la création. Les créatures du sixième jour.

Jean de l'Ours vient d'entendre les grognements et rugissements, plus insupportables que le grincement des roues... Non! il ne laissera pas faire ça! Il brisera la grille, abattra les fauves, sauvera son frère!

Mais quand le géant se présente dans la cage, prêt à affronter seul et les bras nus six bêtes de sa taille, il aperçoit un spectacle qui lui coupe le souffle et le laisse tout penaud, embarrassé par sa propre fureur.

— Que fais-tu là, Gros comme le Poing? qu'il réussit tout juste à bégayer, les pieds en dedans.

Gros comme le Poing crie à Jean de l'Ours de s'amener, qu'il a des amis à lui présenter.

— N'aie pas peur, mon frère, approche; je leur ai raconté nos aventures. Ces bêtes-là ne sont pas sauvages quand on sait les aborder et parler leur langage. Viens, approche.

Et nos deux héros, assis au milieu de la fosse, s'entretinrent longtemps avec les bêtes sur mille sujets qui leur tenaient à coeur.

Soudain, on entendit un vacarme du diable à la grille. C'était le cocher qui cherchait à entrer pour déverser sa rage sur ses deux dernières victimes.

— Vous le connaissez, celui-là? demanda innocemment le nain à une superbe mère-ourse qui paraissait affamée.

— Que si! Il nous amène bien du monde.

Gros comme le Poing sourit à Jean de l'Ours de son oeil en coin.

— Tenez! Je vous l'offre!

Et ouvrant la cage, il libéra les fauves qui partirent comme des éclairs à la poursuite de la Charrette. Le cocher eut juste le temps de sauter sur le marchepied et de s'enrouler les rènes autour des poignets.

— Au moins aujourd'hui, éclata Gros comme le Poing plié en deux, la Charrette n'aura pas le temps de s'arrêter pour ramasser personne.

Et les deux frères s'assirent sur le bord de la route pour rire tout à leur aise.

Tout à coup, le géant s'assombrit.

— Nous ne les reverrons jamais plus? qu'il demande

tout triste à Gros comme le Poing.

Le nain se chiffonna le nez, faillit s'engotter, puis dit sur son ton le plus grave qui se situait quelque part entre le si et le do :

— Ils sont rentrés chez eux, mon frère, dans le conte et la légende, dans les plis de l'histoire et du temps d'où on les a sortis.

— Ils reviendront ? insista Jean de l'Ours.

— Ils seront toujours là, tout près. Chaque fois que tu t'arrêteras pour capter au vol l'instant qui passe, tu sauras que c'est Jour en Trop qui te souris, caché à l'envers du temps. Et quand tu chercheras à remonter dans l'histoire pour y dénicher ton lignage et tes origines, tu entendras Messire René te répéter des leçons interminables, t'inonder de son antique sagesse et de son indéfectible mémoire du passé.

Et pour s'égayer lui-même et arracher son frère à sa nostalgie :

— Il t'inondera si bien, que tu chercheras par tous les moyens ces jours-là à te débarrasser de lui.

Au petit jour, le lendemain, nos deux héros reprirent la route, dans la direction du soleil levant. L'ancêtre leur avait dit de ne pas s'en faire, que si vraiment la terre était ronde...

— Regarde, Jean de l'Ours, on dirait la cabane de Clara-Galante, dans le coude du ruisseau.

— Mais le ruisseau est tout petit, à peine un filet d'eau sous la mousse.

Gros comme le Poing s'agrippa à la culotte de son frère.

— Arrête, qu'il dit. Chut ! écoute... tu entends ?

Le géant ouvrit toutes grandes ses ouïes, capables d'attraper au vol les cloches de dix lieues à la ronde, mais trop larges pour saisir le pépiement des poussins à ses pieds. Il resta tout bête à écouter de toutes ses forces, puis finit par renoncer et demander au nain de l'instruire.

— Je crois, Jean de l'Ours, mon frère, mon compagnon fidèle, que nous voilà rendus chez nous.

Jean de l'Ours en agrandit les yeux, les narines, la bouche.

— Tu penses, Tom Pouce?

— J'en suis sûr!

Et sans un mot de plus, le nain grimpa sur les bottes du géant, le long de ses cuisses, ses hanches, sa poitrine, son cou, posa un pied sur son nez et sauta sur le faîte de la plume d'autruche qui se balançait sur son chapeau. Il mit la main en visière pour mieux distinguer le village qui se découpait à l'horizon; mais c'est un oiseau qui envahit son champ de vision.

— Marco Polo! qu'il s'écria en tendant les bras... Mais qu'est-ce qui t'arrive? Tu as blanchi!

— C'est vrai, constata de même Jean de l'Ours, notre pigeon bleu est rendu tout blanc.

Marco Polo fit trois ou quatre loopings, décrivit quelques boucles, et vint doucement se poser sur l'épaule du géant.

— En frôlant de trop près la Charrette, qu'il se mit à roucouler, on devient très vite colombe.

Et pour la première fois, Gros comme le Poing crut l'entendre glousser.

Soudain, et sans avoir l'air d'y attacher de l'importance, le nain chuchota de toutes ses forces à l'oreille de son frère:

— Dis donc, gros patapouf, tu crois qu'un pigeon blanc daignerait rester dans notre compagnie et consentirait à rentrer avec nous au pays?

Le pigeon se trémoussa, épousseta ses ailes, fit claquer son bec, et agita furieusement la patte gauche au niveau des yeux de son maître Gros comme le Poing. Celui-ci dilata ses prunelles à les faire éclater. Puis avançant timidement la main:

— On peut savoir à qui tu le portes, ce message? Et... on peut connaître son contenu?

Marco Polo cligna des yeux aux deux héros et prit son envol exactement dans la direction du clos familial de maître Bonhomme et de dame Bonne-Femme.

— Il va chez nous! s'écrièrent les deux en même temps.

— Rattrapons-le, Jean de l'Ours, il faut arriver ensemble. Giddup! hue! dia!

Jean de l'Ours, tout en courant, dit à son frère :

— Tu sais, Gros comme le Poing, j'ai vu sur sa patte une tache dorée ; tu crois que c'est sa tache originelle?

Gros comme le Poing ne répondit pas, mais après s'être longuement concentré, se mit à sourire par en dedans.

— Va, Jean de l'Ours, mon frère, débroussaille tes moustaches. Il faut nous faire beau pour rentrer à la maison.

Puis se plantant tout droit devant le géant en écartant les jambes et bombant le torse :

— Comment me trouves-tu, frèrot?

— Plutôt petit.

— Toi, beaucoup trop grand.

Et les deux frères, la main dans la main, ouvrirent le clayon du clos; enjambèrent l'un la charrette, l'autre le râteau; décrochèrent en passant une pomme du pommier; puis s'en vinrent pousser la porte du logis paternel où un Bonhomme et une Bonne-Femme demandaient à un pigeon-voyageur des nouvelles de leurs enfants.

ÉPILOGUE

...puis nos deux héros vécurent longtemps entre père et mère et ils eurent de nombreux enfants.

La voix écorchée de la vieille servante s'est tue.

J'ai quitté la cabane en délabre, en calouettant au soleil et en riant tout bas. Les écureuils frétillaient toujours de la queue au museau; les lièvres sautaient, les corbeaux se plaignaient, les aigrettes grafignaient les feuilles; et les geais bleus, en m'apercevant, ravalèrent leurs avertissements.

J'ai sauté le ruisseau du Docteur Landry et je suis sortie de la forêt. En dévalant la butte, j'ai entendu le glapissement du renard qui pointait le museau hors de sa tanière. Tiens, tiens! que je me dis. Puis j'ai poursuivi ma descente jusqu'au village assis tranquillement entre la mer, les collines et les bois.

Tranquillement?... Il m'a semblé voir grouiller du monde sur le parvis de l'église, autour du magasin-général des Robichaud Frères: plusieurs générations de gens du pays que fréquentait mon père du temps que j'étais roulée en boule sous le pupitre familial et que j'apprenais l'histoire de mes ancêtres... Une histoire qui plantait ses racines jusqu'au paradis terrestre; des ancêtres qui descendaient en droite ligne d'Adam et Ève.

J'étais à l'étroit sous le pupitre. Et pourtant, j'étais bien. Comme dans un cocon, une coquille, une matrice. Des mots parvenaient à mes oreilles, des bribes de phrases, même des phrases entières. J'en attrapais le plus possible au vol. Puis j'essayais de les recoller, les imbriquer de manière à donner au discours l'allure d'une histoire.

...C'était l'histoire des Cormier, la famille paternelle de ma mère. Oh! ceux-là! Des petits diables, je vous le jure! Plutôt bas sur pattes, fourrés partout, farceurs, espiègles, réinventeurs perpétuels des boutons à quatre trous, vantards, fêtards, fanfarons, menteurs, courageux jusqu'à pousser les autres en première ligne de combat, tendres comme du bon pain, de joyeuse compagnie, résistant à tout sauf à la tentation, refusant de souffrir, pâtir et mourir. Au demeurant, les plus merveilleux ancêtres du monde.

...Puis il y eut l'histoire des Goguen, la branche maternelle de ma mère. On racontait dans la famille que les Goguen étaient apparus à l'horizon pour empêcher les Cormier de basculer dans la folie qui les poussait chaque matin à recréer le monde. Cette branche maternelle du maternel était plutôt lourde, forte, déterminée et droite, du véritable bois franc. Ce n'est pas la grand-mère Célina qu'on aurait surprise à manquer à sa parole ou à ne pas achever une oeuvre commencée. Une dure au mal, la Célina; une femme énorme, qui ne rêvait pas de rebâtir le monde, mais qui s'attaquait pourtant à cette tâche chaque matin, sans savoir où tout cela la mènerait, par droiture, fidélité dans le bien, loyauté envers la vie qui l'avait mise au monde.

...Du côté paternel, le père du père de mon père, la branche qui m'a donné mon nom de famille, c'était une tout autre histoire. Des sages, les Maillet, sortis des temps les plus reculés. On a même réussi à défricher la lignée jusqu'au seizième siècle, sans perdre une maille, et l'on pense pouvoir, sans en rajouter, faire naître la souche à l'époque des bâtisseurs de Notre-Dame et de Saint-Julien-le-Pauvre. Une histoire qui ressemble à un conte où apparaissent pour la première fois, en l'an mil cent soixante-trois, à Paris, trois frères maçons, chefs de leur confrérie. C'est donc de leur outil, le maillet qui construisait les cathédrales, que les ancêtres paternels de mon père ont reçu le nom que mon père a déposé dans mon berceau. De haut lignage, les Maillet, de fortes traditions, d'un riche héritage transmis de mémoire depuis les temps les plus reculés.

...Et mon père avait une mère, morte en couches, que personne de ma famille n'a connue, une mère qui n'a laissé dans la mémoire de ses descendants aucun visage, aucun souvenir. Elle est venue et repartie, attrapant en passant le pollen des fleurs dans la brise. Les années n'ont pas terni sa beauté. Le temps ne l'a pas touchée. La grand-mère paternelle, qui était une Allain, est restée à jamais en dehors du temps.

Voilà les histoires que j'ai recueillies sous le pupitre de famille, pendant que je contemplais sur ma cuisse gauche une tache de naissance que je prenais pour la tache originelle.

J'ai appris, petit à petit, que cette tare me venait d'une faute que je n'avais pas commise — moi qui en avais commis tant d'autres! — mais que j'avais héritée de mes premiers parents qui avaient péché pour moi, quatre mille ans ou quatre millions d'années avant ma naissance. J'ai donc pris la décision là, en cet instant précis, d'aller un jour demander des comptes aux coupables, et d'exiger du même coup de l'auteur de la genèse d'accorder au monde, par ma personne interposée, sa seconde chance.

...Je lui dirais, que je m'étais dit, que sa Création était trop petite, trop courte, trop fluette, pas finie; que ce n'était pas la peine de l'entreprendre s'il ne disposait que de sept jours pour tout faire, plus se reposer; que dans ces conditions, il aurait bien pu se faire aider, prendre l'avis de ceux qui ont faim, qui sont nus, qui vivent à la cour d'un roi fainéant et fou. Il aurait pu demander aux rêveurs de rêver, aux inventeurs d'inventer autre chose, me demander à moi d'ajouter aux sept autres un huitième jour.

Je traverse le village, la tête vide, mais le coeur et les reins chargés de rêves chatouillants. J'enfile les marais, les dunes, je rentre à mon phare en comptant les marches qui montent à la tour. Je me hâte sans savoir pourquoi... sinon que je n'ai pas renoncé au paradis. Je ramasse mes feuilles, mes crayons, ma plume. Je suis sûre d'une seule chose : après le huitième, le neuvième jour !

Les possibles sont infinis.

Montréal, le 30 avril 1986, à midi !

TABLE

DU MÊME AUTEUR

Pointe-aux-Coques, roman. Montréal, Leméac, 1972 et 1977.

On a mangé la dune, roman. Montréal, Leméac, 1977.

Les Crasseux, théâtre. Montréal, Leméac, 1973.

La Sagouine, monologues. Montréal, Leméac, 1971, 1973, 1974, 1986.

Rabelais et les traditions populaires en Acadie, thèse de doctorat. Québec, Les Presses de l'Université Laval, 1971, 1980.

Don l'Orignal, roman. Montréal, Leméac, 1972.

Par derrière chez mon père, contes. Montréal, Leméac, 1972.

L'Acadie pour quasiment rien, guide touristique et humoristique. Montréal, Leméac, 1973.

Mariaagélas, roman. Montréal, Leméac, 1973.

Gapi et Sullivan, théâtre. Montréal, Leméac, 1973. (épuisé)

Les Crasseux, (nouvelle version), théâtre. Montréal, Leméac, 1974.

Emmanuel à Joseph à Dâvit, récit. Montréal, Leméac, 1975.

Évangéline Deusse, théâtre. Montréal, Leméac, 1975.

Mariaagélas, roman. Paris, Grasset, 1975.

La Sagouine, monologues. Paris, Grasset, 1976.

Gapi, théâtre. Montréal, Leméac, 1976.

Les Cordes-de-Bois, roman. Montréal, Leméac, 1977; Paris, Grasset, 1977.

La Veuve enragée, théâtre. Montréal, Leméac, 1977.

Le Bourgeois gentleman, théâtre. Montréal, Leméac, 1978.

Pélagie-la-Charrette, roman, **Prix Goncourt**. Montréal, Leméac, 1979; Paris, Grasset, 1979.

La Contrebandière, théâtre. Montréal, Leméac, 1981.

Christophe Cartier de la Noisette dit Nounours. Hachette/Leméac, 1981.

Cent ans dans les bois, roman. Montréal, Leméac, 1981.

La Gribouille, roman. Paris, Grasset, 1982.

Les Drolatiques, Horrifiques et épouvantables aventures de Panurge, ami de Pantagruel, théâtre. Montréal, Leméac, 1983.

Crache à Pic, roman. Montréal, Leméac, 1984.